Y Cymro Cryfa

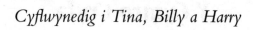

Cyflwynedig i Tina, Billy a Harry

Y Cymro Cryfa

Robin McBryde

gyda Lynn Davies

Diolchiadau

Dymunaf dalu teyrnged o ddiolch diffuant i Lynn Davies am ei holl lafur trylwyr, i Grav am ei gyflwyniad hyfryd, i wasg Y Lolfa, yn enwedig i Lefi, am bob awgrym a chydweithrediad.
Dymunaf gydnabod werth a chysur y dyfyniadau sydd ar ddechrau pob pennod ar wahanol adegau yn fy ngyrfa, ac o'r herwydd dewisaf eu cynnwys yn yr iaith wreiddiol.

R.M.

Argraffiad cyntaf: 2006

Dymuna'r cyhoeddwyr gydnabod cymorth ariannol
Cyngor Llyfrau Cymru

Lluniau'r Clawr a'r tu mewn: Hugh Evans Agency, Caerdydd
a'r awdur
Cynllun y clawr: Y Lolfa

Rhif Llyfr Rhyngwladol: 0 86243 924 8
ISBN-13: 9780862439248

Cyhoeddwyd yng Nghymru
ac argraffwyd ar bapur di-asid gan
Y Lolfa Cyf., Talybont, Ceredigion SY24 5AP
gwefan www.ylolfa.com
e-bost ylolfa@ylolfa.com
ffôn 01970 832 304
ffacs 832 782

Rhagair

Robin McBryde, oes, ma' na hyd yn oed elfen arwrol yn glwm wrth yr enw, ac, wrth gwrs, ma' Robin yn dal yn arwr i filoedd ar filoedd o gefnogwyr rygbi dros y byd i gyd, er gwaetha'r ffaith bod anaf wedi ei orfodi i roi'r gore iddi bellach fel chwaraewr rygbi proffesiynol. Ond, diolch byth, mae'n dal yn aelod allweddol o dîm hyfforddi Cymru, a'i holl brofiadau fel cyn-chwaraewr nawr yn cael ei drosglwyddo a'i ddefnyddio i helpu eraill i wireddu'r freuddwyd o gynrychioli eu gwlad.

Fe ddes i ar draws Robin gynta pan oedd e'n chwarae gyda 'Jacks' Abertawe, ond rhywsut roedd y bachgen 'ma'n wahanol i'r lleill, oherwydd roedd ganddo weledigaeth fawr, yn enwedig pan benderfynodd, yng nghanol y nawdegau i groesi afon Llwchwr a gosod ei wreiddie yn Ne-Orllewin Cymru. Wel, wedi'r cyfan, *West is Best* ac ma' Robin wrth gwrs, fel un a anwyd ym Mangor a'i fagu ym Mhorthaethwy, yn deall i'r dim ac yn medru uniaethu'n llwyr gyda'r hen, hen ddywediad yna.

Ac yn wir, fe wnaeth e ymgartrefu i'r ffordd o fyw a'r ffordd o chwarae sy'n gysylltiedig ac yn rhan annatod o hanes a thraddodiad y Sgarlets o'r Gorllewin gwyllt. Cawr o ddyn, gŵr bonheddig yn wir, cenhadwr sydd wedi hyrwyddo'i wlad a'i hiaith a chario'i Gymreictod gyda balchder i bedwar ban byd. Ond, wrth gwrs, does unman yn debyg i gartre, ac i Robin a'i deulu – a theulu bach dedwydd iawn ydyn nhw hefyd, ei wraig, Tina a'r meibion Billy a Harry – mae gartre bellach yn Y Tymbl Ucha yn un o gymoedd hyfryta Cymru, Cwm Gwendraeth.

Robin, diolch i ti am dy wasanaeth a'th deyrngarwch fel aelod a hefyd Capten ar dîm Y Sgarlets. Ma' Cymru, a'r byd rygbi'n gyffredinol, yn cydnabod ac yn gwerthfawrogi dy gyfraniad i Sgarlets Llanelli, i Gymru ac wrth gwrs i'r Llewod. Fe lwyddest i gyfuno'r cyntefig a'r diwylliedig gyda hiwmor tawel, nerth corfforol a pharch aruthrol tuag at dy gyd-ddyn.

Robin McBryde, 'Y Cymro cyflawn' yn ogystal â'r 'Cymro Cryfa'!

Ray Gravelle

Y Cymro Cryfa

*Anyone who takes himself too seriously always runs the risk
of looking ridiculous; anyone who can consistently laugh at
himself does not.*

Václav Havel

Ar hyd 'y ngyrfa rygbi, hyd heddiw, bu'n rhaid i mi fyw gyda'r
enw 'Y Cymro Cryfa', a hyd yn oed ddiodde yn ei sgil, wedi
i mi ennill cystadleuaeth ar S4C yn 1992 oedd yn dwyn y teitl
yma. Y gwir amdani yw nad oedd y disgrifiad ond yn wir o ran y
Cymry oedd yn cystadlu â'i gilydd yn y gyfres deledu honno. Rwy'n
barod i gyfadda bod chwara bachwr i Gymru ac i glybiau dosbarth
cynta am bedair blynedd ar ddeg yn gofyn am fwy o nerth a grym
nag sydd falle gan y rhan fwya o bobl ond, yn sicr i chi, roedd 'na
Gymry eraill cryfach na fi'n bodoli'r adeg honno, pan enillis i'r teitl
'Y Cymro Cryfa'.

Eto, am sawl blwyddyn wedi i mi ennill y teitl hwnnw, mi ges
i 'mhryfocio'n gyson gan hyfforddwyr rygbi a chyd-chwaraewyr â
sylwada tebyg i, "Beth am i ni gael gweld shwd ma'r Cymro Cryfa
yn mynd i ddod i ben â'r prawf ffitrwydd nesa 'ma?" Neu, "Byddwn
ni'n iawn yn erbyn rheng flaen Caerdydd wythnos nesa achos ma
'da ni'r Cymro Cryfa yn chwara i ni!" Bydda papura newydd hyd yn
oed ar ddiwedd 'y ngyrfa yn 2005 yn dal i gyfeirio at 'yn llwyddiant
i yn y gystadleuaeth honno.

Rupert Moon oedd yn gyfrifol am y cyfan. Cafodd ei gyflogi gan
gwmni teledu Rugby Vision i ddod o hyd i rai chwaraewyr rygbi

fydda'n barod i gymryd rhan mewn cyfres i brofi nerth a ffitrwydd y cystadleuwyr. Pan ofynnodd Rupert i mi gynta, ddaru mi gytuno, ond fel roedd mis Gorffennaf 1992 yn dod yn nes, ro'n i'n difaru. Er hynny, ro'n i'n meddwl bod gobaith i mi wneud yn reit dda gan 'y mod i'n gwbod mai'r ffarmwr o Nant Conwy, Alun Jones, ddaru mi chwara rygbi yn ei erbyn pan o'n i efo Clwb yr Wyddgrug, enillodd y teitl 'Y Cymro Cryfa' yn y gystadleuaeth a gynhaliwyd gan S4C y flwyddyn gynt.

Cafodd y rowndia rhagbrofol eu cynnal ar gae Clwb Rygbi Rhuthun, lle daeth deunaw ohonon ni ynghyd, yn gymysgedd o ffarmwrs, codwrs pwysau, hogia porthi'r corff, chwaraewyr rygbi ac un reslwr proffesiynol, ar ddiwrnod gwlyb a diflas. Roedd chwe chystadleuydd ym mhob rhaglen, gyda'r goreuon yn y rhaglenni rhagbrofol yn mynd drwodd i gystadlu yn y Sioe Frenhinol yn Llanelwedd, yn gynta mewn dwy raglen gyn-derfynol, yna yn y ffeinal, lle'r ymddangosodd y chwech gorau.

Ym mhob rhaglen roedd gofyn cyflawni amrywiaeth o dasgau reit galed, lle byddan ni weithiau'n brwydro yn erbyn y cloc, dro arall yn erbyn ein gilydd. Tasgau fel tynnu Landrofer, tyg o'war, profi bôn braich, rhedeg cwrs rhwystrau a chodi, cario a hyrddio cerrig gorchest. Mae'n rhaid i mi ddweud bod llawer o'r tasgau, yn enwedig y rhai oedd yn cyfuno cyflymder a nerth, yn galw am yr un math o ymroddiad ag roedd disgwyl i mi ei ddangos ar gae rygbi. Roedd gen i fantais dros yr hogia oedd yn ei chael hi'n anodd gwneud y tasgau fyddai'n gofyn am redeg yn ogystal â phrofi grym. Er hynny roedd sawl un o'r tasgau'n dipyn o faich arna i ac roedd hi'n eitha brwydr i mi gyrraedd y ffeinal.

Byddai lwc weithiau'n chwarae rhan yn y gweithgareddau ac ambell ymgeisydd yn cael mantais, neu anfantais hyd yn oed. Un o'r tasgau yn y rownd gynta oedd cael pob cystadleuydd, am y cyflyma, i wthio peiriant sgrymio am hyn a hyn o bellter. Pan gychwynnodd y cystadlu, roedd y tir yn anwastad ac yn fwdlyd dan draed ond wedi pedwar cystadleuydd a phedair taith drosto gan y peiriant, roedd y tir wedi'i gywasgu a bellach yn lefel, gan roi mantais glir i'r ddau ola oedd wrthi. Mewn cystadleuaeth arall, roedd gofyn i bob un o'r chwech dynnu tractor dros bellter arbennig, am y cyflyma. Allan o'r chwe chystadleuydd dim ond y fi lwyddodd i symud y tractor o'i unfan. Ond doedd hynny ddim yn cael ei gyfrif yn 'deledu da', felly penderfynwyd sgrapio'r gystadleuaeth honno. Dro arall, pan oeddwn i mewn ras tynnu Landrofer â rhaff yn erbyn 'Y Tarw Bach', Huw Lloyd, o Gwmann, ro'n i'n methu'n lân â deall pam roedd o wedi mynd ar y blaen i mi, o rai llathenni, mor sydyn. Wedyn mi sylweddolwyd bod y trefnwyr wedi anghofio gollwng yr hand-brec ar 'yn Landrofer i.

Roedd tactegau'n bwysig weithia, yn enwedig yn achos un gystadleuaeth yn y ffeinal, sef y tyg o'war rhwng dau ar y tro, pan benderfynodd y tri chwaraewr rygbi dosbarth cynta, John Davies, y ffarmwr o Boncath, Ricky Evans, y dyn tân o Aberporth, a minna, sticio gyda'n gilydd yn erbyn y tri arall oedd yn cystadlu. Roedd y tir yn eitha anwadal dan draed ac roedd Ricky wedi dod â sgidia rygbi gydag o – roedd y styds oddi tanyn nhw yn gymorth mawr i ddal gafael. Gan nad oeddan ni'n tri'n cystadlu yn erbyn ein gilydd, ddaru ni gytuno na fydda neb arall, heblaw y ni, yn mynd i gael defnyddio'r sgidia dal-gafael, felly mi wrthodwyd cais gan y lleill am gael eu benthyg. Tric sâl, meddech chi. Dim o gwbl – roedd £1,000 yn y fantol. Ie, dyna oedd y wobr i'r Cymro Cryfa, ac roedd £100 i bob cystadleuydd am bob rownd roedd o'n ymddangos ynddi. Felly roedd haf 1992 yn un llewyrchus iawn i mi.

Er mor galed oedd y cystadlu, roedd o'n lot o hwyl. Roedd tipyn o ddiddordeb yn y gyfres deledu ar hyd a lled y wlad ac mae'n biti iddi ddod i ben pan y gwnaeth. Ddaru mi gymryd rhan ynddi'r flwyddyn wedyn hefyd ond dim lwc i mi y tro hwnnw, er i hogia'r rheng flaen wneud eu marc unwaith eto wrth i John Davies ennill y teitl 'Y Cymro Cryfa' yn 1993. O'm rhan i, roedd y gystadleuaeth yn ffordd wych o 'nghadw i'n ffit yn ystod yr wythnosa pan nad o'n i'n ymarfer mor galed ar gyfer y tymor rygbi. Er y tynnu coes a fu ar ôl i mi ennill y teitl, daeth 'yn enw i'n un cyfarwydd yn ei sgil. Mi dderbyniodd fy rhieni, er enghraifft, lythyr wedi ei gyfeirio at Mr

9

a Mrs Cryf, Porthaethwy, Ynys Môn! Yn ogystal, am y tro cynta yn
'y mywyd, mi ro'n i'n destun englyn, a sgrifennwyd gan y Prifardd
John Gwilym Jones. Bu'n ddigon caredig i'w gyflwyno i mi yn ei
lawysgrifen ei hun ac rwy'n dal i'w drysori:

> Rhoed coron y gwroniaid – i un cawr
>   Cyhyrog ei enaid
> Am rym ei gyflym goflaid
> A champau breichiau McBryde.

Bachu Cyfle

There are only two lasting bequests we can give our children.
One is roots, the other wings.

Hodding Carter

Doedd gen i ddim byd i ddeud wrth rygbi pan o'n i'n hogyn bach. Yn wir, ro'n i ymhell i mewn i'n harddega cyn y gallwn ddeud bod rygbi'n bwysig yn 'y mywyd i. Yn ystod 'y mhlentyndod yn Llanfechell, pentra bach gwledig ym mhen ucha Sir Fôn, yn un o ardaloedd mwya gogleddol Cymru, mi faswn wedi ei chael hi'n anodd enwi unrhyw chwaraewr rygbi adnabyddus. 'Yn arwr i yn y byd chwaraeon oedd Kenny Dalgleish, Lerpwl oedd 'y nhîm i ac roedd pêl-droed yn hollbwysig i mi. Rwy'n cofio cefnogi Brasil yng Nghwpan y Byd yn 1974, a mynd i drafferth i gael enw pob un o'r tîm hwnnw wedi'u hysgrifennu'n ofalus ar 'y mhêl i, ond ddaru'r enwa ddim para'n hir. Bob cyfle fydden i'n ei gael, byddwn i a'r giang, Alun Lloyd, Stephen Bach, John Tîn a Dei Post, yn dod â berw Anfield i'r llecyn tir yn ymyl y cae swings yng nghanol y pentra.

Un o Lanfechell yw Diana, fy mam, ac o Gorris y daw 'Nhad, John, y ddau wedi mynd i ddysgu i Sir Fôn i ddechra. Doedd hi ddim yn syndod 'mod i'n hoff o chwaraeon oherwydd cafodd 'Nhad dreialon yn y gôl i dîm pêl-droed Caerdydd a bu'n chwara rygbi dros dîm gogledd Cymru, gan ffurfio rheng ôl effeithiol iawn, yn ôl y sôn, gyda'r brodyr Tony a David Gray. Roedd o'n gricedwr hefyd gan dreulio sawl tymor yn fowliwr cyflym dros dimoedd Bodedern a Sir Fôn. Mi gafodd Mam ei hyfforddi'n athrawes addysg gorfforol gan ymddiddori ym mhob agwedd ar y pwnc ond gan roi sylw arbennig i ddawns. Mae fy chwiorydd, Naomi a Beth, sy'n iau na mi, yn rhannu'r un diddordebau a'u mam. Bu'r ddwy'n amlwg efo cynyrchiadau cynnar Ysgol Glanaethwy, ac ym myd y ddawns, gan i'r ddwy ennill llu o wobrau'n unigol ac ar y cyd yn Lloegr. Enillodd Naomi ysgoloriaeth i gael gwersi bob Sadwrn am bedair blynedd yn Llundain efo'r Royal Ballet. Bellach mae'r ddwy'n briod, Naomi'n fam i ddau o blant, a Beth yn bennaeth adran ddrama mewn ysgol uwchradd.

Pan fydda i'n edrych nôl ar ddyddia Llanfechell trwy'r sbectol binc y byddwn ni i gyd yn tueddu i'w defnyddio wrth ail-fyw ein plentyndod, yr atgo rwy'n ei drysori mwya yw'r rhyddid y byddwn yn ei gael i grwydro'r fro ac i fwynhau'r bywyd gwledig hwnnw, yng nghwmni ffrindia fel Alun a Stephen. Helpu ar y gwair, codi bêls a llwytho'r trelar yn ffermydd Pen-bont a Tai Hen, cerddad i Gemaes (a fydda'n cymryd tua dwy awr i ni, ond roedd hyn yn rhan o'r hwyl), plymio i mewn i'r môr oddi ar y pier a chrwydro'r traeth. Neidio afonydd bach hefyd gan chwara 'cynta i ddisgyn i mewn sy'n colli', a rasio byth a beunydd fel petha gwirion ar hyd lonydd culion cefn gwlad ar gefn beic. Dyddia difyr! Hapus hefyd yw'r atgofion am 'y nghyfnod yn Ysgol Gynradd Llanfechell. Nain, oedd yn byw gyda ni, fydda'n mynd â fi yno a hi hefyd fydda'n dod i'r Mabolgampau ac i gyngherddau'r ysgol gan mai y hi fydda'n gofalu amdanon ni'r plant tra oedd 'yn rhieni yn eu gwaith. Braf iawn oedd cael gwahoddiad nôl i'r ardal ar ddau achlysur yn ystod y blynyddoedd diwetha, sef i agor Ffair Mechell ac i agor estyniad i'r ysgol. Roedd gan yr Ysgol Sul, yng Nghapel Jerusalem, ran bwysig yn 'y magwraeth i hefyd ond weithia roedd y siwrne i'r capel yn Austin piws Miss Jones, hen wraig oedd yn byw drws nesa, yn fwy cofiadwy na'r hyn a ddysgis i ar ôl cyrradd yno.

A minna'n wyth oed, ddaru ni symud, fel teulu, i fyw i Stad Glan Menai yn Nhreborth, ar ochr Arfon i Bont y Borth – 'Nhad wedi cael swydd Prifathro Ysgol Gynradd Cae Top, Bangor Uchaf, a

Mam wedi'i phenodi'n Bennaeth Ymarfer Corff yn ysgol uwchradd newydd Tryfan, hefyd ym Mangor. Dyna arwain at 'y nghysylltiad cynta un i â rygbi ac â Chlwb Rygbi Porthaethwy. Aeth 'Nhad â mi i gaeau Ysgol Treborth lle'r oedd y Prifathro, Wil Parry Williams, wedi dechra cynnal sesiyna mini-rygbi ar fore Sul, gyda chymorth Meic Griffith (a gafodd ddylanwad mawr ar 'y natblygiad i fel chwaraewr maes o law) a Gareth Roberts. Roedd Wil yn Gadeirydd ac yn hyfforddwr Clwb Rygbi Porthaethwy ar y pryd, a dyna ddechra cyfeillgarwch arbennig gydag o a'i fab Trystan. Doedd dim llawer o bwys ar safleoedd arbennig yn y sesiyna mini-rygbi ond ro'n i'n tueddu i chwara ymhlith yr olwyr ac yn cael hwyl ar daclo (ddaru mi gael ychydig bach o hyfforddiant preifat gan 'y 'Nhad). Roedd 'yn siâp i, falle'n gweddu i'r agwedd honno o'r gêm oherwydd, yn ôl 'Nhad, lwmp mawr o'n i pan gefis i 'ngeni a stwcyn bach solat fuas i am flynyddoedd wedyn.

Erbyn hyn ro'n i wedi dechra yn Ysgol Gynradd Cae Top ac er i mi ddisgwyl cael 'y mhryfocio dipyn gan 'yn ffrindia tra o'n i yno, gan mai 'Nhad oedd y Prifathro, ddaru hynny ddim digwydd, yn bennaf falle am nad oedd 'Nhad yn cymryd gwersi, ar wahân i addysg gorfforol, ac felly do'n i ddim yn dod i'w sylw'n aml. Ond y fo oedd yn gofalu am chwaraeon a chan nad oedd gan yr ysgol flewyn o laswellt o'i chwmpas hi, ond yn hytrach iard goncrit, dim ond pêl-droed fyddai'r hogia yn ei chwarae yno. Roedd gynnon ni dîm ysgol, a minna'n aelod ohono, nes i ni golli 16–0 yn erbyn Ysgol Glanadda gerllaw. Pan ddigwyddodd hynny, dyma'r Prifathro'n penderfynu na fydda gan yr ysgol dîm pêl-droed o hynny ymlaen ond, yn hytrach, tîm rygbi. Felly bu'n rhaid i ni gerdded draw i gaeau'r Brifysgol gerllaw bob tro roeddan ni am ymarfer, fel bod gynnon ni dir meddal o dan ein traed. Er hynny, pêl-droed oedd 'yn hoff gêm i o hyd ac ar ôl mynd i'r treialon, mi gefis 'y newis i dîm pêl-droed Ysgolion Cynradd Bangor a'r Cylch. Uchafbwynt yr yrfa honno oedd cael mynd i Lannau Merswy i chwara yn erbyn tîm o Lerpwl a, gwell fyth, cael mynd wedyn i Goodison i weld Everton. Dim cweit cystal â gweld Lerpwl yn Anfield, falle, ond i hogyn naw oed o Dreborth roedd y wefr o weld un o gêmau'r Adran Gynta yn y fan a'r lle, yn hytrach nag ar y teledu, yn fythgofiadwy.

Eto roedd rygbi'n dal i apelio hefyd. Yn sgil y sesiyna mini-rygbi yn Nhreborth, cefais fy newis i gynrychioli Ysgolion Cynradd Bangor a'r Cylch ac yn 'y ngêm gynta, yn erbyn Ysgolion Llandudno, mi gês brofi pa mor annheg mae sylwadau cefnogwyr ar yr ystlys yn gallu bod. Yn gynnar yn y gêm, ar ôl i mi oedi ychydig cyn disgyn ar y bêl wrth amddiffyn, mi glywis y llais 'ma'n bloeddio arna i "Rwyt ti fel sach o datws!" I wneud petha'n waeth, 'Nhad oedd y cefnogwr blin a chafodd gerydd gan y dyfarnwr, Dewi Miles, am ei drafferth (er bod 'Nhad yn gwadu iddo weiddi'r fath beth ar ei fab annwyl)! Bu'r tîm rygbi, yn ogystal, ar daith gofiadwy, i lawr i Bedlinog yng Nghwm Rhymni ar gyfer gêm yng nghystadleuaeth cwpan DC Thomas. (Mae'n dal i gael ei chynnal heddiw ac ar fwy nag un achlysur pan o'n i'n chwara i Lanelli, ddaru mi gael y pleser o gwrdd â rhai o hogia'r gogledd oedd yn chwara gêm yn y gystadleuaeth honno yn y de. Roedd hi'n fraint cael eu tywys nhw o gwmpas y Strade a'u cyflwyno i chwaraewyr y Sgarlets). Pan gyrhaeddon ni yno, roedd y rhan fwyaf o'r cae o dan ddŵr yn dilyn glaw trwm, ond oherwydd ein bod ni wedi teithio mor bell ar gyfer y gêm, mi gawson ni chwara deng munud bob ffordd, er mai colli fu ein hanes ni, o un cais i ddim. Dyna'r tro cynta erioed i mi fod oddi cartre dros nos heb 'yn rhieni, a ninna'n aros yng nghartrefi hogia'r tîm arall. Er hynny, nid dyna oedd uchafbwynt y trip i mi ond yn hytrach y ffagots a'r pys bendigedig gawson ni yng Nghlwb Bedlinog wedi'r gêm, math newydd o fwyd i ni'r 'Gogs' yr adeg honno ond bwyd ddaru mi ddod yn gyfarwydd iawn ag o, ac yn hoff iawn ohono, yng nghlybiau rygbi'r de ar hyd y blynyddoedd.

Er nad oedd y byd academaidd yn yr ysgol erioed wedi apelio llawer ata i, roedd gen i ddiddordeb mawr mewn cerddoriaeth. Mi ddechreuis i gael gwersi piano yn Llanfechell a pharhau tan i mi gyrraedd 14 mlwydd oed. Yna, rhoi'r gora iddi, a difaru erbyn hyn. Ond y diddordeb mawr oedd y trombôn. Dechra cael blas ar hwn yn Cae Top ac felly y bu petha tan i mi adael yr ysgol uwchradd. Mi fuas i'n rhan o Gerddorfa'r Sir, ac am rai blynyddoedd o Fand Pres Porthaethwy, o dan arweiniad Dennis Williams, a chael miloedd o hwyl yn cymryd rhan mewn cyngherdda, cystadlu mewn eisteddfoda a dilyn cystadlaetha band mewn llefydd mor bell â Preston. Mae'r diddordeb mewn cerddoriaeth ar y funud wedi'i gyfyngu i gasglu cryno-ddisgia – cannoedd ohonyn nhw, a'm chwaeth i'n amrywio'n fawr, ond yr hyn sy'n mynd â 'mryd i'n benna'r dyddia hyn yw corau meibion. Ar ben hynny, mi gês i, yn ddiweddar, gitâr yn anrheg gan Tina, y wraig, ac rwy'n benderfynol o fynd ati i feistroli'r offeryn hwnnw'n iawn.

Ar ôl cyfnod byr ym Mhentraeth, mi symudon ni fel teulu i fyw i Borthaethwy ac roedd 'y nyddia yn Ysgol Cae Top yn dod i ben. Yna, a minna'n un ar ddeg mlwydd oed, daeth hi'n amser symud i Ysgol Uwchradd Ddwyieithog Tryfan, lle'r oedd Mam yn dysgu. Ond unwaith eto ddaru mi osgoi unrhyw embaras oherwydd mai gyda genod yr ysgol roedd hi'n treulio'r rhan fwyaf o'i hamser.

At ei gilydd, doedd 'y nghyfnod i yn Ysgol Tryfan ddim yn un hapus iawn, yn benna oherwydd bod y berthynas rhwng y mwyafrif o'r athrawon a minna'n un digon diflas. Rwy'n barod i dderbyn bod y rhan fwya o'r bai am hynny, ond nid y cyfan falle, yn disgyn arna i. Bûm yn dipyn o rebel erioed o ran yr awydd i herio rhai mewn awdurdod a'r elfen hon, mae'n siŵr, ddaru arwain yn ddiweddarach at ddisgrifiad Kevin Bowring ohono i fel un oedd yn *anti-establishment*, ac ynta ar y pryd, fel hyfforddwr y tîm cenedlaethol, wrthi'n llunio dadansoddiad o chwaraewyr y garfan. Er hynny, roedd gen i berthynas dda iawn gyda rhai o'r athrawon, fel Richie Haines, yr athro Ymarfer Corff, oedd hefyd yn gyfrifol am rygbi yn yr ysgol, ac Elfyn Roberts, oedd yn dysgu Crefft, Dylunio a Thechnoleg i mi a hefyd yn cynorthwyo gyda'r gweithgareddau rygbi. Hynny, mae'n siŵr, am eu bod yn dysgu pyncia ro'n i'n hoff ohonyn nhw ac felly'n gallu uniaethu'n well â'u disgwyliada nhw. Ond ar wahân i Grefft a Chymraeg, doedd gen i fawr o ddiddordeb yn y byd addysg tra o'n i yn Tryfan.

Ddaru mi chwara i dimau rygbi'r ysgol yn y gwahanol

gategorïau oed, ond heb ryw lawer o frwdfrydedd na dawn arbennig. Yn ystod y cyfnod hwnnw, roedd anghydfod cyffredinol yn bodoli rhwng athrawon ac awdurdodau addysg ynghylch cynnal gweithgareddau ar ôl ysgol, a arweiniodd, er mawr siom i mi, at gwtogi sylweddol ar gynnig hyfforddiant mewn meysydd fel rygbi ac ar chwara gêmau y tu allan i'r oria dysgu arferol. Serch hynny, doedd dim pall ar frwdfrydedd Richie Haines a ddaru mi ddysgu llawer ganddo. A minna bellach yn chwara yn safle'r blaenasgellwr, yr unig gyfarwyddyd byddwn i'n ei gael bron oedd i ba le y dylwn fynd i lawr yn y sgrym ac erbyn hyn roedd diddordeba erill, yn ogystal, yn mynd â 'mryd i. Mi ddaru mi gystadlu dros yr ysgol mewn gymnasteg, pêl-fasged a chriced. Bûm hefyd yn bencampwr gwyddbwyll un flwyddyn ond nid diolch i'r ysgol oedd hynny!

Bellach ro'n i'n edrych ymlaen at gael gadael yr ysgol cyn gynted â phosib. Llwyddis i mewn wyth pwnc yn fy arholiada Tystysgrif Addysg Gyffredinol ac mewn chwe phwnc yn yr arholiada Tystysgrif Addysg Uwchradd, gan gynnwys Crefft, Dylunio a Thechnoleg. Ar sail hynny yn benna, falle, mi gefis i gyfweliad ar gyfer prentisiaeth gyda chwmni trydan Manweb. Dw i ddim yn cofio llawer am y cyfweliad bellach, ond ddaru mi gael hyfforddiant ar ei gyfer o gan John Howard Hughes, ffrind i'r teulu. Mae un cyngor a gefis i ganddo wedi aros efo fi hyd heddiw, sef y dylwn i, wrth gael 'y nghyflwyno i swyddogion Manweb, ysgwyd llaw'n gadarn, a hynny unwaith yn unig. Am ryw reswm dyna fydda i'n ei wneud byth ers hynny, ond ers tro bellach, mae 'na dipyn mwy o nerth yn 'yn llaw i nag oedd pan o'n i'n hogyn ifanc ac wrth ysgwyd llaw â phobl mi fydda i'n aml yn eu gweld nhw'n gwingo. Ar 'y ngwir, tydy hi ddim yn fwriad gen i wneud hynny, ond mae cyngor cyfweliad Manweb bellach yn rhan reddfol o 'ngwneuthuriad i.

Mi dalodd y cyngor hwnnw, mae'n rhaid, gan i mi lwyddo i gael prentisiaeth efo Manweb. Allan â fi, felly, yn 16 oed, i'r byd mawr, i dderbyn hyfforddiant fel 'llinellwr', sef un sy'n gyfrifol am osod a chynnal llinella trydan, ond cyn bwrw iddi, bu'n rhaid i mi basio un prawf ymarferol, pwysig. Roedd gofyn i mi ddringo i ben polyn uchel gyda chymorth gwregys, gwyro nôl, gan adael i'r gwregys gymryd 'y mhwysa i i gyd, ac yna edrych i lawr ar hyfforddwr y cwmni yn ysgwyd y polyn o danna i efo'i holl nerth!

Ar y dechra gwas bach o'n i, y prentis, i Chris Powell, Edgar, Ellis, Keith Bach a Dic Pentrefelin. Cwestiwn cynta Dic i mi bob bore fyddai "Sgyn ti bres?" a hynny am ei fod o'n hoff o'i beint a gêm o *pool* amser cinio. Ymhlith 'y nyletswyddau erill i oedd tsecio lefel yr olew, gwneud yn siŵr fod digon o ddŵr yn y jwg te (er na wnes i erioed gymryd at eu tâst nhw o ferwi'r dŵr a'r te gyda'i gilydd yn y jwg i gael panad ben bore, yna gadael i'r te hwnnw stiwio yn y jwg ar gyfer y panad amser cinio!) a gofalu bod yna deisenna ar gyfer Hefin a John Charles gyda'r panad. Mi fuas i'n cario teisenna iddyn nhw'n ddeddfol am hydoedd cyn i mi sylweddoli nad oeddan nhw wedi arfer cael dim byd o gwbl gyda'u panad, yn hytrach tynnu ar y prentis oeddan nhw. Rhoddwyd sylw mawr ar deisenna o'r cychwyn cynta oherwydd, pan fydda Alun Rowlands, y fforman, dyn mawr wedi'i wasgu i mewn i gar Metro bach, yn mynd â fi o gwmpas ar y dechra er mwyn i mi ddod yn gyfarwydd â'r ardal a threfn y gwaith, mi fyddai o, gan amla'n cynllunio ein siwrne i ateb lleoliad amball fecws oedd yn gwerthu teisenna o safon!

Cyn hir, yn wahanol i 'mhrofiad i yn yr ysgol, ro'n i wrth 'y modd yn gweithio yn yr awyr iach a chael gweld y wlad o 'nghwmpas, gan fynd i'r afael yn rhwydd â natur gorfforol y gwaith, fel tyllu a chodi polion, a bwrw i'r hyfforddiant technegol yr o'n i'n ei gael yng nghanolfan hyfforddi'r cwmni yn Hoylake (oedd yn golygu mynd yno ar gyrsia am gyfnoda o dri mis ar y tro am rai blynyddoedd). Yn fwy na dim, falle, ro'n i'n cael modd i fyw wrth fod yn rhan o'r sbort a'r bwrlwm oedd i'w gael yng nghwmni'r hogia. Rwyf wedi cadw cysylltiad â rhai ohonyn nhw, ac yn cael cyfle i flasu'r hen hwyl o bryd i'w gilydd. Bu Robin Jones yn ffyddlon iawn gan ddod i lawr i'r Strade o Sir Fôn yn gyson i ddangos ei gefnogaeth.

Pan ddaru fi fynd i Hoylake am y tro cynta, bu'n rhaid i mi gael archwiliad meddygol a dychrynis i o ffeindio 'mod i'n pwyso dipyn mwy nag y dyliwn i. Arweiniodd hynny at newid llwyr yn y ffordd ro'n i'n edrych ar 'yn iechyd ac ar gyflwr 'y nghorff. Ddaru mi hyd yn oed ddechra pwyso'r Rice Crispies ro'n i'n eu cael i frecwast, a Nain yn poeni mwy na fi pan fyddai'n paratoi 'y mocs bwyd i fynd i'r gwaith. Es i ati i loncio rhyw ddwywaith neu dair yr wythnos ar hyd lonydd Porthaethwy a Bangor a rhoi cynnig ar geisio cael 'y nghorff i siâp mwy derbyniol, gan ymweld yn gyson, trwy garedigrwydd Wil Parry Williams, â'r *gym* fechan oedd yn Ysgol Treborth.

Erbyn hynny roedd criw ohonon ni hogia, sef Irfon Williams, Alan Owen, Andrew Williams a minna wedi penderfynu ymuno â thîm llwyddiannus Ieuenctid Clwb Rygbi Bangor. Mi fydden nhw'n arfer chwara timau o dras, fel Birkenhead Park, New Brighton, Doncaster, Widnes ac Orrel, ac yn ystod y cyfnod hwnnw, mi gawson nhw eu dyfarnu'n Dîm Ieuenctid y Flwyddyn gan y cylchgrawn *Rugby World and Post*. Ond gan mai dim ond 16 yr o'n i, ac yn chwara mewn categori i rai o dan 19 oed, ar y fainc ro'n i gan amla'r adeg honno. Mi gefis ambell gêm yn y rheng ôl, ond erbyn 'yn ail dymor i gyda Bangor bu'n rhaid i mi chwara weithia yn y rheng flaen. Ddaru mi gael 'y newis i chwara yn safle'r prop pen tyn yn erbyn Sale mewn gêm oedd yn argoeli i fod yn danllyd, gan fod y ddau dîm yn ddiguro ar y pryd. Yn y sgarmes gynta, yn fy niniweidrwydd, dyma fi'n twrio â 'mhen i mewn i wyneb prop pen rhydd y tîm arall. Mae'n amlwg i hynny ei gorddi, oherwydd, wedi i mi fynd i lawr yn gwbl ddi-feddwl-ddrwg ar gyfer y sgarmes nesa, dyma'r bachwr yn dechra brathu 'nghlust i, a phrop pen rhydd Sale yn gollwng dwy neu dair taran o ergyd ar 'yn wynab i. "Croeso i'r rheng flaen ar gyfer hogia mawr." Roedd hi'n wers bwysig i sgarmeswr ifanc dibrofiad, sef os bydd rhywun yn mynd ati i ddechra trwbwl, yna bydd yn rhaid bod yn hollol barod ar gyfer y dial!

Y noson honno, yn sgil ymdrechion rheng flaen tîm Sale, bu'n rhaid i mi fynd am archwiliad meddygol i Ysbyty Gwynedd a thra o'n i yno, yn gwbl ddamweiniol, ddaru mi daro ar Meic Griffith, a fu'n cynnal y sesiyna mini-rygbi yn Nhreborth ac a oedd bellach yn hyfforddi Clwb Rygbi Porthaethwy. Gydag o oedd Carl Jones, ffrind fydda'n arfer chwara rygbi gyda mi yn y dyddia cynnar, oedd erbyn hyn yn aelod o reng flaen y Borth. Ar y pryd, do'n i ddim yn hapus yng Nghlwb Rygbi Bangor, yn benna gan fod yr hyfforddwr, am ryw reswm, wedi mynd â hanner y tîm ieuenctid ddaru ennill 'Tîm Ieuenctid y Flwyddyn' efo fo i sefydlu tîm ieuenctid yng Nghlwb Rygbi Llangefni. Dyma Meic a Carl yn gofyn i mi ystyried ymuno â Thîm Ieuenctid Porthaethwy. Roedd Clwb Rygbi Porthaethwy, tua deng mlwydd oed bryd hynny, yn cystadlu yng Nghynghrair Gwynedd ac eisoes wedi profi i fod yn un o'r clybia meithrin talent mwya llwyddiannus yn y gogledd gan fod, er enghraifft, Arthur Emyr, Iwan Jones a Stuart Roy (y tri wedi cynrychioli Cymru fel chwaraewyr hŷn) wedi cael eu cyfle cynta ar y lefel hŷn gyda thîm Porthaethwy. Ddaru mi dderbyn gwahoddiad y ddau ymwelydd a chychwyn ar gyfnod pryd wnes i wir fwynhau chwara rygbi am y tro cynta yn 'y mywyd. Dyma ddechra cael hwyl ar betha yn y Borth ac o dan arweiniad Wil a hyfforddiant Meic, daeth tîm ifanc, addawol at ei gilydd.

Mi fu ymuno â'r Borth hefyd yn gychwyn ar gyfnod o ymdrechu'n galed dros ben i baratoi'r corff hyd yn oed yn fwy trylwyr ar gyfer gofynion garw'r rheng flaen. Ddaru mi ddod i ddibynnu, yn y clwb, ar ddau berson roedd gen i'r parch mwya tuag atyn nhw a dau rwy'n dal i'w parchu hyd heddiw. Y cynta yw Elvie Parry, oedd yn tynnu at derfyn ei yrfa fel bachwr gyda thîm hŷn y Borth pan gyrhaeddis i yno. Y fo oedd 'yn arwr cynta i yn y byd rygbi. Roedd gan Elvie ffordd unigryw o wisgo'i benwisg ar y cae rygbi, gan ddewis peidio â chlymu'r strapia yn iawn y naill ochr i'r pen na'r llall, ond eu gadael yn hytrach i chwifio yn y gwynt y tu ôl iddo, gan wibio o gwmpas y cae fel rhyw fath o Rambo. Felly mi benderfynis inna y byddwn i hefyd yn efelychu patrwm penwisg Parry pan fyddwn i'n chwara.

Roedd Elvie'n godwr pwysa a chanddo offer pwrpasol at y gwaith hwnnw mewn sied yn ei gartre. Mi fyddwn i a Carl yn mynd yno, dan ei gyfarwyddyd o, i drin yr offer tua dwywaith yr wythnos, gan chwysu chwartia, er nad oedd dim gwres yno, hyd yn oed yng nghanol gaea. Rwy'n cofio dod oddi yno ar ôl 'yn sesiwn gynta i a 'mreichia yn rhy wan i droi llyw'r car! Mi fydda i'n meddwl yn aml tybed a yw'r hen sied yn dal ar ei thraed, ond o gofio'r hoelion bregus fyddai'n cadw'r offer yn sownd wrth yr adeilad, a'r holl straen oedd ar y cyfan, mae'n amheus gen i. Cofiaf i Elvie a minna unwaith fynd ar daith feicio trwy fwlch Llanberis ac yn ôl i'r Borth. Wedi i mi gyrradd adra, bu'n rhaid i mi gael cymorth meddygol gan 'mod i wedi dihydradu'n llwyr. Er hynny, mawr yw 'y nyled i Elvie.

Y person arall yn y clwb a gafodd ddylanwad mawr arna i oedd Meic. Er ei fod o'n cynnal sesiyna hyfforddi wythnosol gyda'r tîm, mi fydda fo'n mynd allan o'i ffordd, yn ei amser hamdden, i roi cyfarwyddyd pellach i mi a ffrindia erill, fel Trystan a Huw Percy, ar ffitrwydd a sgilia sylfaenol. Y fo, o ran cael cyngor ac arweiniad ar ffitrwydd, oedd y *guru* yn ystod 'y ngyrfa gynnar i ac mi fyddwn ni'n dal i gadw mewn cysylltiad â'n gilydd.

Ymhen ychydig o fisoedd o chwara yng nghrys Tîm Ieuenctid Porthaethwy, ro'n i'n teimlo'n eitha ffit. Yn ogystal â mynd i sesiwn hyfforddi'r tîm unwaith yr wythnos, ro'n i hefyd, erbyn hyn, yn ymarfer tair noson yr wythnos ar 'y mhen fy hun. Roedd hynny'n golygu 'mod i'n mwynhau chwara gymaint yn fwy ac, am y tro cynta yn 'y ngyrfa fel chwaraewr, yn cael pleser arbennig o'r teimlad 'mod i'n well na'r rhai oedd yn chwara yn fy erbyn i. Yn ystod 'yn ail flwyddyn gyda Chlwb y Borth, mi gefis 'y ngwneud yn gapten ar y tîm ieuenctid. Ddaru mi fwynhau'r profiad yn fawr a chael 'y newis hefyd i dîm Ieuenctid gogledd Cymru. Y gelyn mawr ar y pryd, o ran cefnogwyr clwb Porthaethwy o leia, oedd Tîm Ieuenctid Llangefni a dw i'n cofio, pan ddaru ni gwrdd yn rownd derfynol Cwpan Gwynedd, 'Nhad a Wil ac erill yn bytheirio ar y naill ystlys, tra bod Meic, yn ei ffordd dawel arferol, wedi cilio i'r ystlys bella oddi wrthyn nhw. Eto, roedd o wrth ei fodd pan ddaru ni ennill y gêm. A churo Llangefni eto yn y Rhyl ddiwedd y tymor hwnnw mewn gornest saith bob-ochr, pan ddaru mam un o hogia Llangefni weiddi arna i, "Tasat ti'n fab i mi, mi faswn i'n dy ladd di!" Mi gafodd yr unig ateb posib ar y pryd, "Tasach chi'n fam i mi, mi faswn i'n barod i ladd fy hun!"

A minnau bellach yn 18 oed, ro'n i wedi dechra chwara i dîm hŷn y Borth yn ogystal. Eto, ar y pryd, ro'n i'n gwbod 'mod i'n dal yn gymharol ddibrofiad o ran techneg chwara yn safle'r bachwr. Er enghraifft, gan nad o'n i eto wedi dysgu'n iawn sut i gynnal y pwysa oedd arna i yn y sgrym o ran medru codi 'nghoes i fachu'r bêl, ro'n i'n defnyddio 'y mhen i gael y bêl yn ôl! Hefyd, a minna'n trio mynd i'r afael â thechneg taflu'r bêl i mewn i'r llinell, rwy'n cofio rhyfeddu o glywed gan un o hogia'r tîm fod Alan Phillips, bachwr tîm Cymru ar y pryd, a Robert Norster, prif neidiwr y pac, wedi dyfeisio cod arbennig er mwyn penderfynu ai ymlaen ynta yn ôl roedd Norster yn mynd i symud wrth i'r bachwr daflu'r bêl i'r llinell. Am glyfar! Ond mae'n rhaid 'mod i wedi dod iddi yn o lew erbyn diwedd y tymor hwnnw oherwydd mi gefis i 'y newis gan y clwb yn Chwaraewr Ieuenctid y Flwyddyn ac yn Chwaraewr y Flwyddyn y tîm hŷn yn ogystal.

Erbyn hyn roedd rygbi yn ganolog i 'mywyd i a, heblaw mwynhau chwarae, roedd y gwmnïaeth a'r hwyl a ddeuai yn ei sgil yn bwysig iawn i mi, yn enwedig gydag aeloda erill brawdoliaeth y rheng flaen: rhai fel Rich Tom (oedd tan yn ddiweddar, ac ynta bron yn hannar cant oed, yn dal i chwara i'r Borth, yn yr un tîm â'i fab), a Gwyn Banc, yntau hefyd yn chwara gyda'i fab ac yn dal i droi allan i'r tîm o bryd i'w gilydd ac ynta bellach ynghanol ei bumdegau. Y ddau yna ddaru 'nghynnal i yn y rheng flaen gyntaf y chwaraeis i ynddi ar y lefel hŷn. Byddai cymeriada erill y clwb, fel Glyn Gough, Robin Phillips, Gags, Davy Crocket, Alan Clarke, Doug Barnes, Neil Patrick a Carl yn gymorth i sicrhau bod y dyddia cynnar hynny yn rhai cofiadwy iawn. Mi fydda i'n cadw cysylltiad â Chlwb Porthaethwy o hyd a braf iawn oedd cael dychwelyd yno rai blynyddoedd yn ôl i agor clwb a chae newydd ar safle bendigedig ar lan y Fenai, un o'r lleoliada hyfryta ar gyfer unrhyw gae rygbi yng Nghymru, am wn i. Gwn fod sawl un wedi gweithio'n ddygn i sefydlu'r Clwb newydd ac ro'n i'n arbennig o falch dros Lywydd y clwb erbyn hynny, Wil Parry Williams, gŵr ddaru roi cymaint o'i amser a'i egni er mwyn sicrhau llwyddiant Clwb Rygbi Porthaethwy.

Yn ystod tymor 1988–89, a minna'n 19 oed, mi gefis 'y newis i dîm dan 23 oed gogledd Cymru, a oedd yn cael ei hyfforddi gan Denley Isaac, a fu'n un o'r dylanwada pwysica ar 'y ngyrfa i fel chwaraewr. Roedd o'n gyn-fachwr ei hunan, yn hyfforddi tîm yr Wyddgrug a hefyd yn helpu i hyfforddi tîm o dan 21 oed Cymru. Dyma Denley'n awgrymu y gallwn, falle, elwa fel chwaraewr taswn i'n ymuno â Chlwb yr Wyddgrug, oedd yn chwara gêmau o safon uwch nag ro'n i'n yn ei brofi yn y Borth, fydda hefyd o bosib yn rhoi cyfle i mi chwara yn erbyn tima o'r dosbarth cynta, o bryd i'w gilydd. Felly, yn fuan wedi dechra tymor 1989–90, mi benderfynis i adael Clwb Porthaethwy (a'm ffrind, y prop, Carl Jones, efo mi), a throi at Glwb Rygbi yr Wyddgrug, gan gychwyn ar bennod allweddol yn 'y natblygiad i fel chwaraewr.

Yr Wyddgrug a Thu Hwnt

Be daring, be different, be impractical, be anything that will assert integrity of purpose and imaginative vision against the play-it-safers, the creatures of the commonplace, the slaves of the ordinary.

Sir Cecil Beaton

Yn 'y ngêm gynta i'r Wyddgrug, yn erbyn Sandbach, mi ddechreuis i feddwl 'mod i falle wedi camu i safon o chwara nad o'n i'n barod ar ei gyfer. Roedd sylwada rhai o'r cefnogwyr, yn ôl yr hyn a glywodd 'Nhad, yn awgrymu hynny beth bynnag.

"Does dim rhyfedd ein bod ni'n colli, does gynnon ni ddim hwcer!... "

"Pwy 'dy'r hwcer newydd 'ma?"

"Paid â phoeni, fydd o ddim yn chware wsnos nesa!"

A'r gwir a ddywedwyd gan mai yn yr ail dîm yr o'n i'r Sadwrn canlynol. Ond, a minna am y tro cynta bellach yn cael hyfforddiant pwrpasol, rheolaidd fel bachwr gan Denley, weithia ar agwedda mor sylfaenol â lleoliad 'y nhraed ac ongl y corff yn y sgrym, buan iawn ddaru'n chwara i wella. Ar ben hynny roedd gen i chwaraewyr profiadol iawn o 'nghwmpas i, ac yn y man doedd cystadlu yn erbyn timau o safon New Brighton, er enghraifft, ddim yn 'y mhoeni i. Yn wir roedd 'na wedd broffesiynol iawn i glwb yr Wyddgrug yn gyffredinol. Roedd agwedda bychain, fel, ar adega, cyfarfod gweddill y tîm am ginio mewn gwesty lleol ac yna cerdded draw i'r Clwb ar gyfer y gêm, yn gneud argraff fawr arna i. Eto mae'n rhaid na wnes i fawr o argraff ar y wasg leol am beth amser, oherwydd fel Robin Munroe a Robin McGuire, hyd yn oed, ddaru f'enw i ymddangos mewn adroddiadau o'r gêmau cynnar.

Eto doedd y profiad o fod yn nhîm yr Wyddgrug ddim yn fêl i gyd, oherwydd roedd gofyn teithio'r holl ffordd yno o Borthaethwy, lle'r oedd y teulu'n byw bellach, i ymarfer ddwywaith yr wythnos, wedi diwrnod caled o waith, a hynny'n aml heb gael amser i fwyta pryd o fwyd cyn ymadael. 'Nhad fyddai'n mynd â fi yno i ddechra, a bu hynny'n destun embaras yn y dyddia cynnar. Oherwydd, tra oeddan ni'n ymarfer ar y cae gerllaw, mi fydda fo'n eistedd yn y car, ym maes parcio'r Clwb, yn gwneud ychydig o waith darllen neu farcio yng ngola gwan y cerbyd. Un noson, wedi'r sesiwn ymarfer, dyma un o'r hogia i mewn i'r ystafell newid gan ddweud, "Mae'r ***** *pervert* 'na allan yn fancw yn ein gwatsiad ni heno eto!" A minna'n hogyn newydd ifanc a diniwed, ddaru mi ddeud dim byd ar y pryd, ond wrth gwrs, cyn hir ro'n i wedi cyflwyno 'Nhad i'r swyddogion, ac o hynny ymlaen mi fydda fo'n cael gneud ei waith yng nghlydwch y clwb tra bydda fo'n disgwyl amdana i.

Tra o'n i yn 'y mlwyddyn gynta gyda'r Wyddgrug mi ges i wahoddiad i Gaerdydd i ymarfer gyda thîm dan 20 oed Cymru, i radda helaeth, falle, am fod Denley yn ymwneud â'r gyfundrefn hyfforddi yno. Roedd hi'n dipyn o siwrnai o Sir Fôn, o gofio bod y sesiyna'n cael eu cynnal ar ddydd Sul (wedi i mi fod yn chwara i'r Wyddgrug ar y Sadwrn). Felly bydda 'Nhad yn mynd â fi yn ei gar i Gaerdydd ar ôl y gêm, a'r ddau ohonon ni'n aros mewn gwesty yn Heol y Gadeirlan. Mi fyddwn i'n ymarfer trwy'r dydd Sul ac yna'r ddau ohonon ni'n teithio nôl i'r Borth. Weithia, bydda'n rhaid gwneud y daith honno gyda'r nos yn ystod yr wythnos, eto ar ôl diwrnod o waith, a minna'n gorfod bod yn ôl yn yr iard yn Llangefni'r bore wedyn. Mae'n rhaid 'mod i wedi creu rhyw fath o argraff yng Nghaerdydd gan i mi gael 'y newis i chwara yn un o gêmau prawf terfynol tîm dan 20 oed Cymru, oedd yn cael ei chynnal yn Nhreherbert. Rwy'n cofio dychryn am 'y mywyd pan welis i Gwm Rhondda am y tro cynta'r diwrnod hwnnw. Disgyn yn y car i lawr ar hyd y ffordd a ddeuai dros Fynydd Ystradffernol o gyfeiriad Hirwaun a rhyfeddu at y terasa diddiwedd o dai, am a welwn i. Dyma gyrradd y cae a synnu mwy fyth o weld bod yna ffens anferth o'i gwmpas o – i gadw pobl allan!

Erbyn yr adeg honno yn 'y natblygiad i, ro'n i'n edrych yn eitha ffit, a 'nghorff i'n reit gyhyrog, i'r gradda y bu'n rhaid i mi hollti crys y gêm brawf o dan y ceseilia er mwyn i mi fedru cael i mewn iddo. Rwy'n cofio hefyd gyngor Denley sut i greu argraff ar y prif hyfforddwr ar y pryd, Kevin Bowring, sef gwneud yn siŵr 'mod i'n cyfnewid crys hannar amsar o dan drwyn Mr Bowring, fel na allai beidio â sylwi pa mor galed a chydnerth ro'n i'n ymddangos. Roedd Derwyn Jones, y cawr oedd yn mesur 6' 10" yn ei sana, yn yr ail reng y noson honno a doedd o ddim yn rhy hapus, mae'n debyg, efo 'nhaflu i mewn i'r llinell. Roedd 'Nhad yn lloerig efo fo gan nad oedd o'n meddwl bod Derwyn yn mynd i'r drafferth i neidio o gwbl, dim ond codi ei freichia. Mae'n siŵr fod 'Nhad ar fai eto. Beth bynnag am hynny, cefis 'y newis i'r tîm, i chwara yn erbyn tîm dan 23 oed Sir Frycheiniog. Colli oedd ein hanes ni, 9–22, a hynny er gwaetha presenoldeb rhai o sêr y dyfodol yn y tîm, fel Rob Howley, Mike Voyle, David Llewellyn a Derwyn.

Tymor digon siomedig roedd yr Wyddgrug yn ei gael yn 1990–91. Er hynny, cyflawnodd y tîm un gamp a gafodd ei chanmol gan holl wybodusion y byd rygbi yng Nghymru ar y pryd, sef dod o fewn trwch blewyn i guro tîm dosbarth cynta Cross Keys, ym mhedwaredd rownd Cwpan Schweppes, yn enwedig o gofio nad oedd yr un tîm o'r gogledd erioed wedi curo tîm o'r safon hwnnw yn y gystadleuaeth. Y sgôr terfynol oedd 7–12, ond roedd y gêm yn garreg filltir bwysig i mi ar sawl cyfrif. Yn gynta, er nad o'n i ond yn 19 oed, a nifer o chwaraewyr profiadol yn y tîm, mi ges i 'newis i arwain pac yr Wyddgrug y diwrnod hwnnw, digwyddiad ro'n i'n ei gyfrif yn anrhydedd fawr. Yn ail, gyda chymorth fy mhrop pen tyn profiadol, Roger Bold, mi lwyddon ni i roi cymaint o bwysau ar reng flaen Cross Keys nes gorfodi eu dau fachwr gora, David Basham a Paul Jones, i adael y cae, ac un ohonyn nhw'n meddwl ei fod o wedi torri ei ên. Honno oedd y gêm ddaru neud i mi feddwl, am y tro cynta erioed, fod gen i, falle, ddyfodol ar y lefel ucha.

Yn fuan wedi'r gêm honno, ro'n i'n chwara i dîm Gogledd Cymru yn erbyn Gwent yn Wrecsam, ac yn gynnar yn y gêm, mi gês gymaint o ergyd i un o 'nannedd blaen nes iddo ddod yn rhydd. Dyma ei dynnu allan, rhedeg at yr ystlys a'i daflu i Denley gan ofyn iddo ofalu amdano tan ddiwedd y gêm. Dyma'r enwog Charlie Faulkner, un o swyddogion tîm Gwent, oedd yn digwydd sefyll wrth ochr Denley, yn gofyn iddo,

"What did 'e just throw to you?"

"His front tooth," atebodd Denley.

"You must all be bloody mad up 'ere!" medda Charlie gan ysgwyd ei ben mewn syndod.

Falle ei fod o hefyd wedi clywed am broblema bachwyr Cross Keys ychydig yn gynharach yn y tymor. Ar un ystyr roedd o'n iawn, achos am weddill y gêm honno bu'n rhaid i mi redeg o gwmpas y cae â 'ngheg ar gau yn dynn oherwydd, pan fydda'r mymryn lleia o awel yn cyrradd y twll lle bu'r dant, bydda poen aruthrol yn saethu trwy 'y mhen i. Byth ers hynny bu'n rhaid i mi wisgo plât yn 'y ngheg (a gâi ei ollwng i waelod peint cwrw ambell chwaraewr ar nos Sadwrn) i wneud iawn am y golled.

Tua'r cyfnod hwn mi ddaeth y cyn-fewnwr enwog Sid Going, â thîm dan 21 oed Seland Newydd i Gymru. Ddaru mi chwara yn eu herbyn yn y Rhyl, i dîm dan 23 oed Gogledd Cymru mewn gêm gyfartal 16–16. Mi ges bleser arbennig o sylweddoli ein bod ni, fel rheng flaen, wedi llwyddo i roi tipyn o bwysa ar reng flaen Seland Newydd. Ar sail y perfformiad hwnnw, ddaru mi gael 'y newis yn rhan o garfan dan 21 oed Cymru ar gyfer y gêm yn erbyn tîm dan 21 oed Seland Newydd. Yn y garfan hefyd roedd Neil Jenkins, Robert Howley, Paul John a Scott Gibbs, er y bu'n rhaid iddo fo dynnu nôl oherwydd anaf. Andrew Lamerton oedd y dewis cynta fel bachwr ac ynta eisoes wedi chwara i dîm Llanelli yn erbyn tîm llawn y Crysau Duon. Ddaru ni chwara'n ardderchog, gan ennill 34–13, gyda Neil Jenkins yn cicio 14 pwynt. Mi ges gyfle i ddod i'r maes yn ystod yr ail hanner ac ymfalchïo bod ein rheng flaen ni wedi parhau i roi amser caled i reng flaen Seland Newydd. Y diwrnod hwnnw y fi oedd yr unig aelod o dîm Cymru nad oedd yn perthyn i glwb dosbarth cynta, ac er nad o'n i'n teimlo bod 'na fwlch amlwg rhyngo i a'r gweddill o ran ffitrwydd na safon gyffredinol. Ro'n i'n ymwybodol fod gan yr hogia erill rywfaint o fantais drosof i yn y ffordd roeddan nhw'n gallu addasu eu sgilia sylfaenol at agwedda penodol o'r chwara. Yn ddiddorol, mi fydda i'n sylwi heddiw ar yr un diffyg yn chwara rhai o'r hogia fydd yn dod i lawr o'r gogledd i gael hyfforddiant ar y Strade. Un peth arall, falle, oedd yn 'y ngwneud i'n wahanol i'r bechgyn erill yn nhîm Cymru, oedd 'mod i wedi cadw pob un llythyr swyddogol a dderbynis i gan Undeb Rygbi Cymru, hyd yn oed y llythyra yn fy hysbysu o sesiyna ymarfer y tîm dan 20 oed – fel petawn i ddim yn gallu coelio, heb y cadarnhad swyddogol ar bapur, fod y fath beth wedi digwydd i mi.

Pan oeddan ni'n cael cawod, ar ôl y gêm yn erbyn y Crysau Duon, daeth Ron Waldron, hyfforddwr tîm Cymru ar y pryd, heibio i longyfarch yr hogia ac wrth iddo 'y mhasio i, dyma fo'n dweud ei fod o'n meddwl y dylwn i symud i chwara rygbi yn y de os o'n i am lwyddo yn y gêm. Mi es yn ôl i glwb yr Wyddgrug a dweud hyn wrth Denley ac mi ddaru o gytuno â'r hyn ddywedodd Ron Waldron. Po fwyaf ro'n i'n meddwl am ei eiria, mwya awyddus ro'n i i roi cynnig arni. Ro'n i'n teimlo mai byw yn yr un man a chwara'r un safon o rygbi y byddwn i am byth, o bosib, pe na bawn i'n cipio'r cyfle i ymuno ag un o glybia dosbarth cynta'r de.

Roedd gan Denley, trwy ei ymwneud â system hyfforddi tîm dan 20 oed Cymru, gysylltiada â chlybia Caerdydd, Crwydraid Morgannwg ac Abertawe, felly dyma wneud ymholiada ar 'yn rhan i. Mae'n debyg fod Clwb Abertawe wedi bod yn cadw llygad arna i ers tipyn ac ym mis Rhagfyr 1990, ar ddiwedd un o sesiyna profi ffitrwydd y tîm o dan 20 oed yng Nghaerdydd, dyma un o hyfforddwyr y clwb hwnnw, Alan Lewis, o Ystradgynlais (yn llwch glo drosto i gyd ac ynta wedi rhuthro draw i'r brifddinas yn syth wedi iddo orffen ei dyrn yn y gwaith glo) yn ymddangos â darn o bapur yn ei law, a gofyn i mi arwyddo i Glwb Rygbi Abertawe. Ro'n i eisoes wedi clywed bod gan Gaerdydd fachwr profiadol iawn, o'r enw Ian Watkins (er nad oedd yr enw'n golygu dim i fi), a bod bachwr Abertawe, Billy James, yn tynnu at ddiwedd ei yrfa, felly dyma arwyddo i Abertawe yn y fan a'r lle. Dim trafod amoda na thelera na dim byd. Bellach ro'n i'n un o chwaraewyr Clwb Rygbi Abertawe.

Beth amser wedi i mi adael clwb yr Wyddgrug, yn ystod sgwrs gyda rhai o'r hogia oedd yn cyd-chwara gyda mi yno, mi ddywedwyd wrtha i eu bod nhw o'r farn o'r cychwyn mai ystôl i'w dringo er mwyn cyrradd yn uwch oedd clwb yr Wyddgrug yn fy achos i. Mi ges i'n synnu o glywed hynny achos doedd o ddim yn wir o gwbl. Pan ddaru mi ymuno, 'y mwriad syml i oedd chwara ar lefel uwch na'r hyn ro'n i wedi arfer ag o a, thrwy hynny, wella 'ngêm i. Do'n i erioed wedi meddwl bod gen i yrfa rygbi y tu hwnt i'r lefel honno o chwara. Ond ymhen amser, i radda helaeth oherwydd yr hyfforddiant a gefis i yn yr Wyddgrug, mi ddaru mi ddechra meddwl, yn enwedig ar ôl cael profiad o chwara yn erbyn timau o safon uchel iawn, fod gen i obaith mynd i chwara ar y lefel uchaf yn ne Cymru. Ddaru mi fwynhau 'y nghyfnod yn yr Wyddgrug yn fawr iawn ac roedd yn chwith iawn gen i adael y clwb. Roedd yno hefyd rywbeth oedd yn ddigon prin ar y pryd ymhlith clybia ar y lefel honno, sef gofal proffesiynol dros chwaraewyr. Er enghraifft, wedi i mi gael anaf i'm ffêr yn un o'r gêmau, y clwb ddaru drefnu popeth, gan gynnwys taliada yswiriant a llawdriniaeth, ar 'yn rhan i ac ro'n i'n ddiolchgar iawn. Mae 'nyled i'n fawr i'r clwb ac yn enwedig i unigolion fel Denley a Dic Jones, y Llywydd ar y pryd.

Cyn penderfynu arwyddo i glwb Abertawe ro'n i eisoes wedi llwyddo i gael swydd debyg i'r un ro'n i yn ei gwneud i MANWEB yn Sir Fôn, gyda SWALEC (Bwrdd Trydan de Cymru) yng nghanolfan y Cwmni yng Nglyn Taf, ger Pontypridd. Ro'n i'n meddwl y bydda byw a gweithio yn y Rhondda yn weddol ganolog i ba glwb bynnag y byddwn i'n ymuno ag o. Digwyddodd un o staff SWALEC yno sôn bod perthynas iddo'n chwilio am lodjar felly dyma drefnu llety, wedi i fy rhieni roi sêl bendith arno, gyda Susan Harries yn 54 Parry Street, Ton Pentre. Mi ges i ddwy flynedd hapus iawn yno ac, er mai un stafell oedd i fod gen i, ro'n i'n rhydd i ddefnyddio'r tŷ i gyd.

O 'mhrofiad i yn y Rhondda mae'r bobl yno'n fwy parod i dderbyn rywun dieithr yn syth i gymdeithas neu gwmni arbennig nag yr ydan ni yn y gogledd. Mi rydan ni, falle, yn fwy gwyliadwrus i gychwyn ac yn cymryd mwy o amser cyn gwneud i rywun deimlo'n gartrefol. Mi roedd hi'n hawdd, felly, i mi ymgartrefu yn Nhon Pentre a chael 'y nerbyn gan yr hogia ro'n i'n gweithio efo nhw. Eto mi ffindis i nad oeddan nhw cweit mor ddiwyd yn bwrw iddi ag roedd hogia Ynys Môn. Er ein bod ni i fod i gychwyn gwaith am wyth y bore yng Nglyn Taf, roedd hi tua hanner awr wedi wyth erbyn i bawb gyrraedd yr iard a chael manylion y jobs y bydden nhw'n gweithio arnyn nhw'r diwrnod hwnnw. Yna'r ddyletswydd gynta oedd ei throi hi am Gaffi Cilfynydd ym Mhontypridd am frecwast... ac i drafod sut oedd mynd ati i gyflawni amrywiol dasga'r diwrnod, heb sôn am roi'r byd rygbi yn ei le. O ran eu hagwedd tuag ata i, roedd chwara i Abertawe yn OK ond i siort Howard Jones, un arall o gymeriada'r giang, oedd yn un o gefnogwr tanbaid tîm Pontypridd, y pechod mwya alla unrhyw un ei gyflawni ar y ddaear 'ma oedd cefnogi, neu, yn waeth byth, chwara dros dîm Caerdydd!

Er cymaint y demtasiwn i fynd am y brecwast wedi ffrio blasus oedd i'w gael yng Nghaffi Cilfynydd, ro'n i wedi arfer cael 'y mocs bwyd fy hun ar gyfer brecwast a chinio, a hynny ers dyddia iard Llangefni ac roedd hi'n anodd rhoi'r gora i'r arfer hwnnw. Hyd yn oed heddiw, pan fydd gen i ddiwrnod o waith oddi cartref, mi fydda i'n paratoi bocs bwyd i fynd efo fi. Mi dreulis oriau lawer yn brecwasta yng Nghaffi Cilfynydd ac rwy'n dal i gofio'r hwyl fydda i'w gael yng nghwmni'r hogia wrth iddyn nhw roi'r byd yn ei le. Yr un teulu sy'n cadw'r caffi o hyd ac rwy'n dal i yrru cerdyn Dolig atyn nhw.

O ran 'y ngwaith o ddydd i ddydd, mi ges i 'yn rhoi yng ngofal cymeriad o'r enw Viv Hext, dyn bach o ran ei daldra ond mawr o ran ei faint, a chanddo fwstash llewyrchus. Roedd o'n hollol unplyg ei ffordd ond yn hoffus iawn ac mae'r atgofion amdano'n dal i wneud i mi wenu. Er ei fod o wedi marw erbyn hyn, rwyf wedi cadw cysylltiad â'i weddw, Fay, sy'n byw yn Ynys-y-bŵl. Roedd ganddo un gwendid mawr – lle bynnag roedd baw ci, roedd Viv yn siŵr o'i ffindio fo, a'i gario fo'n ddiarwybod ar ei sgidia. Mi ddaru fo ddifetha sawl carped, baeddu sawl llawr a drewi sawl cartre yn y Rhondda. Ond gwaeth fyth, wedi iddo fo sefyll mewn baw ci, mi fydda fo yn aml yn gorfod dringo ystol wrth ei waith... a phwy oedd yn gorfod cario'r ystol ar ei ysgwydd wrth fynd oddi yno? Mi rydach chi'n iawn, y fi!

Roedd ganddo hefyd un cast ddaru achosi embaras mawr i fi ar sawl achlysur. Weithia pan fyddan ni'n gweithio mewn cyntedd cyfyng, fel oedd yn digwydd yn aml yn nhai teras y cymoedd, byddai Viv yn disgwyl tan 'y mod i wrthi'n brysur ar ben yr ystol, ac yna'n taro rhech! Byddai'n agor y drws ffrynt yn sydyn, ei gau ar ei ôl yn glep ac yna'n canu'r gloch ar y tu allan. O fewn dim byddai'r perchennog yn agor drws y cyntedd er mwyn cyrradd at y drws ffrynt a chael ei fod yng nghanol y drewdod mwya ofnadwy. Gan mai dim ond un person arall oedd yn y cyntedd, sef y fi, roedd hi'n berffaith resymol iddo feddwl mai y fi oedd yn gyfrifol am y drewdod!

Ond ychydig iawn y byddwn i'n cymdeithasu â'r giang y tu allan i oria gwaith, ac eithrio yn ystod yr haf, pan oedd nifer ohonon ni'n chwara criced efo'n gilydd i dîm y gwaith, un noson yr wythnos. Ro'n i'n cadw wiced ac yn hoff iawn o'r gêm. Cyn i mi symud i'r de, mi fyddwn yn mwynhau chwara criced i dîm ieuenctid Bangor ac yna i'r ail dîm yno. Yn ystod y tymor rygbi, bydda galwadau Clwb Abertawe yn mynd â dwy noson yr wythnos a'r rhan fwya o'r penwythnosa, ac am weddill fy amser hamdden byddwn i'n canolbwyntio ar 'yn ffitrwydd i fy hun trwy fynd i'r *gym* yn Abergorci. Chefis i ddim fy hudo gan batrwm hamddena traddodiadol cymaint o 'nghydweithwyr, sef galw yn un o'r Clybia lleol (roedd nifer fawr o wahanol rai yn y Rhondda'r adeg honno) ar y ffordd gartre o'r gwaith am beint a gêm o ddraffts neu ddominos. Gartre wedyn i nôl te a newid ac yna dychwelyd i'r Clwb am beint neu ddau. Dyna un peth ro'n i'n ei ffindio'n od iawn pan ddaru mi ddod i'r Rhondda. Y peth arall oedd nad oedd Cymraeg i'w glywed yn unman. Wrth 'y ngwaith gyda SWALEC chefis i ddim achos i ddefnyddio'r Gymraeg unwaith. Ar yr un pryd, rwy'n barod i dderbyn bod y giang yn cael tipyn o drafferth i ddeall 'yn acen Saesneg inna.

Yn fuan wedi cyrradd y Rhondda, ddaru mi gael neges ffôn gan Glwb Rygbi Abertawe yn dweud bod y sesiyna ymarfer yn cael eu cynnal ar nos Fawrth a nos Iau ac y dylwn i ofyn am Byron Mugford, cyn-chwaraewr oedd bellach yn un o swyddogion y clwb, pan fyddwn i'n cyrradd yr ymarfer am y tro cynta. Roedd gen i broblem serch hynny: do'n i erioed wedi bod yn Abertawe, felly roedd yn rhaid i mi holi'n ddyfal sut oedd mynd yno o Don Pentre. Rywsut neu'i gilydd mi gyrhaeddis y ddinas fawr yn ddiogel a chan 'y mod i'n gwbod bod cae Sain Helen, pencadlys Clwb Abertawe, yn agos i'r môr, mi ddaru mi anelu trwyn y Fiesta bach am y Bae, a chwilio am bolion y llifoleuadau fyddai'n arwydd 'y mod i wedi cyrradd. Dyma fi'n eu gweld nhw, parcio gerllaw'r stadiwm, a cherdded i mewn trwy ddrws oedd yn digwydd bod yn agored. Roedd dyn y tu mewn yn gneud gwaith cynnal a chadw a phan ofynnis i iddo a alla fo ddeud wrtha i ble y gallwn ddod o hyd i Byron Mugford yr ateb a gefis i oedd, *"Never 'eard of 'im!"* Yr union eiliad honno dyma fi'n sylwi bod yna gôl bêl-droed, a rhwydi arni, y tu ôl iddo. Ro'n i wedi dod i Gae'r Vetch, cartre tîm pêl-droed y Swans!

Cyn pen dim ro'n i nôl ar y ffordd oedd yn rhedeg ar hyd y Bae a dyma set arall o lifoleuada yn dod i'r golwg, y tro hwn ar gae Sain Helen. Fel yr o'n i'n cyrraedd yno, roedd Arthur Emyr, un o chwaraewyr Abertawe, yn dod allan o'i gar, felly dyma barcio yn ei ymyl. Ro'n i'n nabod Arthur, ynta wedi'i godi ryw filltir o 'nghartre i ym Mhorthaethwy, a'r ddau ohonon ni wedi dechra'n gyrfa rygbi gyda'r tîm lleol, ond ar adega gwahanol. Yn ffodus mi ges i fynd i mewn efo fo i'r ystafell newid a chael 'y nghyflwyno ganddo i'r capten, Robert Jones, a'r chwaraewyr erill, oedd yn cynnwys Anthony Clement, Malcolm Dacey, Richard Webster, Paul Arnold, Richard Moriarty, Simon Davies, Stuart Davies, Mark Titley, Ian Davies, Mark Wyatt, Keith Colclough a Billy James. Tydw i ddim yn cofio llawer am y sesiwn ymarfer gynta honno, gan fod 'y mhen i yn y cymyla a minna'n gorfod holi fy hun be gythral o'n i'n ei wneud yno gyda'r holl sêr hynny o'r byd rygbi!

PENNOD 4

Gwyn fy Myd

Things work out best for the people who make the best out of
the way things work out.

Art Linkletter

.

Pan redais i ar y cae i ymarfer y noson gynta honno, ro'n i'n
gwisgo sgidia rygbi oedd â'u hochrau'n cyrraedd dros 'yn ffêr
i, ffasiwn oedd falle ar ei hôl hi braidd erbyn hynny. Dyma Billy
James, bachwr rheolaidd y tîm cynta, i fyny ata i a dweud, gan
gyfeirio at y sgidia, *"You'll 'ave to get rid of those bloody boots for
a start!"* Mi gafodd o air sydyn gyda rhywun ar yr ystlys oedd yn
gofalu am y *kit* a chyn pen dim roedd gen i bâr newydd sbon o
sgidia rygbi a thracwisg raenus. Ro'n i'n dechra cynhesu at rygbi ar
y lefel ucha.

Yn ystod y dyddia cynnar hynny yn Abertawe, doedd neb
penodol yn gofalu am yr ymarfer. Y drefn oedd bod gwahanol
rai'n cymryd at wahanol ddyletswyddau, gydag Alun Donovan yn
gofalu am sgilia, yn enwedig yr olwyr, Trevor Cheeseman yn gofalu
am ffitrwydd, a Richard Moriarty yn canolbwyntio ar y blaenwyr.
Roedd gen i dipyn o waith dod i arfer â chyflymder y gêm. Er 'mod
i'n gallu dal 'y nhir o ran cryfder a dycnwch y corff (yr adeg honno
ro'n i'n 5' 11" ac yn pwyso dros 16 stôn) do'n i ddim yn gyflym
iawn a doedd 'y ngwbodaeth i o sgilia a symudiada penodol ddim
hanner cystal â'r hogia eraill. Felly, ar yr elfennau hynny ro'n i'n
tueddu i ganolbwyntio wrth ymarfer ar y dechra. Er enghraifft,

bydda Richard Moriarty yn mynd â fi i'r naill ochr ac yn 'y nghael i i daflu'r bêl yn galad ac yn uchel ato wrth iddo neidio amdani, fel y bydda gofyn i mi neud yn y llinellau yn ystod gêm, gan weiddi, ar ôl bob tafliad, *"Harder! Harder!"* Wrth gwrs roedd gwaith y bachwr mor wahanol y dyddiau hynny. Doedd dim hawl codi chwaraewyr yn y llinell na hawl iddyn nhw symud o gwmpas, felly dim ond rhyw ddau neu dri tharged cyson oedd gan y bachwr i anelu atyn nhw yn ystod pob gêm, ac roedd yn rhaid ymarfer taro'r targedau hynny'n rheolaidd. Ar ben hynny roedd cymaint mwy o droseddu yn y llinellau i ddrysu'r holl drefn.

Gwae fi os byddwn i'n methu â chanfod Richard Moriarty wrth daflu i'r llinell yn ystod gêm. Rwy'n cofio mwy nag un achlysur, yn y dyddia cynnar hynny, pan aeth y bêl ymhell dros ei ben, oherwydd rhyw gamddealltwriaeth ynghylch yr alwad, neu efallai am fod y tafliad yn rhy uchel. Ei arfer wedyn oedd sefyll yn stond (er bod gweddill y chwaraewyr wedi hen adael y llinell ac yn dilyn y bêl), rhoi ei ddwy law ar ei ddwy glun, rhythu arna i a gweiddi, *"What the f*** was that?"*, weithiau o flaen torf fawr yn yr eisteddle a finna'n dal i sefyll yno'n gwrido. Sôn am deimlo'n rêl chwech!

Fel blaenasgellwr ddaru mi wisgo crys Abertawe gynta, a hynny pan ddaru mi ddod i'r cae fel eilydd mewn gêm yn erbyn Glynebwy. Eironi'r sefyllfa, wrth i mi eistedd ar y fainc am y rhan fwya o'r pedwar ugain munud, oedd mai honno oedd y gêm glwb gynta, ar y lefel ucha, i mi ei gweld erioed. Ond yr wythnos wedyn mi ges i 'newis i chwara bachwr yn erbyn Penarth ac er bod 'yn chwara cyffredinol i o gwmpas y cae wedi bod yn ddigon boddhaol, mi gafodd 'yn hyder i dipyn o ergyd. Ddaru mi ffindio bod llawer mwy o bwysa arna i yn y sgrym nag ro'n i wedi arfer ag o, ac mi gollis i dair sgrym yn erbyn y pen, digwyddiad prin i fachwr dosbarth cynta. Llwyddodd eu rheng flaen profiadol nhw i fynd â fi i lawr mor isel nes ro'n i'n ei chael hi'n anodd estyn 'y nghoes i fachu'r bêl.

Sylw bachog y giang yng Nghaffi Cilfynydd y bore wedyn, wrth iddyn nhw ddarllan yr hanes yn y *Western Mail*, oedd, *"There we are then, you'd better go back to North Wales!"* Yn ystod yr ymarfer yr wythnos wedyn, mi roedd 'na dipyn o drafod ar y diffyg hwnnw yn 'yn chwara i, a Billy James yn rhannu gwybodaeth gyda fi ynghylch sut y dylwn i fynd ati, pan oeddwn dan bwysa, i addasu lleoliad 'y nghoesa a 'nhraed yn y sgrym. Mi wellodd pethau rywfaint yn y gêm nesa yn erbyn Caerdydd a dim ond un sgrym gollis i yn erbyn y pen, a hynny i Ian Watkins oedd yn un o fachwyr blaenllaw Cymru ar y pryd. Rwy'n dal i gofio ei sylw fo pan ddigwyddodd hynny. *"O! Unlucky!"* medda fo, ond rywsut dw i ddim yn meddwl mai mynegi cydymdeimlad roedd o. Hynny yw, mae'n debyg fod ei ymateb o yn cyfateb i "Trist iawn! *Very sad!*" Arthur Picton Bryncoch.

Yn groes i'r disgwyl falle, ychydig iawn, o 'mhrofiad i, y byddai bachwyr yn 'sledjo' yn y sgrym… roedd tân y ffwrnais yn ei gwneud hi'n rhy anghysurus i ni feddwl am dynnu blew o drwyna ein gilydd falle. Roedd un eithriad, serch hynny, sef Mark Regan a oedd yn bachu yn fy erbyn i dros dîm A Lloegr pan ddaru mi chwarae i dîm A Cymru. Ddaru ei geg o ddim cau o gwbl yn ystod y gêm. Ond y bygythiad mwyaf i fachwr fel arfer, er nad oedd yn digwydd mor aml â hynny, oedd y dwrn fyddai'n cael ei anelu ato yn y sgrym gan ail reng y tîm arall. 'Y mhrofiad cynta i o hynny oedd mewn gêm yn erbyn Castell-nedd a'r brodyr Glyn a Gareth Llewellyn yn saethu ergydion drwodd arna i yn y rheng flaen. Mi ges i gyfle i atgoffa Gareth o hynny rai blynyddoedd wedyn. *"What did you expect?"* oedd ei ymateb ffraeth, *"you were buggering up our scrum!"* Ond falle mai'r rheswm penna pam nad oedd llawer o hynny'n digwydd mewn sgrym oedd ei bod hi mor hawdd i'r bachwr, fydda'n derbyn ergyd, gael gair distaw gyda'i ail reng o ei hun, yn barod ar gyfer y sgrym nesa.

Ryw dri mis wedi i mi ymuno ag Abertawe ddaru mi sgorio 'y nghais cynta dros y clwb, a hynny yn erbyn y Barbariaid. Bydda disgwyl i mi ddweud, mae'n debyg, fod y digwyddiad yn fythgofiadwy. Ond y gwir amdani yw nad ydw i'n cofio dim amdano. Yn y lle cynta, er bod tîm y Barbariaid yn llawn sêr, doedd yr enwa hynny ddim yn golygu dim i mi, gan 'mod i wedi gweld cyn lleied o gêmau dosbarth cynta ac yn gwbod y nesa peth i ddim am chwaraewyr y tu allan i Gymru. Yn ail, er na wnes i sgorio gymaint â hynny o geisiau yn 'y ngyrfa, chefais i erioed fawr o wefr o'u sgorio. Y math o beth fyddai'n rhoi pleser arbennig i mi fyddai hyrddio i fyny'r cae yn y chwara rhydd, y bêl o dan 'y nghesail i, gan lorio un neu ddau o'r tîm arall ar y ffordd a chyda sŵn cydnabyddiaeth y dorf yn 'y nghlustia – sef agwedda ar y chwara fyddai'n rhoi cyfle i mi ddangos 'yn ffitrwydd a'n nerth. Yn hynny o beth, ro'n i'n teimlo y gallwn i ddal 'y nhir yn erbyn y goreuon ond ro'n i'n ymwybodol iawn fod gen i ddiffygion o hyd o ran 'y nhechneg fel bachwr. Felly, mi fyddwn i'n dal i dynnu ar wybodaeth a phrofiad Denley, o glwb yr Wyddgrug, er mwyn ceisio gwella'r sefyllfa.

Er hynny, ro'n i'n mwynhau 'yn amser i yn Abertawe yn fawr iawn, ar y cae ac oddi arno, ac roedd tipyn o hwyl i'w gael yng nghwmni hogia'r Clwb. Roedd llawer ohonyn nhw'n Gymry Cymraeg – chwaraewyr fel Arthur Emyr, Robert Jones, Mark Titley, Kevin Hopkins, Alan Reynolds ac Ian Davies (ac yn ddiweddarach Aled Williams a Scott Gibbs), a Chymraeg y byddwn i'n siarad efo nhw. Wedi'r gêm, daeth hi'n arferiad i rai ohonon ni ar ddydd Sadwrn, dreulio rhyw ddwy awr yn y clwb yn Sain Helen, cyn mynd i fyny i'r dre am weddill y noson. Hyd yn oed pan fyddai'r tîm yn chwara oddi cartre, dod nôl i fwynhau'n hunain yn Abertawe fyddan ni'r hogia, fel arfer. Gan fod rhai ohonon ni'n byw dipyn o ffordd o'r ddinas, roedd y clwb wedi dod i gytundeb â'r Dragon, gwesty reit foethus yng nghanol y dre, y byddai chwaraewyr yn cael aros yno ar nos Sadwrn am hanner pris, felly mi ddaru ni fanteisio ar y cynnig hwnnw i'r eitha. Wrth gwrs, yn ystod yr ha, wedi i'r gema a'r sesiyna ymarfer ddarfod, fyddwn i ddim yn mynd i Abertawe'n aml. Ond roedd y pwysau i gadw'n ffit yn dal yno a ddaru mi wneud 'y nhrefniadau fy hun er mwyn sicrhau hynny. Ro'n i'n dal i fynd yn rheolaidd i'r *gym* yn Abergorci, ger Treorci, a ddaru mi ymuno â chlwb athletau lleol, gan fynd yn gyson i'r trac rhedeg oedd gynnyn nhw yn ymyl Tonyrefail. Ro'n i hefyd yn mynd yn ôl i'r gogledd bob hyn a hyn, ac yn tynnu ar ddonia Meic Griffith, unwaith eto, er mwyn cynnal 'yn ffitrwydd i. Ac roedd y gema criced rheolaidd gyda hogia'r gwaith yn gymorth ychwanegol.

Wedi i'r tîm orffen yn drydydd o waelod prif gynghrair clybiau Cymru ar ddiwedd tymor 1990–91, ro'n i'n edrych ymlaen yn fawr at bethau gwell yn ystod y tymor newydd, 'y nhymor llawn cynta i gyda Chlwb Abertawe. Erbyn hyn roedd Mike Ruddock yn hyfforddwr a Billy James, bachwr rheolaidd y tîm cynta, wedi gadael. Ond y chwaraewr newydd cynta i gael ei ddenu gan Mike Ruddock oedd Garin Jenkins, bachwr Pontypŵl, oedd eisoes wedi ennill ei le yn nhîm Cymru. Gan fod rheolau'r gynghrair yn ei rwystro fo rhag chwara tan ddiwedd Tachwedd, mi ges i 'newis ar gyfer y ddwy gêm gynghrair agoriadol, y naill yn erbyn Caerdydd, pan ddaru ni chwara'n arbennig o dda ac ennill 23–9, a'r llall yn erbyn Castell-nedd, a ninna'n colli 6–22 yn sgil perfformiad siomedig gan y blaenwyr (na lwyddodd i ennill ond tair llinell yn ystod y gêm!).

Wedi hynny Garin oedd y dewis cynta, ond do'n i ddim yn poeni rhyw lawer ar y dechra gan 'mod i'n sylweddoli bod gen i dipyn i'w ddysgu o hyd. Eto, chefis i ddim llawer o gyfle i dynnu ar ei brofiad o, a doedd yntau, yn naturiol falla, ddim am fynd allan o'i ffordd i geisio 'y ngneud inna yn well bachwr. Roedd o'n daer drybeilig i chwarae ym mhob gêm, os oedd o'n medru, heb unrhyw awydd i ildio'i le er mwyn rhoi profiad i ryw gyw o fachwr fel y fi. Fel yr âi'r tymor yn ei flaen, mi ddechreuis i anesmwytho a theimlo'n rhwystredig gan nad o'n i'n cael 'y newis ar gyfer y tîm cynta ond ar adega prin iawn. A dweud y gwir, dim ond ar gyfer tair gêm gynghrair arall ddaru mi gael 'y newis y tymor hwnnw.

Eto nid y fi oedd yr unig chwaraewr anhapus achos dechreuodd rhyw ymdeimlad o 'ni a nhw' ddod i'r amlwg, rhwng chwaraewyr rheolaidd y tîm cynta a chwaraewyr y tîm canol wythnos. Doedd Mike Ruddock ddim fel petai o'n barod i arbrofi llawer gyda'i chwaraewyr – mi aethon ni i feddwl y bydda fo, heblaw am anafiadau, wedi licio rhoi'r un pymtheg dyn ar y cae wythnos ar ôl wythnos. Dwi'n cofio, ar un adeg yn ystod y tymor hwnnw, gan 'mod i'n cael cyn lleied o rygbi cystadleuol yn Abertawe, i mi deithio'r holl ffordd i Lundain, ar gyfer cystadleuaeth rygbi saith bob ochr, oedd yn cael ei threfnu gan Chris Shears, hen ffrind i mi.

Ond doedd dim gwadu'r ffaith fod y tîm cynta'n gneud yn ardderchog ac erbyn dechrau 1992 roeddan ni ar frig y Gynghrair. Daeth chwaraewyr fel Scott Gibbs (a sgoriodd dri chais yn ei gêm gynghrair gynta yn erbyn Caerdydd), ac Aled Williams i gryfhau'r garfan ac roedd agwedd llawer mwy proffesiynol ar waith yn y ffordd roedd y clwb yn cael ei redeg yn gyffredinol ac o ran y dullia hyfforddi. Roedd y paratoadau'n llawer mwy trwyadl ar ein cyfer ni'r chwaraewyr, gyda Mike Ruddock yn gneud defnydd helaeth o offer fideo a siartiau perfformio gan gadw ffeiliau personol ar bob chwaraewr er mwyn ceisio codi safonau. Bydda fo'n arfer rhoi pwyslais mawr ar bwysigrwydd perffeithio'r chwara tyn, roedd o'n licio dadansoddi ymlaen llaw ddulliau chwarae ein gwrthwynebwyr ni, a bydda fo'n dosbarthu taflenni fyddai'n tynnu sylw at gryfderau a gwendidau chwaraewyr y timau fydda yn ein herbyn ni.

Eto doedd dim llawer o drafod tactegau yn y sesiynau ymarfer, ond mi roedd 'na bwyslais cynyddol ar ffitrwydd, a pheiriannau'n cael eu defnyddio fwyfwy i fesur safon. Mi ddaeth o â seicolegydd i'r clwb – Andy Smith, a fyddai'n cynnal sesiyna cyflwyno delweddau meddyliol i'r chwaraewyr wrth iddyn nhw ymlacio ar y llawr, â'r bwriad sylfaenol o wneud iddyn nhw deimlo'n well fel perfformwyr. Do'n i ddim yn gwerthfawrogi'r elfen honno ar y pryd ond ddaru mi ddod i sylweddoli maes o law y gallai hyn fod yn fanteisiol i'r chwaraewyr, o'i wneud yn iawn. Ond mae'n rhaid i mi gyfadde na fu gen i erioed lawer i'w ddweud wrth brofion seicolegol fyddai'n gofyn am dicio bocsys. Er hynny, efallai fod modd dadla bod angen gweld seicolegydd ar ambell chwaraewr yn y garfan yn ystod y sesiyna ymarfer, chwaraewyr fel Richard Webster ac Alan Reynolds, dau aelod o'r rheng ôl roedd gen i'r parch mwya iddyn nhw. Mewn sesiwn ymarfer, eu syniad nhw o brofi pa mor galed a ffit oeddan nhw fydda rhedeg nerth eu traed yn glets at ei gilydd, heb wyro nac ochrgamu.

Abertawe oedd pencampwyr Cynghrair Heineken y tymor

hwnnw ac roedd yna edrych ymlaen at daith y clwb i Ganada ym mis Awst. Ro'n i, beth bynnag, yn betrus iawn ynghylch hedfan yno. Dim ond ar gyfer rhyw ddau drip sgïo i Ewrop ro'n i wedi hedfan cyn hynny, ac roedd y syniad o dreulio 10 awr mewn awyren i Ganada yn ddychryn pur i mi. Ond aeth petha'n well na'r disgwyl a bu'r ymweliad yn un pleserus iawn. Mi fu ysbryd y garfan yn wych tra o'n i yno gyda'r tîm yn chwarae ac yn ennill tair gêm, yn erbyn Alberta, tîm Llywydd British Columbia a thîm British Columbia – pencampwyr Canada ar y pryd. Mi gefis i 'newis ar gyfer pob un, oherwydd bod angen chwara Garin Jenkins fel prop pen tyn yn y tair gêm, gan ein bod ni'n wan yn y safle hwnnw ar y daith. Ro'n i'n falch iawn o hynny achos mi roedd yn gyfle i mi fesur fy hun unwaith eto yn erbyn chwaraewyr tramor o safon tebyg a ffindio 'mod i'n gallu cystadlu'n deg iawn efo nhw.

Wedi'r daith honno, a minna nôl efo Abertawe ar gyfer dechra tymor '92–'93, ro'n i'n gorfod derbyn mai ail ddewis i Garin y byddwn i o hyd. Un bachwr arall oedd gan Abertawe, Lloyd Isaac, o bentre'r Clun, ger Tonna yng Nghwm Nedd, un a fu'n chwara ar bob un o'r lefelau iau rhwng 16 ac 21 oed dros Gymru. Roedd o'n fab i John Isaac, ynta wedi bod yn fachwr i Abertawe o 1961 hyd 64. Roedd John, yn ystod ei gyfnod o, mewn sefyllfa debyg i mi yn Abertawe, gan ei fod o'n cystadlu â'r chwaraewr rhyngwladol Norman Gale am safle'r bachwr. Ddaru Norman symud i Lanelli yn 1963, gan i John yn y diwedd ei ddisodli yn nhîm Abertawe.

Yn 1964 aeth John ar daith gyda Chymru i Dde'r Affrig, y tro cynta erioed i'r tîm cenedlaethol fynd yno, ond chafodd o ddim chwara yn yr un gêm yno. Yn fuan wedi iddo ddychwelyd oddi yno mi ddaru fo adael Abertawe i fynd i chwara Rygbi'r Gynghrair gyda Swinton. Bu'n ymwelydd cyson â'r Strade yn ystod gyrfa Lloyd, ac er iddo fo a Norman Gale weld ei gilydd yno droeon, ddaru nhw erioed dorri gair â'i gilydd.

Yn 'y nghyfnod i yn Abertawe, doedd Lloyd ddim yn cystadlu o ddifri am safle'r bachwr a hynny am ei fod o mor amryddawn fel ei fod o hefyd yn cael ei ddewis i chwara fel mewnwr a blaenasgellwr yn ei dro. Yn fuan wedi dechra tymor '93–'94, mi benderfynodd o ymuno â thîm Castell-nedd ond nid cyn iddo, yn ystod y cymdeithasu oedd yn digwydd rhyngon ni, chwaraewyr Abertawe, a'n gilydd, 'y nghyflwyno i i'w chwaer Tina, sy bellach yn wraig i mi. Mwy am hynny yn y man. Yn syth wedi iddo fo adael am y Gnoll, mi chwaraeodd yn erbyn tîm Awstralia, oedd ar daith yng Nghymru – y tro hwnnw fel canolwr.

Yr adeg honno roedd 'na edrych ymlaen yn Abertawe hefyd at ymweliad tîm Awstralia â Sain Helen ac mi fyddwn wedi rhoi unrhyw beth i gael chwara yn erbyn Phil Kearns, oedd yn cael ei ystyried y bachwr gorau yn y byd, ar y pryd. Ond Garin gafodd ei ddewis a dyna oedd y siom fwya ro'n i wedi'i phrofi, fel chwaraewr, hyd hynny. Roedd pobl o 'nghwmpas i'n 'yn atgoffa i o hyd pa mor bell yn 'y ngyrfa i ro'n i wedi cyrraedd, a hynny mewn cyn lleied o amser, ac mi ro'n i'n sylweddoli y bydda llawer iawn o chwaraewyr eraill wedi bod yn barod iawn i gyfnewid lle â mi ar y fainc yn erbyn y Wallabies. Ond erbyn hyn ro'n i ar dân isio chwara mewn gêmau o bwys ac os nad o'n i'n cael 'y newis i fod ar y cae, ro'n i'n mynd i deimlo nad o'n i ddim yn rhan o betha go iawn. Rhaid cofio hefyd nad oedd hi mor hawdd i eilydd ddod i'r maes y dyddiau hynny, gan fod yn rhaid i feddyg gadarnhau bod pob chwaraewr oedd yn gadal wedi'i anafu go iawn. Eto, roedd diwrnod gêm Awstralia yn un cofiadwy iawn i'r clwb, gyda'r Wallabies yn cael eu curo 21–6 (a Garin yn sgori'r cais wnaeth selio'r fuddugoliaeth), – tipyn o gamp o gofio i Awstralia roi cweir i dîm Cymru yn fuan wedyn.

Roedd Garin yn dipyn o gymeriad, yn gyn-löwr oedd mor nodweddiadol o hogia'r Rhondda mewn llawer ffordd. Roedd o'n hoff o dynnu ar ei gyd-chwaraewyr ac yn barod â rhyw sylw ffraeth bob amser, ac weithia'n gneud hwyl am ei ben ei hun. Mi adroddodd o stori, yn dilyn gêm Awstralia, a fu'n fyw yn y clwb am beth amser wedyn. Mi roedd o wedi penderfynu tynnu ar Phil Kearns o'r sgrym gynta un, felly, pan aethon nhw i lawr, dyma Garin yn dechra, *"I'm the number one, I'm the number one"*. Dyna ddaru ddigwydd am y tri neu bedwar sgrym gynta nes i Kearns, oedd wedi laru ar Garin erbyn hynny, benderfynu ymateb. *"Yeah, the number one shit-head more like!"* medda fo. Yn ôl yr hogia, dyna'r tro cynta iddyn nhw fod mewn sgrym oedd bron â dymchwel oherwydd y chwerthin oedd yn ysgwyd drwyddo.

Rwy i wedi cyd-dynnu'n dda gyda Garin erioed, er yr holl 'elyniaeth' fu rhyngon ni o ran safle'r bachwr ar lefel clwb ac ar y lefel genedlaethol, ond, mewn un ffordd, i'w natur ymfflamychol o ar y cae mae'r diolch am i mi ddod gymaint i sylw'r dewiswyr cenedlaethol ar ddechra 1993. Ro'n i wedi cael 'y newis yn aelod o'r garfan genedlaethol lawn cyn y Nadolig a chan i Garin anelu troed at ben Andrew Lamerton, pan oedd o'n chwara i Abertawe yn erbyn Llanelli'r mis Ionawr hwnnw, mi gafodd ei wahardd am 16 wythnos. O ganlyniad, ddaru mi gael cyfle i gynrychioli tîm cynta Abertawe yn rheolaidd. Er hynny, y gred oedd mai Nigel Meek, bachwr Pontypŵl, fydda'r dewis cynta ar gyfer gêmau Cymru y gaea hwnnw.

Erbyn hyn, ro'n i wedi gadal Ton Pentre ac wedi mynd i weithio i iard Llanfihangel-ar-arth, yn ymyl Llandysul, gan fyw mewn fflat yng Nghapel Dewi, Caerfyrddin, oedd yn perthyn i garej y pentre, o dan ofal y perchennog, Alan Evans. Ro'n i wedi gofyn i SWALEC a gawn i symud i iard fydda'n golygu llai o deithio i mi, o gofio 'mod i'n gorfod mynd yn ôl a blaen yn gyson i Abertawe, felly dyma dderbyn y cynnig i symud i weithio yn Sir Aberteifi. Ond roedd yna ffactorau eraill wedi dylanwadu ar 'y mhenderfyniad i symud, sef y ffaith 'mod i'n colli siarad Cymraeg ac yn awyddus i symud i ardal lle y medrwn glywed yr iaith wrth 'y ngwaith o ddydd i ddydd. Am yr union reswm hwnnw, ro'n i wedi mynd yn wrandäwr cyson yn y Rhondda ar dapiau ambell gôr, a hefyd ar Dafydd Iwan. Er hynny, roedd yn chwith iawn gen i adael y Rhondda. Mi gefais i barti ffarwel gwych gan y giang yng Nghlwb Cymdeithasol 'Y Rob' yn Ynys-y-bŵl a ddaru nhw gloi'r noson drwy sefyll mewn cylch o 'nghwmpas i a chanu *'I long to see the Rhondda Once Again'*, cân roedd hogyn lleol, David Alexander, wedi ei gneud yn enwog. Roedd o'n achlysur emosiynol iawn, achos mi dreulis i bron i ddwy flynedd hapus dros ben yn eu cwmni nhw. Ddaru mi gyrraedd yno ar adeg pan o'n i'n colli ffrindia a'r teulu yn y gogledd, heb wybod a fyddwn i'n gallu setlo yn y de o gwbl. Ond mewn fawr o dro ddaru croeso pobl y Rhondda gael gwarad ar unrhyw amheuon oedd gen i'n cyrradd yno ac mi fydda i'n trysori'r cyfnod ddaru mi dreulio yn eu cwmni yn fawr iawn.

Gwisgo'r Coch

Criticism is something we can avoid easily – by saying nothing,
doing nothing, and being nothing.

Aristotle

Ym mis Chwefror 1993, mi gefis 'y newis i chwara i Gymru B yn erbyn yr Iseldiroedd, yn S'hertogenbosch. Er 'mod i wedi hannar gobeithio y baswn i'n cael 'y newis i fod yn rhan o brif garfan Cymru oedd yn chwara yn erbyn Lloegr yng Nghaerdydd yr un diwrnod, mi gefais flas yn syth ar y statws o gael cynrychioli'r tîm cenedlaethol hyd yn oed ar lefel gema A a B. Ddaru hogia'r tîm gyfarfod ar y dydd Mawrth, cyn y gêm ar y Sadwrn, ac mi gawson ni ymarfer am ddeuddydd gyda'n gilydd. Yna ddaru ni hedfan i'r Iseldiroedd ar y dydd Iau – pawb wedi derbyn blazer a throwsus llwyd swyddogol ar gyfer yr achlysur. Yna nôl i Gaerdydd ar y dydd Sul, ar ôl bron i wythnos o fod ynghlwm ag un gêm rygbi. Ro'n i wedi cael caniatâd SWALEC i fod i ffwrdd o'r gwaith (yn ddi-dâl) am y cyfnod hwn ac yn hynny o beth, mi fu'r Cwmni'n barod iawn ei gefnogaeth tra o'n i'n gweithio iddo.

Gyda mi yn y tîm roedd dau ogleddwr arall, Stuart Roy, o Borthaethwy, yn chwarae yn yr ail reng i Gaerdydd ac yn gyn-aelod, fel y finna, o Glwb Rygbi Porthaethwy, a'r prop, Ian Buckett, o'r Fflint, cyd-aelod o reng flaen Abertawe. Roedd 'Nhad a Wil Parry Williams, Cadeirydd Clwb Rygbi Porthaethwy, wedi hedfan draw yn unswydd i weld 'y ngêm fawr gynta i. Roedd hi'n braf iawn gweld y ddau yno oherwydd rwy i wedi gwerthfawrogi erioed cael ffrindiau a theulu o 'nghwmpas i adeg gêmau pwysig. Mi fuodd 'yn rhieni, 'yn chwiorydd i, Naomi a Beth, a Tina yn gefnogol iawn ar hyd y blynyddoedd adeg gêmau clwb a gêmau rhyngwladol. Roedd Wil wedi addo y bydda fo'n bresennol ar gyfer y gêm gynta y baswn i'n chwara dros Gymru ar y lefel hŷn ond mae'n bosib ei fod ychydig bach yn siomedig nad oedd yr achlysur hwnnw rywle yn Hemisffer y De!

'Swn i wedi licio petawn i wedi gallu bod ar y cae yn hirach, a hwytha wedi gneud cymaint o ymdrech i ddod i 'ngweld i'n chwara. Yn anffodus tua diwedd yr hanner cynta mi ges i ergyd drom ar 'y mhen a bu'n rhaid i mi adal y cae. Ro'n i'n gwbod cyn gadal nad oedd petha'n iawn – mae'n debyg i mi ofyn i Paul Arnold, y chwaraewr ail reng o Abertawe, yn erbyn pwy oeddan ni'n chwarae. Fel mae'n digwydd, rwy i wedi cael y profiad hwnnw sawl gwaith yn ystod 'y ngyrfa ac yn y gêm arbennig honno yn yr Iseldiroedd, fel ar sawl achlysur yn ddiweddarach, mi fu'n rhaid i mi rybuddio ein neidwyr ni yn y llinell y bydda gofyn iddyn nhw fod yn amyneddgar am ychydig a dweud yn union at bwy roedd y bêl i fynd gan nad o'n i'n gallu datrys y cod oedd yn cael ei ddefnyddio. Ond pharodd hynny ddim yn hir gan y bu'n rhaid i mi roi'r gorau iddi'n llwyr. Daeth Andrew Thomas, o Glwb Castell-nedd, ymlaen yn fy lle i a chael gêm dda iawn, wrth i ni chwalu ein gwrthwynebwyr 57–12. Er hynny ni welwyd mohono fo ar y lefel ryngwladol wedi hynny, hwyrach am fod ganddo natur ychydig bach yn wyllt, er cystal ei ddonia fel bachwr.

Tra o'n i ar y cae, mi fu hi'n dasg weddol hawdd dygymod â rheng flaen tîm yr Iseldiroedd. Eto mae'n rhaid 'mod i'n dipyn o siom i fachwr eu tîm nhw gan iddo ddod ata i yn y derbyniad ar ôl y gêm a dweud, *"Strongest man in Wales? You're not the strongest man in Wales!"* Dwn i ddim beth oedd o'n 'ddisgwyl ond mae'n rhaid bod y creadur wedi poeni'n arw cyn y gêm y byddai'n rhaid iddo sgrymio yn erbyn y dyn cryfa yng Nghymru! Dyna un enghraifft, falle, lle ddaru heip cystadleuaeth S4C weithio o 'mhlaid i a chynorthwyo i ddanseilio hyder y tîm arall cyn i'r gêm ddechra.

Y mis wedyn ro'n i'n chwara i dîm Cymru A yn erbyn yr Iwerddon ym Mhontypridd, noswyl y gêm rhwng timau cynta'r ddwy wlad yng Nghaerdydd. Gêm galed iawn pan ddaru David Humphreys, maswr yr Iwerddon, sgorio 19 pwynt; colli ddaru ni o 28–29. Er bod Alan Davies, hyfforddwr y tîm cenedlaethol, wedi bod yn reit feirniadol o berfformiad y pac yn gyffredinol, ro'n i'n ddigon hapus â safon 'yn chwara ac yn teimlo 'mod i'n medru dal 'y nhir yn iawn. O ran cael barn arall i gael gwbod sut ro'n i 'di chwarae, byddwn i'n troi bob amser at 'Nhad. Os oedd o'n fodlon ar yn chwara i – er doedd hi ddim yn dilyn bob amser mai felly roedd hi – ro'n inna'n dawel 'y meddwl. Eto, yn y dyddia hynny, yn wahanol iawn i'r oes broffesiynol hon, roedd 'na duedd i edrych ar y tîm A fel rhyw fath o dîm tafarn fydda'n chwara eu gêm ar y nos Wener ac yna'n sticio efo'i gilydd am y penwythnos i fwynhau eu hunain. Roedd yna ysbryd da iawn yn y garfan ac er bod llawer ohonyn nhw, fel Mike Voyle, Scott Gibbs, Rob Howley a Paul John wedi bod yn chwara gyda'i gilydd ers dyddiau ysgol, ro'n i'n ei chael hi'n hawdd ffitio mewn, ac yn fêts reit agos ag Ian Buckett a Paul Arnold.

Erbyn hyn ro'n i wedi setlo yn 'y nghynefin newydd yn Sir Gaerfyrddin. Roedd yr hogia'n reit debyg i griw iard Llangefni, lawer ohonyn nhw'n feibion ffermydd ac o'r herwydd yn ddiwyd iawn wrth eu gwaith. Roedd natur y gwaith yn anoddach nag oedd o yng Nglyn Taf. Yn gyntaf roedd llawer o waith teithio gynnon ni i ardaloedd gwasgaredig fel Ystrad Aeron neu Dregaron. Yn ogystal, roedd hi'n llawer haws gosod polion ar balmentydd y Rhondda nag mewn caeau anghysbell yng nghefn gwlad. Ond mae'r math hwnnw o waith fel petai'n denu'r un math o hogia a doedd Llanfihangel-ar-arth ddim yn wahanol o ran ei siâr o gymeriada, fel Wyn 'Wombat' Davies, Clive Reynolds, Les 'Cochyn', Alan Davies a Bryan 'Ap' Davies. Aelod distaw o'r criw oedd un o'r sêr mwyaf erioed i gynrychioli Clwb Rygbi Llanelli, Cymru a'r Llewod, sef y cawr fydda'n chwarae yn yr ail reng, Delme Thomas. Do'n i ddim yn gwbod fawr ddim amdano nes i 'Nhad ddweud wrtha i gymaint o arwr oedd Delme iddo fo. Yn ein canol ni, hogia'r giang, roedd o'n ddyn swil, diymhongar ac er i ni'n dau gael sawl sgwrs am y byd rygbi, roedd hi'n anodd iawn ei gael o i sôn am ei gampau ynta yn y gêm.

Roedd hi'n dipyn o ras weithia i ddod nôl i'r iard ar ddiwedd y dydd ac yna ceisio cyrraedd Clwb Rygbi Abertawe ar gyfer sesiwn ymarfer. Ambell dro, bu'n rhaid i mi fynd yn syth o 'ngwaith i Sain Helen, gymaint oedd y brys, ond fel arfer y drefn oedd gyrru i Gaerfyrddin ac yna cael pas oddi yno gan Alan 'Santa' Reynolds (glasenw a gafodd am ei fod yn fab i berchnogion tafarn y Santa Clara yn San Clêr), un o sêr tîm Abertawe ar y pryd. Ond wrth gwrs, o ran cynnal ffitrwydd, doedd sesiynau ymarfer Clwb Abertawe ddim yn ddigon i mi ac yng Nghapel Dewi bu'n rhaid i mi ddyfeisio rwtîn gwahanol, newydd, ar gyfer cynnal sesiynau ffitrwydd ychwanegol. Mi fyddwn i'n mynd yn rheolaidd i gae y tu ôl i'r fflat ac yn ymarfer sgipio a sbrintio yno.

Er mwyn ceisio gwella'n fitrwydd anaerobic, mi fyddwn i'n gosod recordydd tâp ar y cae, ac yn rhedeg rhwng dau begwn yn ddi-stop trwy gadw mewn amser â'r synau blîp oedd wedi eu recordio ymlaen llaw. Mi fydda hyn yn caniatáu i mi fesur sawl rhediad o'n i wedi eu gneud o fewn amser penodol. Mi fyddwn i'n marcio'r pellter (tuag ugain metr) ro'n i am ei redeg trwy roi 'yn sgidia ymarfer i ar y gwair, ond yn aml iawn, pan fydda Tina'n aros gyda mi, byddai ei chi, Pepsi'n dod efo mi i'r cae a bob amser yn dwyn un o'r sgidia. O ganlyniad, cynnwys y sesiwn o hynny ymlaen fydda finna'n rhedeg fel peth gwirion o gwmpas y cae ac yn trio dal Pepsi. Roedd hi'n ffordd reit effeithiol o gadw'n heini ond dwn i ddim beth fydda unrhyw un a ddigwyddai 'y ngweld i'n rhedeg ar ôl y ci yn ei feddwl am ddulliau ymarfer cyfoes 'soffistigedig' dosbarth ucha'r byd rygbi ar y pryd!

Y mis Mai hwnnw mi gefis 'y newis yn rhan o garfan lawn Cymru oedd i deithio i Zimbabwe a Namibia, er mai fel ail ddewis i Andrew Lamerton roedd y gwybodusion yn fy ystyried i. Eto mi gefis 'yn lle ar draul Nigel Meek, a fu'n chwara ym Mhencampwriaeth y Pum Gwlad yn gynharach y tymor hwnnw. Yn wir, ro'n i'n teimlo, yn ddistaw bach, 'mod i wedi cyflawni tipyn o gamp, o gofio 'mod i'n un o saith aelod o'r garfan yn unig oedd heb ennill cap llawn ac mai dim ond ar gyfer chwe gêm yn y Cynghrair Heineken ddaru mi gael 'y newis gan Abertawe yn ystod y tymor oedd newydd orffen. Ro'n i'n gwbod bellach 'mod i'n barod amdani ac yn gobeithio y byddai'r daith i gyfandir Affrica'n gyfle gwych i mi sicrhau 'yn lle yng ngharfan tîm cynta Cymru ar gyfer Pencampwriaeth y Pum Gwlad yn '93–'94. Ro'n i wedi cael blas ar gynrychioli 'ngwlad ac ro'n i isio mwy. Ond aelod rhwystredig o'r garfan o'n i am ran helaeth o'r daith.

Yr hyfforddwr ar y daith honno oedd Alan Davies, ac roedd Gareth Jenkins o Glwb Llanelli, yn ei gynorthwyo gyda'r blaenwyr. Chwaraewyd tair gêm yn Zimbabwe, dwy ohonyn nhw yn erbyn tîm cynta'r wlad honno, ac mi enillwyd pob un yn weddol hawdd. Chefais i ddim 'y newis ar gyfer unrhyw un ohonyn nhw. Chefais i ddim esboniad chwaith gan y naill hyfforddwr na'r llall, pam yr o'n i ar y fainc ar gyfer y tair gêm. Falle 'mod i ar fai na wnes i ddim mynd i ofyn am eglurhad, neu am awgrym sut y medrwn i felly godi 'ngêm i'n bersonol. Ond mi gafodd y sefyllfa effaith negyddol iawn ar 'yn agwedd i, gan arwain at ryw ymdeimlad o 'Stwffiwch hi 'te!', yn 'y meddwl i, tuag at y rhai oedd wrth y llyw. Mi fu hynny'n wendid bach ynof i erioed o ran 'yn ymwneud i â phobl mewn awdurdod. Sylwodd Alan Davies, wedi gêmau Zimbabwe, fod rhywbeth o'i le ac mi ddaru o ofyn i mi,

"What's wrong with you, Robin? You look as if you're ready to kill someone."

"Perhaps I am!" oedd yr ateb.

Serch hynny roedd Alan yn ddyn dymunol iawn oedd yn cyd-dynnu'n dda gyda phawb. O ran tactegau rygbi, fel gêm, ro'n i'n dal yn weddol naïf bryd hynny ac mae'n bosib nad o'n i'n ddigon sylwgar. Eto mae'n rhaid i mi gyfadde nad o'n i'n ymwybodol fod gan Alan na Gareth unrhyw weledigath fawr i'w chyflwyno i'r chwaraewyr yr adeg honno nac unrhyw neges drawiadol o ran beth ro'n nhw'n ceisio'i gyflawni. Serch hynny rwy'n barod i gyfadda bod hynny wedi newid, yn enwedig yn achos Gareth, yn nes ymlaen.

Roedd pwyslais y sesiynau ymarfer yr adeg honno yn aerobig iawn. Pawb yn dechra trwy loncian am ryw ddwy filltir, yna'r blaenwyr a'r olwyr yn ymrannu i ymarfer sgiliau. Y nod i ni'r blaenwyr oedd bod yn ddigon ffit i gyrradd cymaint o sgarmesi ag y medren ni yn ystod y pedwar ugain munud. Nid felly mae hi heddiw wrth gwrs. Mae pwyslais y gêm fodern ar fedru cynnal cyflymdra yn gyson o gwmpas y cae, yn aml mewn hyrddiada byr, ffyrnig wedi'u cyplysu â grym. O ddilyn patrwm felly, mae'n amhosib i flaenwr fedru cyrradd pob sgarmes. Yn y sesiynau ymarfer, bydda Alan yn ceisio cyflwyno elfennau newydd weithia. Er enghraifft, mi gyrhaeddodd un ymarfer, a ninna wedi newid ac yn disgwyl amdano ar y cae, gan ddweud, *"OK. I want you all to stand in a circle, holding hands. Right! Now I want you all to sing 'Ring a Ring a Roses'."* Ddaru ni i gyd edrych yn hurt ar ein gilydd, ond dyna fu'n rhaid i ni ei neud, hyd at y geiria, *'and we all fall down'.* Gyda hynny dyma Alan yn cyhoeddi bod yr ymarfer ar ben!

O'r diwedd mi gefis 'y newis i chwara yn erbyn tîm Namibia B, yn Windhoek, profiad hynod gofiadwy. Roedd gwisgo'r crys coch am y tro cynta yn deimlad cyffrous iawn ac felly y bu hi bob tro wedi hynny hefyd. Ddaru ni ennill y gêm yn reit hawdd, 47–10 ac ro'n i'n ddigon hapus â'r ffordd ddaru mi chwara. Ond roedd y gêm yn gofiadwy i mi am ddau reswm arall, yn gynta mi ddaru mi sgorio cais, ar ôl cyd-basio gyda Neil Jenkins, ac yn ail mi gefis 'y ngyrru oddi ar y cae bum munud cyn y diwedd. Roedd un o chwaraewyr Namibia yn tynnu ar 'y nghrys i wrth i mi redeg am y bêl, felly dyma swingio 'mraich a gollwng slap, nid ergyd, i'w gyfeiriad. Nid fel yna y gwelodd y dyfarnwr betha a bu'n rhaid i mi ffarwelio â'r maes, er bod pawb a welodd y digwyddiad yn cytuno bod y dyfarnwr wedi gorymateb. Mi ddaeth Robert Noster, rheolwr y garfan, ar 'yn ôl i i'r ystafell newid a dweud y byddai'r swyddogion yn apelio yn erbyn y penderfyniad. Roedd yr apêl yn llwyddiannus ac yn ffodus ddaru mi ddim cael 'y ngwahardd rhag chwara. Eto i gyd, mi gefis 'yn anwybyddu ar gyfer y ddwy gêm oedd yn weddill ar y daith, sef yn erbyn tîm cynta Namibia ac yn erbyn y Barbariaid, gêmau a enillwyd gynnon ni'n weddol gyfforddus.

Er y rhwystredigaeth, felly, o fod wedi chwara mewn un gêm yn unig allan o'r chwech a chwaraewyd gan Gymru yn Zimbabwe a Namibia, mi roedd ochr gymdeithasol y daith yn bleserus iawn. Yn Zimbabwe, er enghraifft, roeddan ni'n aros yng ngwesty moethus Elephant Hills, oedd yn brofiad ynddo'i hun. Ond mi fuas i bob amser yn un oedd isio gweld a phrofi petha lle bynnag ro'n i'n mynd a phan ddaeth cynnig i gael hedfan, mewn awyren fechan, pedair sedd, dros Angell Falls ac yn isel ar hyd y Zambesi, er mwyn cael cyfle i weld y bywyd gwyllt, rhyfeddol oedd yno, ddaru mi neidio at y cyfle. Roedd hi'n daith anhygoel. Taith i'w chofio hefyd i'n blaenasgellwr ni, Lyn Jones, hyfforddwr Gweilch Tawe Nedd bellach, ond am resymau cwbl wahanol. Wedi i'r awyren godi, ddaru Lyn fethu ag edrych allan o'r ffenestr o gwbl, roedd o wedi dychryn gymaint. Roedd ei fysedd yn wyn wrth iddo afael mor dynn ag y galla fo yn y sedd o'i flaen o. Dyna'r unig dro erioed i mi ei weld o'n ddistaw! Doedd hi ddim yn help i'w gyflwr o chwaith fod yr awyren wedi taro yn erbyn briga rhai coed oddi tanon ni wrth lanio. Mi gawson ni gyfle i werthfawrogi'r bywyd gwyllt, hyd yn oed pan fydda'r garfan yn ymarfer ar y cwrs golff ar dir y gwesty, lle'r oedd degau o faeddod gwyllt yn rhedeg yn rhydd. Yn yr un modd mi fydda babŵns di-ri yn heidio o'n cwmpas ni wrth i ni fynd am dro trwy un o'r coedwigoedd gerllaw.

Elfen arall fyddai'n gwneud taith yn gofiadwy oedd y cymeriadau yn y garfan. Pobl fel Huw Williams-Jones, Tony Copsey a Rupert Moon. Roedd Lyn Jones hefyd yn un ohonyn nhw ac un fydda'n gneud petha cwbl annisgwyl. Ar y daith hon roedd o wedi dechra yfed te Earl Grey i frecwast. Wnelai dim byd arall y tro, ac roedd o wedi dod â chyflenwad arbennig gydag o yr holl ffordd o Gymru. Roedd o hefyd yn un drwg am dynnu ar yr hogia ac yn gallu dynwared Gareth Jenkins i'r dim, a hynny'n destun tipyn o hwyl i'r gweddill ohonon ni. Ond roedd Gareth hefyd yn gwbod am gastia Lyn ac yn ddigon parod i fod yn rhan o'r hwyl. Un o'i gryfdera fo, fel arweinydd, oedd ei fod o'n gwbod sut i ymlacio gyda'r hogia gan neud yn siŵr hefyd ein bod ni'n ymwybodol fod yna ffin nad oedd neb i'w chroesi. Ar y llaw arall un o'i wendida fo oedd ei fod o'n mynnu ein bod ni fel carfan yn canu hen ffefrynnau fel 'Calon Lân', 'Sosban Fach', ac yn y blaen, lle bynnag roeddan ni'n mynd. Roedd hyn yn cynnwys y derbyniadau swyddogol roedd Llysgenhadaeth Prydain yn eu trefnu ar ein cyfer ni yn y gwahanol leoliadau. Cymeriad arall, am resymau gwahanol i'r arfer, oedd Mark Perego. Chwaraewr caled, ffit dros ben, y bydda'n dda iawn gynnoch chi ei gael wrth eich ymyl pe baech chi mewn congl. Fydda fo byth yn cyffwrdd ag alcohol a doedd o ddim yn hoff iawn o'r cymdeithasu arferol fyddai'n dilyn gêm. Roedd o'n greadur rhyfedd braidd. Bydda fo'n rhoi'r argraff fod 'na lawer o betha mewn bywyd oedd yn bwysicach na chwara rygbi, hyd yn oed pan oedd o ar y brig fel chwaraewr. Lle bynnag yr âi, mi fydda fo'n cario mochyn bach porslen, o'r enw Mr Peeg, gydag o – mi fydda'n dod ag o gyda fo i'r ystafell newid hyd yn oed. Wrth i ni hedfan i Namibia o Zimbabwe rwy'n ei gofio fo yn dal Mr Peeg i fyny yn ffenestr yr awyren er mwyn dangos yr olygfa iddo.

Er cymaint ro'n i'n meddwl 'mod i wedi gwella fel chwaraewr, ro'n i'n gwbod mai yn ôl ar y fainc y byddwn i gan fwya yn Abertawe yn ystod tymor '93–'94, gan gadw cwmni yno i rai chwaraewyr siomedig eraill yn y garfan, fel Mike Morgan, Dai Joseph ac Ian Davies. Er hynny, ro'n i'n mwynhau'r sesiynau ymarfer, o dan ofal Trevor Cheeseman yn enwedig, ac yn fodlon iawn ar fy mherfformiad i yno. Daeth Mike Ruddock ata i yn un swydd ar ddiwedd un ymarfer i ddweud bod lefel 'yn ffitrwydd i wedi gneud argraff arno. Roedd y tîm cynta unwaith eto yn gneud yn dda iawn ac ar ben Cynghrair Heineken ers yn gynnar iawn yn y tymor. Minna'n teimlo'r un rhwystredigaeth o fethu cael ymddangos mewn gema o bwys. Er hynny ddaru mi gael 'y newis ym mis Hydref i chwara i Gymru A yn erbyn gogledd Lloegr ym Mhontypŵl, ac yna yn erbyn Canada yng Nghaerdydd ym mis Tachwedd. Ro'n i'n hapus iawn â 'mherfformiad i'r diwrnod hwnnw ac mae'n debyg 'mod i wedi gwneud argraff arbennig ar Clem Thomas, un o sêr timoedd rygbi Abertawe, Cymru a'r Llewod yn y 1950au, oedd erbyn hynny yn ohebydd rygbi i'r *Observer*. *"I knew you were a good player before the Canada game, but I didn't know you were that good!"* oedd ei eiriau i mi yng Nghlwb Abertawe ryw bythefnos wedyn. Ro'n i'n gwbod bod R C C Thomas yn uchel ei barch yn y clwb ond bu'n rhaid i mi holi 'Nhad er mwyn deall cymaint fu ei gyfraniad o i'r byd rygbi yn y gorffennol. Felly roedd canmoliaeth gynno fo yn rhywbeth yr o'n i'n ei werthfawrogi'n fawr.

Ddechrau 1994, mi gefais 'y newis i garfan lawn Cymru ar gyfer Pencampwriaeth y Pum Gwlad, ond chefis i ddim troedio'r maes o gwbl yn ystod y gêmau hynny. Eto, am ryw hanner munud, yn ystod y gêm yn erbyn Lloegr yn Twickenham, ddaru mi feddwl bod y funud fawr wedi dod pan gafodd Mark Perego ei frifo a minna cael gorchymyn i dynnu 'nhracwisg i fynd i chwarae yn safle'r blaenasgellwr. Ond ymhen dim, roedd Mark yn holliach unwaith eto. Honno oedd yr unig gêm i Gymru golli yn y Bencampwriaeth a ni oedd y pencampwyr y tymor hwnnw. Ro'n i wedi cael blas ar fod yn rhan o'r garfan ar gyfer y gema rhyngwladol, cael teithio gyda'r tîm a chael cymryd rhan yn y dathliadau wedyn. Mi fydda'r rheiny'n dechrau bob amser gyda chinio i'r chwaraewyr a'u partneriaid mewn gwesty safonol.

Erbyn hyn roedd Tina'n mwynhau dod gyda mi a chymdeithasu gyda chariadon a gwragedd y chwaraewyr eraill. Un datblygiad o bwys yn fy hanes i'r dyddiau hynny oedd yr angen i gael siwt bwrpasol, sef un ffurfiol gyda bow tei, ar gyfer y ciniawa swyddogol 'ma. Felly bu'n rhaid i mi logi un, ar 'y nghost 'yn hun! Ond, er mor soffistigedig oedd yr achlysuron hyn i ddechra, buan iawn ddaru nhw ddisgyn i lefel unrhyw nos Sadwrn allan gyda'r hogia. Rwy'n cofio'r cinio yn dilyn gêm Twickenham yn dda, gan mai yn y gêm honno y cafodd Mike Catt ei gap cynta ac roedd hi'n draddodiad fod unrhyw un oedd yn cael ei gap cynta yn y Bencampwriaeth yn derbyn diod gan bob un o'i gyd-chwaraewyr, a'i gladdu'n reit sydyn. Doedd dim siâp rhy dda ar Mr Catt ar ddiwedd y noson!

Doedd paratoadau'r tîm ar gyfer y gêmau rhyngwladol y dyddia hynny ddim hanner mor drwyadl ag maen nhw heddiw. Doedd hi ddim yn anghyffredin, er enghraifft, gweld Alan Davies yn eistedd i lawr i drafod tactegau, dros lasiad o win coch, gyda'r hogia'r noson cyn y gêm fawr. Ar y dydd Iau cyn y gêm y byddan ni'n ymgasglu, ac yn teithio'r diwrnod hwnnw i'r lleoliadau oddi cartre. Yna cael rhyw ymarfer bach ar y dydd Gwener a chwarae ar y Sadwrn. Pan oedd y tîm yn chwarae yn Nulyn ym mis Chwefror, 1994, sef y tro cynta i mi fod yno gyda'r tîm, y cyfan wnaethon ni'r blaenwyr ar y dydd Gwener oedd cerdded ychydig o ffordd o Westy'r Westbury, lle roeddan ni'n aros, i ryw barc bach yn ymyl ac ymarfer taflu'r bêl i'r llinellau, a hynny o flaen unrhyw un arall oedd yn digwydd bod yn cerdded heibio. Serch hynny roedd hi'n deimlad braf iawn cael bod yn rhan o'r drefn bryd hynny, ond os o'n i'n meddwl am funud 'mod i 'wedi cyrraedd' fel chwaraewr rhyngwladol, mi gafodd y syniad hwnnw ei chwalu'n llwyr pan ddaru mi fynd am dro, ar y prynhawn Gwener, ar hyd O'Connell Street yn Nulyn, yng nghwmni dau arall o frawdoliaeth y rheng flaen, John Davies a Ricky Evans. Dyma un o gefnogwyr Cymru yn rhuthro aton ni gan ddweud, *"John! Ricky! Good to see you boys! Best o'luck tomorrow now!"* Yna dyma fo'n troi ata i gan ofyn *"Who the f*** are you then?"*

Ond ar ôl bwrlwm Pencampwriaeth y Pum Gwlad roedd yn rhaid meddwl unwaith eto am ddychwelyd i fainc Abertawe ac roedd hyn yn 'y nigalonni'n fawr. Ychydig fisoedd ynghynt roedd Scott Gibbs wedi gadael y clwb ac wedi troi at Rygbi'r Gynghrair gyda thîm St Helens. Er na chododd hynny unrhyw awydd arna i ar y pryd, erbyn y cyfnod arbennig hwn, petai unrhyw glwb Rygbi'r Gynghrair wedi cynnig amdana i, baswn i wedi mynd i ogledd Lloegr, oherwydd roedd patrwm y gêm yno yn siwtio 'yn ffordd i o chwara. Ond ddaru'r un clwb Cynghrair ddod i chwilio amdana i a doedd gen i ychwaith dim syniad ynglŷn â sut i fynd o'i chwmpas hi er mwyn denu eu sylw nhw. Erbyn hyn, yr unig ddihangfa i ni'r eilyddion rheolaidd yn Abertawe rhag ein rhwystredigaeth oedd cael cymaint o hwyl â phosib yn y sesiynau ymarfer, tra bod selogion y tîm yn cael eu trwytho mewn petha mwy difrifol. Mi fedra i ddeall bellach fod agwedd rhyw hanner dwsin o chwaraewyr oedd wedi hen alaru ar y drefn yn gallu amharu ar yr awyrgylch cyffredinol, a dyna ddigwyddodd. O ganlyniad ddaru Mike Ruddock wylltio a gyrru Mike Morgan a minna i sefyll ar ochr y cae fel plant drwg nes ein bod ni wedi callio. Enghraifft brin efallai o chwaraewyr yn derbyn cerdyn melyn wrth ymarfer.

Ond daeth achubiaeth i mi dros dro. Tua diwadd y tymor hwnnw bu'n rhaid i Stuart Davies golli ychydig o gêmau oherwydd anaf, gan gynnwys y gêm flynyddol yn erbyn y Barbariaid, a gofynnwyd i mi fod yn gapten ar y tîm cynta yn ei le. Ro'n i wedi gneud y gwaith hwnnw'n achlysurol pan ddaru mi chwara dros y tîm 'canol wythnos' ond roedd hi'n dipyn o sioc cael anrhydedd o'r fath, gan Mike Ruddock o bawb, gan nad oedd rhyw lawer o Gymraeg rhyngon ni ar y pryd. Ond ddaru mi fanteisio ar y cyfle a mwynhau'r profiad. Fuas i erioed yn gapten oedd yn licio gneud areithiau tanllyd a chofiadwy cyn gêm nac yn ystod hanner amsar gan dybio mai arwain o'r tu blaen, trwy esiampl, oedd ora. Ro'n i'n gobeithio y bydda ymdrechu cant y cant fy hunan yn ddigon o ysbrydoliaeth i'r rhan fwyaf yn y tîm. Mi roedd Stuart Davies yn batrwm da i mi felly gan iddo greu tipyn o argraff arna i yn Abertawe.

Ddaru Abertawe ennill Pencampwriaeth Heineken y flwyddyn honno ac mi gefis i chwara yn y gêm ola yn erbyn Aberafan a bod yn rhan o'r dathlu ar y diwedd. Er hynny, rhyw ddathliad gwag oedd o, gan 'y mod i'n teimlo mai bychan oedd 'y nghyfraniad i iddo. Ond roedd dewiswyr Cymru yn dal i gofio amdana i wedi i'r tymor orffen. Roedd 'yn enw i ymhlith carfan Cymru ar gyfer y ddwy gêm ragbrofol yng Nghwpan y Byd ym mis Mai, yn erbyn Portiwgal a Sbaen (a enillwyd yn sobor o hawdd), ac ar gyfer taith i Ganada ac Ynysoedd Môr y De ym mis Mehefin, gydag Alan Davies unwaith eto yn hyfforddwr a Gareth Jenkins yn ei gynorthwyo.

Yno mi chwaraeon ni bum gêm i gyd, pedair ohonyn nhw yn gêmau prawf, yn erbyn Canada, Fiji, Tonga a Gorllewin Samoa, oedd yn teilyngu capia llawn i'r chwaraewyr. Ro'n i unwaith eto'n hynod o falch o fod yn y garfan, yn enwedig o gofio mai dim ond chwe gêm ro'n i wedi'u chwara i Abertawe ar y lefel uwch y tymor hwnnw, yng Nghynghrair Heineken. Yn wir, oni bai am waharddiad Garin Jenkins, yn gynharach yn y tymor, mae'n bosib na faswn i wedi chwara yn yr un ohonyn nhw. Eto ar ôl gadael Canada, wedi dwy fuddugoliaeth gyfforddus arall ar ddechra'r daith, ro'n i wedi bod ar y fainc, yn eilydd i Garin, naw gwaith yn olynol. Ro'n i'n dechrau derbyn nad o'n i falle byth yn mynd i ennill 'y nghap cynta. Wedi'r cyfan, roedd Ian Buckett druan ar ei drydedd taith gyda charfan Cymru ac yn dal i ddisgwyl yr anrhydedd honno. Ond do'n i ddim yn awyddus i fynd i drafod y mater gyda'r hyfforddwyr chwaith.

Ond yn Fiji y daeth y foment fawr. Mewn gwesty bendigedig, yn edrych dros fôr gwyrddlas a thraeth euraid, coed palmwydd, mewn lle hyfryd o'r enw Nadi, cyhoeddwyd 'mod i yn y tîm i chwara Fiji, yn Suva, ddydd Sadwrn, 18 Mehefin, 1994, a hynny yn lle Garin. Ro'n i 'di mopio wrth i mi dderbyn llongyfarchion aelodau eraill y garfan ac yn ddiweddarach wrth i mi ffonio Tina a'n rhieni i i roi'r newyddion iddyn nhw yn ystod oriau mân y bore yng Nghymru. Yr hyn a'n synnodd i oedd bod cymaint o bobl yng Nghymru wedi'u plesio gan y newyddion. Roedd hynny'n amlwg oddi wrth y llongyfarchion a gyrhaeddodd Fiji gan ffrindia, gan Glwb Abertawe a'r clybiau rygbi y buas i'n chwarae iddyn nhw yng ngogledd Cymru, gan Mike Ruddock ei hun, a chan swyddogion SWALEC, fy nghyflogwyr i. Rwy bob amser yn falch iawn o dderbyn negeseuon o'r fath ond ro'n nhw'n bwysicach fyth ar daith oddi cartre. Ond falle mai'r cyfarchiad mwyaf arbennig ohonyn nhw i gyd, wedi'r gêm, oedd yr un ddaru mi dderbyn gan Gyngor Cymuned Mechell, ardal 'y magwrath gynnar i, yn cynnwys y ddau englyn hyn o waith Richard Jones, Annedd Wen, hen ffrind i 'Nhad:

Does well na'r Llanfechellwr – yn ddi-os
  Rhwng ei ddau gynhaliwr
 Dros ei wlad, a'i safiad siŵr
 Bu'n wych yn safle'r bachwr.

Robin, dymunwn ninnau – iti mwy
  Gant a mil o gapiau!
 Yn gawr gyda'th gyhyrau
 O ddur dros 'y bur hoff bau'.

Bu'n rhaid hedfan o Nadi i Suva mewn awyren fechan, reit fregus yr olwg, taith oedd gyda'r mwya brawychus a gawson ni'r chwaraewyr erioed. Roedd rhai ohonon ni wedi mynd i boeni a fydden ni'n cyrraedd y gêm o gwbl. Roedd Fiji'n reit hyderus y gallen nhw ei hennill hi a ddaru nhw hedfan wyth o chwaraewyr gartre o Seland Newydd yn arbennig ar ei chyfer hi, yn ogystal â dau gyn-aelod o dîm y Crysau Duon, Bernie Fraser a Brad Johnstone, i'w hyfforddi. Yn safle'r prop pen rhydd ddaru nhw ddewis Ron Williams, a fu ar daith yng Nghymru gyda'r Crysau Duon yn 1989, ac yn safle'r prop pen tyn, Joel Veitayaki, oedd yn pwyso dros 20 stôn, y dyn mwya erioed i mi chwara yn ei erbyn o yn y safle hwnnw ac a ddaeth wedyn i chwarae i Glwb Dynfant am gyfnod. Er 'mod i'n barod ar gyfer gêm galed, bu'n rhaid addasu un elfen arbennig o'n chwara ni cyn y gêm.

Yr adeg honno roedd y rheolau ynglŷn â'r llinell newydd gael eu newid i ganiatáu i neidwyr gael eu dal yn yr awyr gan gyd-chwaraewyr wedi iddyn nhw gyrradd pen uchaf eu naid – ond nid eu *codi* i'r safle hwnnw. Roedd y Bwrdd Rygbi Rhyngwladol wedi gyrru dyfarnwr ymgynghorol i weld sut roeddan ni'n rhoi'r rheol newydd ar waith. Felly yn ystod un o'n sesiynau ymarfer ni, dyma ofyn i mi daflu'r bêl at Phil Davies, a'i gael o yn gynta i neidio amdani heb gymorth unrhyw un arall yn y llinell. Yna ei thaflu a'i gael ynta i neidio amdani a'i gynnal yn yr awyr yn ôl y rheolau newydd. Wel roedd hi'n amlwg i'r dyfarnwr, wrth i Phil gyrradd yr entrychion ar yr ail dafliad, fod ei gyd-chwaraewyr yn gwneud tipyn mwy na jest ei ddal o ar ben ucha ei naid. *"There is no way that your man is reaching that height without being lifted,"* oedd y dyfarniad, a bu'n rhaid i ni addasu ychydig ar ein chwara yn y llinellau o'r herwydd, neu mi fyddan ni, mae'n siŵr, wedi colli'r gêm oherwydd y ciciau cosb fydda'n ganlyniad i'r agwedd honno ar y chwara.

Chwaraewyd y gêm yn y Stadiwm Genedlaethol o flaen torf o 20,000, mewn tywydd reit boeth ond heb fod yn annioddefol chwaith. Ddaru ni ennill 23–8 ac ro'n i'n hapus iawn efo 'mherfformiad i fy hun, er gwaetha'r rheng flaen rymus oedd yn ein herbyn ni. Mi gefis hwb yn gynnar yn yr hanner cynta, pan ddaru mi lorio Batimala, bachwr Fiji, â tharan o dacl a chael cydnabyddiaeth y dorf am wneud hynny. Mae'r cefnogwyr yn y rhan honno o'r byd wrth eu boddau'n gweld taclo cadarn, ac yn dangos eu gwerthfawrogiad mewn ffordd od iawn. Trwy'r gêm, bob tro y byddai hynny'n digwydd, mi fydden nhw i gyd yn gollwng chwerthiniad main ar bitsh uchel iawn. Er ei bod hi'n anodd dygymod â'r arfer rhyfedd yma ar y dechra, roeddan ni'n gyfarwydd iawn ag o erbyn y chwib olaf.

Yn y gwesty ar ôl y gêm cyflwynwyd 'y nghap i mi (y cynta o 37 maes o law ond yn sicr yr un mwya gwerthfawr ohonyn nhw i gyd) gan Dai Rees, aelod o Bwyllgor Undeb Rygbi Cymru. Mi glywis wedyn fod Mam a 'Nhad wedi bod yn gwrando ar y gêm ar y radio gartre ym Mhorthaethwy ond bu'n rhaid cadw'r *champagne* a'r deisan siâp cae rygbi roedd cymdogion, yn garedig iawn, wedi eu rhoi iddyn nhw i ddathlu'r achlysur, tan yn ddiweddarach, gan nad oeddan nhw'n rhy awyddus i'w blasu am dri o'r gloch y bora.

Chefis i ddim 'y newis i chwara wedyn ar y daith a Garin ddaru chwarae yn erbyn Tonga, pan roeddan ni'n fuddugol 18–9, nac yn erbyn Gorllewin Samoa, pan enillodd y tîm cartref 34–9. Ro'n i'n siomedig iawn am hynny gan 'mod i wedi dechra cael blas ar chwara ar y safon ucha un ac yn gwbod bellach 'mod i'n gallu dal 'y nhir ar y lefel honno. Eto ro'n in falch iawn dros Ian Buckett a gafodd, o'r diwedd, ei gap cynta yn y gêm yn erbyn Tonga.

Roedd disgwyl y bydda'r gêm yn erbyn Gorllewin Samoa yn

un anodd; wedi'r cyfan, dair blynedd ynghynt ro'n nhw wedi curo Cymru 16-13 yng Nghaerdydd yng Nghwpan y Byd. Chwaraewyd y gêm mewn tymheredd llethol o tua 33°C, ar gae caled, llychlyd yn perthyn i Goleg Chanel yn Apia, gan fod gwaith cynnal a chadw yn cael ei wneud yn Stadiwm Genedlaethol y wlad ar y pryd. Bu'n rhaid i hogia Cymru ymgasglu ar gyrion y cae tuag awr cyn y gêm er mwyn newid mewn rhyw babell oedd fel sauna o boeth. Wrth i'r tîm ddychwelyd i'r gwesty yn eu bws mini wedi'r gêm, roedd 'na bryder am gyflwr Rupert Moon am iddo lewygu yn y gwres a dadhydradu, ac roedd nifer o'r chwaraewyr eraill hefyd yn reit sigledig. Yn ogystal â'r tywydd annioddefol, roedd taclo'r tîm cartref wedi bod mor ffyrnig nes i Mike Rayer gyfadda ei fod o'n teimlo fel petai o wedi bod mewn damwain car.

Er fy siom i mai mewn un gêm yn unig y cefis i chwara ar y daith, roedd ymweld ag Ynysoedd Môr y De yn brofiad rhyfeddol. Roedd Alan Davies a Gareth Jenkins yn boblogaidd iawn yn y ffordd y gwnaethon nhw ein harwain ni ar hyd y daith ac mi ddaru ni'r chwaraewyr gael tipyn o hwyl yng nghwmni ein gilydd a chyfle gwych i ddod i nabod ein gilydd yn reit dda. Er enghraifft, ro'n i, yn 'y meddwl fy hun, wedi bod yn feirniadol o Tony Copsey a Rupert Moon, y ddau yn gymeriadau ffraeth iawn ac yn Saeson oedd wedi dewis chwara dros Gymru. Mi fuas i am beth amser yn methu â deall pam y bydda unrhyw un isio chwarae i wlad wahanol i'w wlad o ei hun. Roedd gan Tony, wedi'r cyfan, datŵ ar ei ben ôl ac arno"r geiria *'Made in England'*. Falle dyna pam y penderfynodd John Davies, Ricky Evans a minna siafio'n gwallt yn ystod y daith gan adael siâp Tafod y Ddraig yn amlwg ar gefn ein penna. Ond daethon ni i ddeall ein gilydd yn dda iawn a ches i dipyn o hwyl yn rhannu ystafell â Rupert am ran ohoni. Yn wir yn sgil y profiad hwnnw, ddaru mi a'r teulu ddod yn ffrindia agos efo fo, cyfeillgarwch sydd yn dal hyd heddiw. Un cwlwm arbennig sydd yn ein cysylltu ni yw'r ffaith mai y fo yw tad bedydd Billy, ein mab hyna ni.

Mae gan Ynysoedd Môr y De ryw ddelwedd baradwysaidd i

lawer o bobl a dyna sut fydda i'n eu cofio nhw, a sawl rhan o'r daith yn dwyn atgofion melys iawn. Er enghraifft, y diwrnod ar ôl y gêm yn erbyn Gorllewin Samoa, ddaru ni gael gwahoddiad gan un o chwaraewyr y tîm cartra i fynd i'w draeth preifat o ei hun am y prynhawn. Yr awyr yn las, y môr yn gynnas a chlir fel y grisial, y traeth yn fendigedig, tai rhai o'r bobl leol ar *stilts* gerllaw, ac atgofion am y barbeciw a drefnwyd ar ein cyfer ni'n dal i dynnu dŵr o'r dannedd!

Mi wnaeth cynhesrwydd pobl yr Ynysoedd argraff fawr arna i. Maen nhw'n bobl sy'n hoff iawn o ganu a dawnsio a ddaru ni brofi hynny ar sawl achlysur. Yn Napia, wrth i ni adael y gwesty i hedfan i Suva ar gyfer y gêm yn erbyn Fiji, daeth staff y gwesty i gyd at ei gilydd i ffarwelio â ni yn y ffordd draddodiadol, ar gân. Pan gyrhaeddon ni'r maes awyr yng Ngorllewin Samoa, roedd criw o'r ynyswyr wedi dod ynghyd i ganu eu croeso i ni. Ond yr atgo cerddorol mwya cofiadwy a lliwgar i mi oedd perfformiad y band pres yn diddanu'r dorf cyn y gêm yn erbyn Tonga yn Nuku'alofa, gerbron Brenin Tonga. Falle fod 'y nyddia i fel chwaraewr trombôn wedi dylanwadu rhywfaint arna i ond roedd doniau'r band arbennig hwnnw'n rhyfeddol. Roedd yr offerynwyr i gyd mewn safleoedd tebyg i aelodau tîm rygbi, yn derbyn pêl, fel petai, o gic gynta'r gêm, hynny yw, wyth o 'flaenwyr' gyda'i gilydd un ochr i'r cae, a thu allan iddyn nhw yr 'haneri' a'r 'tri chwarteri' mewn rhes, pob un â'i offeryn pres ei hun. Ar y smotyn canol, ddaru un o'r band smalio rhoi cychwyn i'r gêm gan ddefnyddio'i drombôn fel coes i gicio'r bêl ddychmygol, y blaenwyr yn ystumio ei dal hi ac yn ffurfio sgarmes, yna'r bêl ddychmygol yn cael ei hebrwng gan offerynnau'r chwaraewyr eraill ar draws y cae hyd nes iddi gael ei 'thirio' am gais, gan offeryn yr asgellwr. A hyn oll tra bo'r offerynwyr i gyd yn chwara'r darn cerddoriaeth mwya cyffrous wrth iddyn nhw hebrwng y bêl ddychmygol o un i'r llall. Anhygoel!

Yn ystod y daith, roeddan ni'n aros mewn gwestai byd enwog o foethus, fel Gwesty Dateline yn Tonga ac Aggie Gray's yng Ngorllewin Samoa, a phan fydda cyfle i ymlacio, roedd rhai o'r hogia wrth eu bodd yn segura o gwmpas pwll nofio'r gwesty tra bydda eraill ohonon ni'n awyddus i brofi ambell weithgaredd mwy anturus. Er mor braf oedd hynny, mi aethon ni i drwbwl fwy nag unwaith. Er enghraifft, yn Nadi cafodd tua dwsin ohonon ni gyfle i neud rhywfaint o blymio scuba o gwmpas rîff cwrel enwog. Roedd y môr yn dawel iawn pan ddaru'r cwch gwaelod gwydr adael y bae yn ymyl y gwesty, ac un dyn bach wrth y llyw, ond fel y daethon ni'n nes at y rîff, mi ddechreuodd y môr gorddi'n ffyrnig, nes ddaru Phil Davies wrthod gadael y cwch. Gan wisgo'r gêr pwrpasol, aeth y gweddill ohonon ni gyda'n gilydd dros yr ymyl i'r môr yn reit hyderus, er nad oedd yr un ohonon ni wedi cael profiad o'r math hwnnw o blymio o'r blaen.

Cyn pen dim, roeddan ni i gyd ar chwâl, yn cael ein hyrddio i bob man gan y tonnau, oedd yn torri'n wyllt dros ein penna ni, a'r cwch wedi ei yrru bellter oddi wrthon ni. Mi glywn i Phil Davies, oedd wedi sylweddoli ein bod ni mewn trafferthion, yn gweiddi'n groch ar y llywiwr, nad oedd ganddo lawer o grap ar y Saesneg, i geisio mynd yn nes aton ni, i ni i geisio dringo ar y rîff. Y broblem oedd na fedran ni weld y rîff drwy ferw'r môr, ond rywsut, mi lwyddodd Paul Arnold i gyrradd yno a sefyll fel rhyw begwn uchel i'n cyfeirio ni ato. Yn y cyfamsar roedd Phil wedi cyrradd y rîff ac yno yn sefyll yn y cwch, ac yn ein llusgo ni fesul un nôl ar y bwrdd, a ninnau wedi'n llethu'n llwyr. Chawson ni ddim profi'r plymio scuba, felly, ond roeddan ni mor falch 'yn bod ni'n fyw i adrodd yr hanes. Roedd Ian Buckett wedi cynhyrfu cymaint yn sgil ei ymdrechion morwrol nes y bu'n rhaid iddo gael sigarét yn syth wedi iddo gael ei lusgo nôl i'r cwch. Ond golygfa ddigon pathetig oedd ei weld o'n ceisio tanio'r sigarét wlyb honno rhwng ei fysedd crynedig. Aeth Tony Copsey a fi i drafferthion yn Nadi hefyd pan ddaru ni benderfynu mynd am y tro cynta erioed ar daith katamaran allan i'r bae. Yr unig broblem oedd bod neb wedi dweud wrthan ni sut i droi'r katamaran rownd er mwyn i ni gael dod nôl. Felly, ar ôl hwylio allan i'r môr mawr am dipyn, bu'n rhaid i ni neidio oddi ar y katamaran, ei throi hi rownd yn y môr, a neidio nôl, y tro hwn gyda'i thrwyn hi wedi'i chyfeirio tua'r lan!

Ddaru mi ddychwelyd i Gymru wedi cael amser wrth 'y modd a chan obeithio am lawer rhagor o brofiada tebyg. Hefyd, yng nghwmni cymaint o chwaraewyr rygbi disglair, rwy'n gwbod i mi ddysgu llawer am y gêm. Yn wir rwy'n cofio cael sawl achos yn ystod y daith i synnu a rhyfeddu at rai o'r doniau oedd yn cael eu hamlygu ganddyn nhw ar y cae.

Gwisgo'r Sgarlad

My basic principle is that you don't make decisions because
they are easy; you don't make them because they are cheap;
you don't make them because they're popular; you make them
because they're right.

Theodore Hesburgh

Ychydig ddyddia cyn cychwyn ar y daith honno gyda Chymru,
roedd Tina a minna wedi symud i fyw i'r Tymbl, Tymbl Uchaf
i fod yn gywir. Mi ddaeth hi'n amlwg nad oedd ymgartrefu yng
Nghapel Dewi yn gyfleus iawn. Roedd Tina'n gweithio yng Nghastell
Nedd, ffordd bell i deithio o berfedd Sir Gâr ben bore, wedi iddi hi
fod yn aros efo mi, felly dyma benderfynu chwilio am rywle mwy
canolog, yn agos at yr M4. Buon ni'n gweld tai ym Mhontyberem,
Porthyrhyd, Pont-henri, Llansteffan a Chaerfyrddin cyn ymgartrefu
yn y Tymbl. Mi gawson ni groeso cynnes o'r diwrnod cynta, yn
enwedig gan 'yn cymdogion agosa ni, Graham, Julie, Alan a Minnie
sy wedi bod o gymorth mawr i ni fel teulu hyd heddiw. Ry'n ni'n dal
i fyw yn yr un tŷ, bellach gyda'n meibion Billy a Harry, a Mali'r ast,
sy'n brawf ynddo'i hunan ein bod ni'n hapus iawn yma.

Mae rygbi, wrth gwrs, yn bwysig dros ben i fywyd y pentre ac
mae'n siŵr y bydda rhai yn amau doethineb dewis lle felly i fyw
gan na fyddwn i byth yn medru dianc oddi wrth bwysau dyddiol
y byd rygbi pe bawn i'n teimlo fel cael llonydd. Yn eu barn nhw
mi fyddwn i'n siŵr o daro ar rywun, wrth fynd â'r ci am dro neu
bicio i'r siop, fydda am drafod hynt a helynt tîm rygbi Cymru

neu'r Sgarlets – a tydy pethau ddim gwahanol ers i mi fynd i'r
byd hyfforddi. Yn y dyddiau cynnar, mi fydden nhw am bwysleisio
cymaint gwell oedd tîm Llanelli o'i gymharu ag Abertawe. Mae gan
bawb yn y pentre, bron, fel yn achos cymaint o bentrefi'r ardal,
farn bendant am wahanol agweddau ar y gêm. Mae'n wahanol
pan fydda i, er enghraifft, yn ymweld â'n rhieni ym Mrynrefail, ger
Llanberis, ac yn cwrdd â rhywun yno fydd am godi sgwrs am rygbi
(er mai cymharol ychydig o bobl felly oedd yn y rhan honno o'r byd
bryd hynny). Byddai'r person hwnnw, fel arfer, yn dibynnu ar yr
hyn roedd wedi'i ddarllen yn y *Western Mail* neu'r *Wales on Sunday*.
Ond mewn lle fel y Tymbl mae unrhyw farn am rygbi gan amlaf yn
ffrwyth oria o drafod ymhlith ffrindia ac aelodau o'r teulu. Mae'n
rhaid dweud bod hynny'n rhan o apêl yr ardal i mi ond mae'n
debyg y byddwn i'n teimlo'n wahanol, o bosib, taswn i wedi bod yn
rhan o'r diwylliant hwnnw o'r crud.

Canolbwynt yr holl drafod wrth gwrs yw Clwb Rygbi'r Tymbl
ac mi fuas i'n mynd yno'n gyson yn y dyddia cynnar i fwynhau
llawer noson hwyliog, hwyr. Mae dyletswyddau teuluol a galwadau
amrywiol erill yn golygu na fydda i'n cael llawer o gyfla bellach i
gymdeithasu yno. Er hynny, mi fydda i'n mynd yno i gefnogi Billy
a Harry pan fyddan nhw'n chwara i dimau'r Clwb o dan 10 oed ac
o dan 8 oed, ac mi rydw i wedi cael y pleser fwy nag unwaith o
gyflwyno tlysau i'r timau iau mewn cyfarfodydd gwobrwyo.

Pan ddaru mi symud i'r Tymbl roedd rhai pobl yn meddwl 'mod
i eisoes yn paratoi i adael Abertawe ac ymuno â Llanelli. Doedd
hynny ddim yn wir ar y pryd ac mi ro'n i'n barod i gario mlaen i
chwara i Abertawe, gan dybio nad o'n i'n bell iawn o wireddu 'yn
uchelgais ym myd rygbi, sef ennill lle rheolaidd yn nhîm Cymru.
Ond rhyw chwech wythnos wedi i mi ddychwelyd o wledydd y Môr
Tawel, cyn i dymor 1994–95 ddechra, ro'n i'n cael barbeciw gyda'r
teulu pan ddaru Alan Lewis, hyfforddwr Llanelli ar y pryd, oedd yn
byw yn Llandybïe, daro'i ben dros wal yr ardd a gofyn i mi a fydden
i'n licio chwara i Lanelli. Ddaru fo addo y cawn i chwara'n rheolaidd
i'r tîm cynta ac y byddwn i'n sicr o fod yn y tîm i wynebu De'r
Affrig yr hydref hwnnw. Roedd hi'n wybyddus, wrth gwrs, i hogia

Llanelli oedd wedi bod gyda fi ar daith ddiweddara Cymru, 'mod i'n anhapus yn Abertawe. Gan fod Alan yn ffrindiau agos â Kevin Bowring, hyfforddwr Cymru A hefyd, roedd hi'n amlwg, felly, ei fod o wedi clywed mod i'n anhapus. Yr hyn oedd yn bennaf gyfrifol am ddiddordeb y Sgarlets yno' i, mae'n siŵr, oedd bod rhyw salwch ar Andrew Lamerton, bachwr y tîm cynta, ac mi fydda fo'n debyg o fod yn absennol am beth amser wrth iddo geisio gwella – maes o law mi gafwyd bod ddiffyg ar ei arennau, oedd yn achosi poen cefn drwg iddo. Ar y pryd mi ddaru mi ddweud wrth Alan y byddwn i'n meddwl am y peth dros yr wythnosa oedd i ddod.

Yn gynnar yn ystod y tymor roedd Llanelli'n chwara ar Sain Helen a minna wedi cael 'y newis i dîm Abertawe. Colli 23–35 ddaru ni a minna ar y fainc unwaith eto ar gyfer y gêm nesa, gan gymryd 'mod i nôl yn rhan o'r drefn arferol. Ro'n i'n gyfarwydd iawn â Phil Davies, capten Llanelli, a dyma fo'n 'y ngwadd i lawr i'r Strade i weld y Sgarlets yn chwara yn erbyn Pontypŵl. Yn y cyfamser mi ffoniodd Alan Lewis i ofyn sut o'n i wedi ymateb i'w gynnig o, rai wythnosa ynghynt, ac mi fuas i'n trafod yn o helaeth gyda Tina a 'Nhad y posibilrwydd o symud i Glwb Llanelli. Canlyniad hyn oll oedd i mi benderfynu gadael Abertawe ac ymuno â'r Sgarlets ddiwedd mis Medi. Ddaru mi ffonio Anthony Clement, capten Abertawe, i ddweud wrtho am 'y mhenderfyniad ac roedd hi'n amlwg oddi wrth ei ymateb o ei fod o wedi bod yn disgwyl clywed y math hwnnw o newydd gen i ers tro a'i fod yn derbyn mai dyna'r unig ffordd yr o'n i am wella fel chwaraewr. Yn wir roedd pawb fel petaen nhw o'r un farn, gan gynnwys y cefnogwyr yn Sain Helen, a barnu oddi wrth yr ymateb twymgalon a gefis i ganddyn nhw pan ddychwelis yno gyda Llanelli ychydig wythnosa wedi i mi adael. Pawb, hynny yw, ond Mike Ruddock, a oedd am i mi siarad â Kevin Bowring ynghylch sut roedd ynta'n gweld 'y nyfodol i cyn i mi benderfynu codi 'mhac.

Ond erbyn hyn ro'n i'n edrych ymlaen at gael dechreuad ffres yn Llanelli, yn hytrach na rhygnu ymlaen yn yr un hen rigol ddiflas gydag Abertawe. Ddaru mi ymgartrefu'n rhwydd iawn ar y Strade oherwydd ro'n i'n gyfarwydd iawn â llawer o'r hogia, fel Ricky

Evans, Phil Davies, Tony Copsey, Rupert Moon, Neil Boobyer, Nigel
Davies a Huw Williams-Jones ac roedd gen i barch mawr i'r tîm
hyfforddi, gydag Alan Lewis wrth y llyw, Phil, Richard Jones ac
Anthony Buchannan yn ei gynorthwyo, a Peter Herbert yn gofalu
am ffitrwydd. Roedd steil agored Llanelli o chwara'r gêm (roedd
Abertawe hefyd, chwarae teg, yn arddel steil digon tebyg) yn fy
siwtio i i'r dim ac ro'n i'n fwy na bodlon ar 'y mherfformiadau
cynnar i i'r cochion.

Wyddwn i ddim, a dweud y gwir, faint ro'n i'n gwirioneddol
fwynhau rygbi nes i mi chwara i'r Sgarlets. Yn rhan o'r plesar hefyd
oedd yr hyder ro'n i'n ei fagu o chwara'n rheolaidd; eto, ro'n i'n
dal i deimlo nad o'n i wedi chwara digon o rygbi ar y lefel ucha.
Digon hawdd oedd serennu mewn ambell gêm gydag Abertawe, a
minna ond yn chwara bob rhyw dair wythnos. Ddaru mi ffeindio
bod cynnal y safon yn rheolaidd, wythnos ar ôl wythnos, yn llawer
caletach, ond dyna ro'n i'n anelu ato.

Roedd 'na chwaraewr ifanc arall wedi ymuno â Llanelli tua'r
un adeg â mi, rhywun ddaru mi ddod i'w nabod o'n dda, ar y cae
ac oddi arno, sef Chris Wyatt. Roedd o'n chwaraewr talentog dros
ben ac mi dyfodd dealltwriaeth bwysig iawn rhyngon ni'n dau
dros y blynyddoedd o ran y llinell. Ond wrth gwrs, nid dim ond
neidiwr penigamp oedd Chris. Mi fydda fo hefyd yn disgleirio yn y
chwara rhydd. Yn wir roedd o'n hynod o chwim o gwmpas y cae,
yn enwedig o styried iddo fo smocio'n rheolaidd ar hyd ei yrfa, un
o'r ychydig chwaraewyr ar y brig a fyddai'n gwneud. Mi driodd
o, ar un cyfnod, roi'r gora i'r ffags a throi at sigârs, ond pharodd
hynny ddim. Roedd o'n dipyn o gymeriad a chefis i lawer o hwyl
yn ei gwmni, yn enwedig dros beint ar ôl gêm. Doedd ei chwaeth o
cyn gêm serch hynny ddim yn apelio rhyw lawer ata i. Bryd hynny,
roedd yn rhaid iddo bob tro gael bwyta tun o Ffa Pob a Selsig
cwmni Heinz, y bydda fo yn ei gario gydag o yn ei fag. A ninna 'yn
dau wedi dechra gyda'n gilydd, roedd hi'n brofiad braf iawn i Chris
a minna, tua diwedd ein cyfnod ni gyda'r Sgarlets, gael derbyn
cap arbennig i gofnodi i ni chwara hannar cant o gema yr un yng
Nghystadleuaeth Cwpan Heineken. Dim ond y Gwyddel, Anthony

Wrthi'n llwytho'r trelar yn yr 'obstacle course'.

*Yn cario un o'r cerrig oedd i'w gosod
ar ben y podiwm.*

Fi a'r Grogg dderbyniais i am ennill.

Cymro cryfa bach!

Gyda'n chwiorydd, Naomi a Beth.

Mr a Mrs Cryf!

Tîm ieuenctid Bangor. Yn eistedd ail o'r chwith, Irfon Williams, ac ail o'r dde, Alan Owen.

Tîm ieuenctid Porthaethwy, gyda'r Cadeirydd Wil Parry Williams ar y chwith, a'r hyfforddwr Meic Griffith ar y dde.

Tîm Yr Wyddgrug a chwaraeodd yn erbyn Cross Keys yn y gwpan.

Hyfforddwr Yr Wyddgrug, Denley Isaac.

Wil Parry Williams, mis Mai 1999, ar achlysur agoriad swyddogol Clwb Rygbi Porthaethwy.

*Yn gwisgo'r crys 'President's XV'
ar ôl chwarae yn erbyn y Crysa'
Duon.*

*Stuart Roy, Meic Griffith a fi
– bu Meic yn hyfforddi'r ddau
ohonom.*

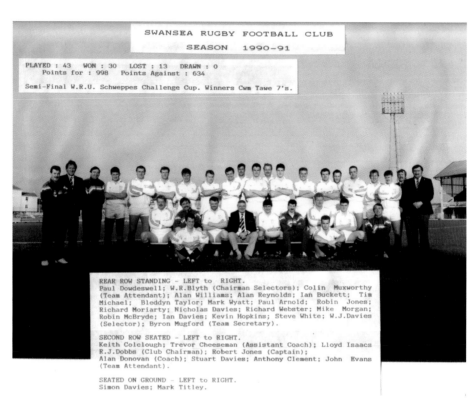

Carfan Abertawe, 1991.

Yn rhedeg allan fel capten tîm Abertawe.

Y tîm a enillodd gystadleuaeth saith bob ochr yng Nghwm Tawe.

Cymru yn erbyn Fiji, 1994 – fy nghap cyntaf.

Y criw a fu bron â boddi! Ar y daith i Ynysoedd Môr y De, 1994, ar ôl cael dihangfa lwcus!

Yn gwisgo fy nghap.

John, Ricky a finne hefo'n tafodau!

Rhedeg allan fel capten tîm Llanelli ar y Strade.

Y diwrnod mawr yn Gretna!

Capten tîm 'A' Cymru cyn gwynebu'r Alban ar Sain Helen, 1996.

Ben i lawr ar y Strade yn erbyn De'r Affrig.

*Spencer John, Huw Williams-Jones a finne
mewn gêm gwpan yn erbyn Glyn-nedd.*

Fy ngharfan gyntaf fel capten Llanelli ar ddechrau tymor 1998.

Rupert Moon a fi'n dathlu ennill y gwpan yn erbyn Glynebwy yn Ashton Gate.

Harry'n cael hwyl hefo'r stôl!

Billy'n cael chwarae hefo'r gwpan!

Y ddau ym mreichiau Mr Moon ar y Strade.

Billy a finne'n hapus ar ôl buddugoliaeth ar Heol Sardis – 'The House of Pain'.

Billy'n cael ei brofiad cyntaf o fod yn yr ystafell newid!

Foley, oedd wedi cyrradd y garreg filltir yna o'n blaena ni.

Y prawf mwya llym a gefis i yn ystod yr wythnosa cynta gyda'r Sgarlets oedd y gêm yn erbyn De'r Affrig ym mis Tachwedd. Roedd gynnyn nhw, yn ôl yr arfer, bac eithriadol o gryf ond ro'n i'n ddigon hapus â'r ffordd ddaru ni ddelio efo'u rheng flaen rymus nhw, er i ni golli 12–30. Mi gafwyd tipyn o feirniadu ar rycio digyfaddawd yr ymwelwyr, oedd yn nhraddodiad ffyrnig gwledydd Hemisffer y De, yn enwedig gan i Wayne Proctor dderbyn anaf reit ddrwg yn ei sgil. Ond fuas i erioed yn feirniadol o ddulliau'r gwledydd hynny, gan gydnabod eu hawl nhw i geisio chwarae gêm gyflym fydd yn aml yn cael ei llesteirio gan chwaraewyr yn gorwedd ac yn lladd y bêl. Mi rydw i'n credu'n gryf, os bydd chwaraewr ar lawr ar yr ochr anghywir mewn ryc, fod perffaith hawl gan y gwrthwynebwyr i'w gael o oddi yno efo'u traed, ar yr amod eu bod nhw o fewn cyrraedd i'r bêl a'u bod nhw ddim yn cyffwrdd â phen unrhyw un fo'n gorwedd yno. Tydw i erioed wedi lladd pêl yn fwriadol ar y llawr, ond mi rydw i yn aml wedi canfod fy hun ar yr ochr anghywir mewn ryc. Oni bai 'mod i'n medru symud oddi yno, byddai'n rhaid derbyn 'mod i'n mynd i gael 'y nghrafu'n ddidrugaradd gan styds y gwrthwynebwyr ac felly y bu hi droeon.

Yn ystod mis Hydref ro'n i ar y fainc unwaith eto ar gyfer gêmau Cymru yn erbyn Romania a'r Eidal yn rowndiau rhagbrofol Cwpan y Byd. Felly hefyd ym mis Tachwedd yn erbyn De'r Affrig, ond y tro hwn, mi gefis i ddod i'r maes am ryw chwarter awr tra oedd Garin yn cael triniaeth. Ro'n nhw'n dîm mawr, corfforol, gydag Uli Schmidt yn safle'r bachwr, ond ddaru mi fwynhau'r profiad yn fawr. Mae'n rhaid 'mod i wedi cael hwyl reit dda arni oherwydd ddaru Jeff Young, cyn-fachwr o fri i Gymru, ddisgrifio 'nghyfraniad i fel yr un mwya nodedig i Gymru gan eilydd mewn cyfnod mor fyr. Canmoliaeth werth chweil gan aelod mor ddisglair o undeb y rheng flaen. Fel arfer ro'n i'n betrus iawn o werth sylwadau'r wasg ar 'y mherfformiad i. Yr unig ddadansoddiad y bydda gen i ffydd ynddo fyddai'r un gan 'Nhad wedi pob gêm, gan 'mod i'n gwbod y bydda yn un gonest, di-flewyn-ar-dafod. Ar hyd 'y ngyrfa, bydda 'yn rhieni'n teithio bob cam o Sir Fôn i 'ngweld i'n chwarae gartre, a minna'n eu cyfarfod nhw am sgwrs am ryw ugain munud cyn y gêm. Yna, mi fydden nhw'n teithio nôl gartref yn syth wedi'r gêm a minna'n ffonio 'Nhad yn hwyr y noson honno i gael y dyfarniad 'swyddogol'.

Ro'n i ar y fainc i dîm Cymru ar gyfer gêmau'r Pum Gwlad yn 1995 ym Mharis, Caeredin a Chaerdydd ac, er 'mod i'n dal i fwynhau'r profiad o fod yn rhan o drefniadaeth y tîm cenedlaethol ar y lefel ucha un, roedd o'n dymor siomedig iawn, a Chymru'n gorffen ar waelod y tabl ar ôl colli pob gêm. O ganlyniad mi gafodd Alan Davies a Gareth Jenkins, y tîm hyfforddi, y sac, yn ogystal â'r rheolwr Robert Noster – newyddion oedd yn dipyn o sioc i mi o gofio i ni fod yn bencampwyr y flwyddyn gynt a bod cystadleuaeth Cwpan y Byd yn Ne'r Affrig ar y trothwy. Ro'n i'n dal i fwynhau 'yn rygbi gyda Llanelli'n fawr iawn, er mai tymor cymysg gafodd y tîm.

Mi gafodd Alex Evans, y gŵr o Awstralia a oedd yn hyfforddi tîm Caerdydd, ei wneud yn hyfforddwr y tîm cenedlaethol ar gyfer Cwpan y Byd, gyda Mike Ruddock a Dennis John yn ei gynorthwyo. Er 'mod i'n derbyn ambell ganmoliaeth gan Alex yn y sesiynau hyfforddi a drefnwyd i baratoi ar gyfer De'r Affrig, mi gefis dipyn o siom pan ddaru fo ddod ata i wrth i ni ymadael â'r cae ymarfer ryw ddiwrnod a dweud na fyddwn i yn y garfan ddethol fyddai'n teithio i Gwpan y Byd. Ro'n i'n un o chwech o hogia Llanelli, a oedd yn y garfan genedlaethol yn gynharach y tymor hwnnw, a gafodd eu hanwybyddu ar gyfer Cwpan y Byd. Roedd y berthynas agos a fodolai rhwng Alex Evans a chwaraewyr Caerdydd yn amlwg o'r garfan ddewisodd o. Yn wir, a barnu oddi wrth straeon rhai o hogia'r garfan, roedd yna raniad pendant ar y daith rhwng Alex Evans a chwaraewyr Caerdydd ar y naill law a gweddill y garfan ar y llall, hyd yn oed wrth gymdeithasu. Bachwr Caerdydd gafodd 'yn lle i yn y garfan, sef Jonathan Humphreys, a aeth ar y daith yn wreiddiol fel eilydd i Garin ond a ddaeth yn ddewis cynta mewn dwy o'r tair gêm a chwaraewyd yn y Rownd Gyntaf yno. Yn y gêmau hynny mi gafodd Siapan eu curo'n rhwydd, ond colli ddaru Cymru yn erbyn Seland Newydd ac Iwerddon a bu'n rhaid dychwelyd gartre yn syth wedi perfformiad siomedig. O edrych yn ôl ar y cyfnod cyn dewis y garfan, mi rydw i'n cofio synnu pa mor aml y bydda Jonathan Humphreys, yn ystod y sesiynau ymarfer, yn gofyn cwestiynau i Alex Evans am hyn a'r llall. Ddaru mi sylweddoli wedyn 'mod i falle heb ddangos digon o awydd yn y sesiynau hynny i wybod mwy. Roedd hynny o bosib yn rhoi'r argraff i'r hyfforddwyr 'mod i braidd yn ddifater. Yn sicr mi weithiodd agwedd Jonathan o'i blaid o.

Mi ddaru cael 'yn anwybyddu ar gyfer Cwpan y Byd yn ystod yr haf, ar ôl bod yn ail ddewis i Garin am gyfnod mor hir, wneud i mi dderbyn rywsut, ddechra'r tymor newydd, nad o'n i bellach yn mynd i fod yn rhan o drefniadaeth tîm Cymru. Dyma benderfynu, felly, mai gwell fydda i mi ganolbwyntio ar 'y ngyrfa gyda Llanelli yn hytrach na bod yn un o chwaraewyr yr ymylon gyda'r garfan genedlaethol. Do'n i ddim chwaith, yn groes i'r disgwyl falle, yn teimlo siom oherwydd hynny, hwyrach am 'mod i'n mwynhau 'yn hunan gymaint ar y Strade. Yn ogystal â'r boddhad ro'n i'n ei gael wrth chwara'n rheolaidd, roedd 'na dipyn o hwyl i'w gael yno, a chan fod tynnu coes yn digwydd yn rheolaidd yn y gwaith, mi roeddwn i wedi hen arfer â'r drefn, er bod dim angen llawer o esgus arna i i chwara triciau, chwaith. Er enghraifft mi dynnodd y ffotograffydd swyddogol bedwar llun o garfan Llanelli ar ddechrau tymor 1995–96. Dim ond un ohonyn nhw roedd y clwb yn gallu ei ddefnyddio gan 'mod i wedi penderfynu penlinio ar gyfer y tri diwethaf, a hynny yn y rhes gefn. Doedd maswr y Sgarlets ar y pryd, Colin Stephens, ddim yn dal iawn ond, yn y tri llun hwnnw, roedd o'n ymddangos fel cawr wrth ochr y boi bach oedd wrth ei ochr o, er bod hwnnw yn aelod o'r pac!

Nid yn aml ro'n i'n cael cyfle i dynnu coes yr hogia mewn print ond mi ddigwyddodd hynny adeg Rownd Derfynol Cwpan Swalec yn erbyn Glynebwy, ym Mryste yn 1998. Yr adeg honno mi benderfynis i y baswn i'n darparu disgrifiada o aelodau tîm y Sgarlets ar gyfer y rhaglen Saesneg swyddogol. Dyma ambell enghraifft:

Rupert Moon... *a chanddo osgo fyddai'n destun cenfigen i'r* *diweddar John Wayne. Mae o'n aml yn gocyn hitio chwaraewyr budr, er ei fod yn eitha parod i syrthio'n swp diymadferth ar lawr. Wedi ennill gwobr 'Chwaraewr Gorau'r Ffeinal' ddwywaith. Mae'n ddiddanwr heb ei ail ac wedi perffeithio deif unigryw wrth sgorio cais.*

Wayne Proctor... *Ei lasenw yw 'y Wythïen ar Ddwy Droed' oherwydd y lliw da sydd arno. Mae'n athletwr o fri a chanddo ymroddiad diflino. Yn ôl y sôn mi fedrwch weld trwyddo pan fyddwch yn ei ddal yn erbyn y golau. Mae o'n arf peryglus sy'n gallu sgorio o unrhyw le ar y cae.*

Iwan Jones... *sy'n ca'l ei alw'n Mr Chuckle. Mae'n anodd ei ddal, mae'n berchen ar stamina diddiwedd, yn medru ochrgamu'n hyfryd ac mae o fel mellten yn cyrraedd y bêl rydd. Ond mae'n un sy'n aml yn hwyr, tydy o ddim yn sylwgar iawn ac yn ara deg y bydd petha'n gwawrio arno. Falle dyna pam yr aeth o'n blismon.*

Mathew Wintle... *chwaraewr corfforol. Mae'r ffordd mae'n cerdded â'i benelinai'n sticio allan yn gwneud iddo ymddangos fel petai o'n cario set deledu dan bob braich. Mae'n cario'r bêl yn effeithiol ac yn ddiogel ac mae'n daclwr cry. Mae'r doctor golygus hwn yn ei chael hi'n anodd dweud unrhyw beth yn gryno... yn wir mae gwrando arno'n siarad yn fwy effeithiol weithia na dwy dabled Mogadon.*

Fel y gallwch ddychmygu ro'n i o dan y lach o sawl cyfeiriad gan 'y nghyd-chwaraewyr y diwrnod hwnnw. O, mi glywa i chi'n holi, beth oedd wedi'i sgrifennu o dan enw **Robin McBryde** felly? Dyma i chi flas: *Mae ei gyd-chwaraewyr wedi rhoi'r enw 'Captain Chaos' arno... hyn oherwydd ei areithiau cywilyddus a diflewyn-ar-dafod!* Dwi'n ama mai Rupert Moon oedd y llenor miniog oedd yn gyfrifol am y geiria hynny.

Ar adega, roedd natur 'y ngwaith i'n rhoi cyfle gwych i mi chwara ambell dric ar yr hogia. Er enghraiff ddaru mi, ryw ddiwrnod, pan o'n i'n gweithio yn ardal Capel Seion, wrth ymyl y Tymbl, lapio tŷ Iwan Jones o'i frig i'w fôn, gan gynnwys y corn simdde, a phopeth yn yr ardd, mewn papur *polythene* melyn. Roedd o'n un arall o hogia Sir Fôn a gychwynnodd ei yrfa gyda Chlwb Rygbi Porthaethwy ac a oedd erbyn hynny wedi ailymuno â'r Sgarlets. Mi fyddan ni'n defnyddio'r papur *polythene* melyn i ddynodi 'yn bod ni wedi gosod ceblau o dan y ddaear. Pan ddaeth ei wraig, Manon, gartre, â'r genod efo hi, roedd hi'n meddwl i ddechra mai'r heddlu oedd wedi bod yno ac wedi rhoi'r rhimynnau *polythene* melyn i ddynodi ei fod yn 'fan lle cyflawnwyd trosedd ddifrifol'. Fel roedd hi'n digwydd, mi ro'n i wedi cael rhyw ymarfer bach gyda'r *polythene* melyn ar gartre Ricky Evans, yn Aber-porth, beth amser cyn hynny. Yn fwy diweddar, roedd Dwayne Peel a'i gariad Jess, newydd symud i'w tŷ newydd yn y Tymbl. Ro'n i'n gwbod bod gynnyn nhw ddrysau dwbl gwydr yn y lolfa, yn arwain at y patio a'r ardd, ac nad oeddan nhw eto wedi cael llenni ar eu cyfer nhw. Felly, un noson dywyll, pan o'n i'n sicr y bydda'r ddau ohonyn nhw'n ymlacio gartre, dyma fynd â *cuddly toy* anferthol ar ffurf cwningen roedd Tina wedi ei ennill mewn rhyw raffl, a'i sodro ar y patio gyferbyn â'r drysau. Jess welodd 'y peth' gynta, wrth edrych allan i'r tywyllwch, a dychryn am ei bywyd. Mae'n debyg hefyd iddi gymryd dipyn o amser i Dwayne fagu digon o blwc i fynd allan i ddatrys y dirgelwch!

Bron iddo fo lwyddo, serch hynny, i dalu'r pwyth yn ôl. Ar gyfer yr ymwelwyr hynny fydd yn cael eu tywys ar daith o gwmpas Stadiwm y Mileniwm mae 'na fodelau cardbord maint llawn yn ystafell newid tîm Cymru, o bob chwaraewr fydd yn y garfan ar y pryd. Pan oedd Dwayne a Scott Quinnell yno ryw ddiwrnod yn derbyn triniaeth i'w hanafiadau, gan wybod yn iawn 'mod i a'r teulu wedi mynd i'r garafán ym Mhenrhyn Gŵyr, dyma nhw'n dwyn y model ohono i o'r ystafell newid a'i gario fo nôl i'r Tymbl yn y car. Rŵan, mae'n tŷ ni, yn Y Tymbl Uchaf, ar y lôn bost reit yn ymyl cyffordd brysur iawn a bwriad y bonwyr Peel a Quinnell oedd gosod y model ohono i ar y lawnt o flaen y tŷ er mwyn i'r byd a'r betws gael ei weld a chredu, mae'n siŵr, mai y fi oedd y lembo oedd wedi ei roi yno. Trwy lwc mwnci roedd Tina wedi gorfod galw yn y tŷ i nôl rhywbeth, ar ei ffordd o'i gwaith i Benrhyn Gŵyr ac yn digwydd edrych allan drwy'r ffenestr pan oedd y ddau jocyr yn plannu'r ddelw ohono i yn y tir. Do, mi gawson nhw dipyn o sioc pan ymddangosodd Tina wrth eu hysgwydd, a thrafferth mawr i egluro wrthi beth ro'n nhw yn ei neud. Ond diolch byth fod Tina wedi digwydd picio gartre y prynhawn hwnnw neu mi fyddai'r ddelw wedi bod yno am ddyddiau lawer cyn i ni ei weld, a'r tŷ, mae'n siŵr, wedi ei fedyddio yn lleol erbyn hynny gydag enw fel Castell McBryde, neu rywbeth mwy anweddus mae'n siŵr!

Mi fu tynnu coes a chwara tricia yn rhan fawr o ymwneud y chwaraewyr â'i gilydd ar y Strade. Roedd meysydd awyr ar deithia tramor yn gyfle gwych i rai greu tipyn o gynnwrf. Fwy nag unwaith, mi welis i ddwyn bag un o'r hogia (un o'r rhai mwya diniwed a swil fel arfer) oddi ar y carousel heb yn wybod iddo, ei agor yn sydyn, tynnu pâr o drôns ohono, ei addurno mewn man priodol â siocled, a'u rhoi yn ôl reit ar dop y bag, fydda'n cael ei adael ar agor er mwyn i bawb gael gweld y dilledyn 'ffiaidd'. System gyfarwydd i ni i gyd mewn maes awyr yw tynnu cynnwys ein pocedi, a rhoi'n eiddo llaw mewn llestr fydd yn cael ei hawlio nôl ar ben draw'r broses ddiogelwch, fel y gallan nhw sganio'n cyrff ni. Sawl tro, ar un o'n teithia ni fel Clwb, mi welis un o'r hogia yn dwyn un o'r waledi, yn ddiarwybod i'r sawl oedd piau hi, cyn iddo ynta gyrraedd y fan lle'r oedd o'n disgwyl ei chodi o'r llestr. Pandemoniwm wedyn wrth i'r person anffodus hwnnw gwyno wrth y staff diogelwch fod ei waled wedi diflannu wrth iddi basio drwy'r system!

Ro'n i'n edrych ymlaen yn fawr at ddechrau tymor 1995–6. Mi fuas i'n canolbwyntio dipyn ar ffitrwydd cyn i'r tymor ddechra ac yn mwynhau'r sesiynau swyddogol dan ofal Peter Herbert. Yn ogystal ddaru Craig Quinnell a minna dreulio tipyn o amser yn codi pwysa yn stafell ffitrwydd y Strade ac roedd Gareth Jenkins nôl fel hyfforddwr. Ond roedd un ffactor newydd yn codi'i ben ar ddechra'r tymor hwnnw oedd yn anghyfarwydd i ni i gyd, sef y si fod y gêm yn mynd i droi'n broffesiynol. Rwy'n cofio Phil Davies, y capten, yn cynnal cyfarfod yn ei gartre gyda'r chwaraewyr rhyngwladol yn y clwb er mwyn cael 'yn hymateb ni i'r bwriad oedd gan Kerry Packer, y gŵr o Awstralia a gynhyrfodd y dyfroedd criced rai blynyddoedd ynghynt â'i gynlluniau ar gyfer y gêm honno, i greu 'syrcas' rygbi trwy arwyddo prif chwaraewyr y gêm i chwara ledled y byd a chael eu talu am wneud. Ddaeth dim byd o'r syniad, bryd hynny, ond roedd ymateb yr hogia yn reit frwdfrydig. 'Y ngofid i oedd pwy fyddai'n hyfforddi'r timau teithiol. Yn sicr, pe byddai Mike Ruddock yn un ohonyn nhw, do'n i ddim yn awyddus i fynd i ben draw'r byd i eistedd ar fainc!

Do'n i ddim, bryd hynny, wedi meddwl am roi'r gorau i 'ngwaith gyda SWALEC. Erbyn hyn, ro'n i wedi symud i weithio o iard Llanfihangel i Bontarddulais oedd yn llawer mwy cyfleus i mi yn ddaearyddol. Unwaith eto, roedd lle canolog i'r caffi ym mywyd beunyddiol y giang, fel yn y Rhondda. Yna, yn ddiweddarch, caewyd yr iard honno a bu'n rhaid i ni i gyd symud i Glydach. Yn ddiddorol iawn, roedd yr hogia yn ymrannu o ran eu teyrngarwch rygbi rhwng Llanelli ac Abertawe ac fel y gellwch ddychmygu, roedd yna dipyn o dynnu arna i. Yn aml iawn bydda'r 'elyniaeth' yn ymestyn y tu hwnt i siarad, wrth i ni fachu ar y cyfle cynta yn ystod awr ginio i fynd â phêl rygbi neu bêl-droed i'r llecyn tir agosaf. Ro'n nhw'n griw hwyliog dros ben ac rwy'n dal i gadw cysylltiad ag ambell un fel John Jones, Jason Bray, Nigel Coppin a Mike Clement, brawd Anthony Clement, a fu ar lyfra Llanelli un amser.

Roedd yn rhaid i mi fod ar 'y ngora ddechra tymor 1995–96 gan fod Andrew Lamerton, erbyn hynny, wedi gwella ac yn gobeithio adennill ei le fel bachwr y tîm cynta. Roedd o'n arfer bod yn ffefryn gan Gareth Jenkins ac roedd yn rhaid i mi wneud yn siŵr 'mod i'n chwara hyd eitha 'ngallu i sicrhau na fyddwn i unwaith eto'n treulio'n amser ar fainc yr eilyddion. Mi lwyddais i chwara'n ddigon da i gadw'n lle ac ro'n i'n teimlo bod 'y ngêm bersonol i wedi gwella'n sylweddol ers i mi ddod yn aelod sefydlog o reng flaen Llanelli. Roedd cael chwara'n rheolaidd, gyda hogia profiadol fel Anthony Copsey, Phil Davies, Spencer John, Ricky Evans, a Huw

Williams-Jones o 'nghwmpas i, wedi gwneud byd o les i'n hyder i ac o ganlyniad i safon 'y mherfformiad i. Ond tymor digon cymysg gafodd y tîm yn y gynghrair i gychwyn. Ddaru ni golli yn ogystal yn erbyn Fiji ar y Strade ac ro'n i'n chwara pan ddaru Cymru A golli yn eu herbyn nhw.

Mi fu gen i ran fach mewn achlysur rhyngwladol arall ar y Strade'r hydref hwnnw, pan ddaru mi ddod ar y cae am 20 munud yng ngêm dysteb Ieuan Evans. Roedd sêr o bedwar ban byd yn chwara'r noson honno, gyda Jonah Lomu, Sean Fitzpatrick, Rudi Straeuli, Kenny Logan, y brodyr Hastings, Thierry Lacroix, Olivier Roumat, Jason Little, John Gallagher, a sêr tîm Cymru yn eu plith. Sgoriwyd 19 o geisiau i gyd, a'r dorf yn mynd gartre'n hollol fodlon eu byd wedi gwledd o rygbi agored. Eto, fedra i ddim deud 'mod i wedi mwynhau'r profiad ryw lawer. Oherwydd ddaru mi erioed lwyddo i ffrwyno'n iawn 'y null personol i o chwara i gwrdd â gofynion gêmau tysteb. Fedrwn i ddim peidio â rhoi llai na chant y cant ar y cae, waeth pa fath o gêm y byddwn i'n chwara ynddi a doedd yr agwedd eangfrydig, haelionus, ysgafn braidd, oedd mor nodweddiadol o gêmau tysteb, ddim yn apelio ata i o gwbl.

Rwy'n cofio un gêm dysteb arbennig, a minnau'n chwarae dros Abertawe, pan oedd Mike Ruddock wedi cael gwahoddiad i chwara i'r tîm arall. Ar un adeg yn ystod y gêm, mi ro'n i'n carlamu am y llinell, ac un dyn yn rhydd ar y tu allan i mi, a Mike yn unig yn rhwystr o 'mlaen i. Y drefn arferol yn y fath sefyllfa, yn unol ag ysbryd gêmau tysteb, fyddai pasio'r bêl i'r dyn oedd yn rhydd, a dyna'r arwydd a wnaeth Mike wrth ddod amdana i. Ond ddaru mi benderfynu y baswn i'n licio rhedeg trwyddo a'i adael ar wastad ei gefn cyn croesi am gais. O edrych yn ôl, rwy'n sylweddoli na ddylwn i fod wedi gwneud hynny ac na fu'r weithred honno o unrhyw les i'n perthynas ni'n dau ar y pryd yng Nghlwb Abertawe.

Ar lefel genedlaethol, daeth Kevin Bowring yn hyfforddwr Cymru yn ystod hydref 1995–96 ond do'n i ddim yn disgwyl y bydda 'ngobeithion i o gael 'y newis i Gymru yn gryfach dano fo nag oeddan nhw yn ystod cyfnodau Alan Davies ac Alex Evans wrth y llyw. Er hynny, mi gefis i 'y newis i'r garfan genedlaethol ar gyfer gema'r Pum Gwlad y gaeaf hwnnw ond, unwaith eto, yn y Tîm A roedd 'yn lle i. Ond mi roedd 'na un gwahaniaeth bach ar gyfer y gêm gynta'n erbyn yr Alban yn Abertawe – mi gefis 'y ngneud yn gapten. Byddai llawer o bobl, mae'n siŵr, yn gweld hyn fel tipyn o anrhydedd ond ar y pryd, doedd o ddim yn golygu llawer i mi, am ddau reswm. Y cynta oedd 'mod i'n reit chwerw am nad o'n i wedi cael ail gyfle i gynrychioli tîm cynta Cymru, er 'mod i, yn ôl y beirniaid ac yn 'y marn i fy hun, yn chwara'n gyson dda i Lanelli o wythnos i wythnos. Rwy'n cyfadda, serch hynny, mai gwendid yno' i oedd y ffaith 'mod i'n arddel y fath agwedd.

Roedd yr ail reswm yn llawer mwy teilwng. Ro'n i'n dal i deimlo nad oedd y Tîm A yn cael parch na chydnabyddiaeth y dyla fod yn ei gael gan yr awdurdodau rygbi yng Nghymru. Ro'n nhw'n tueddu i feddwl mai ychydig o baratoi roedd ei angen cyn y gêm a, waeth sut berfformiad y bydden ni'n ei roi, cael mwynhau cwpwl o beints gyda'n gilydd y penwythnos hwnnw oedd yn bwysig. Colli fu ein hanes ni yn erbyn yr Alban, 22–31, ac felly hefyd yn erbyn Iwerddon, 11–25. Yn yr ail gêm honno roedd ein llinellau ni ar chwâl yn llwyr a phrin ddaru ni ennill unrhyw feddiant o'r agwedd honno o'r chwara. Roedd Mike Voyle yn chwara yn yr ail reng ac yn weddol ddibrofiad ar y pryd. Yn ei erbyn o roedd Neil Francis, oedd eisoes yn hen gadno profiadol a lwyddodd i amharu rywsut, heb i'r dyfarnwr ei weld, ar bob naid a wnâi Mike. O dan y fath amgylchiadau, bydda disgwyl i Mike setlo castia Francis â hergwd neu ddwrn ond doedd ganddo ddim digon o galon i gymryd y cyfrifoldeb ei hunan. Mae'n rhaid bod yr achlysur wedi achosi tipyn o ofid iddo ar y pryd, gan iddo godi'r mater gyda mi rai blynyddoedd yn ddiweddarach wedi iddo ymuno â'r Sgarlets.

Mae'n debyg fod chwaraewyr Tîm A Iwerddon yn cael £850 yr un am y gêm honno tra ein bod ni ond yn derbyn £30 yr un. Yn fy anerchiad 'capten' yn dilyn y gêm, mi ddaru mi fentro gwneud y sylw crafog bod chwaraewyr Cymru A, mae'n siŵr, wedi derbyn £10 am bob llinell ddaru ni ei hennill. Mi roedd tipyn o feirniadu wedyn ar ein perfformiad ni fel tîm ac ar ddiffygion y llinellau yn enwedig. Ond do'n i ddim yn teimlo y dylwn i fy hun ysgwyddo'r baich i gyd am y gwendidau ac roedd 'yn sylwadau i wrth y wasg a'r cyfryngau yn dilyn y gêm yn reit llym ynglŷn â safon y chwara ac agwedd ddifater yr awdurdodau a bod, o bosib y chwaraewyr, ar adega, yn adlewyrchu agwedd y swyddogion. Does dim dwywaith i mi siarad yn rhy blaen, ac ar gyfer gêm nesa'r Tîm A yn erbyn Ffrainc, nid yn unig ro'n i wedi colli'r gapteniaeth ond ro'n i nôl ar y fainc! Chefis i ddim eglurhad pam ddaru mi golli'n lle ac ni chafodd 'yn sylwadau i yn dilyn gêm Iwerddon eu cefnogi gan neb arall.

Ond cyn y gêm honno roedd pennod newydd yn 'y mywyd i, un llawer pwysicach na rygbi, wedi cychwyn, sef bod yn ŵr i Tina, wedi i ni briodi yn Gretna Green! Felly ni fu colli'n lle yn Nhîm A Cymru yn fuan wedyn yn gymaint â hynny o siom. Roeddan ni wedi dyweddïo yn 1995 ac wedi mynd ar wyliau i Roeg i ddathlu hynny. Ro'n nhw'n wyliau cofiadwy ar sawl cyfrif ac un rheswm oedd mai dyna oedd y gwyliau tramor cynta ac ola i ni eu cael gyda'n gilydd. Roedd hynny oherwydd galwadau rygbi o'm rhan i a gofynion tymhorau ysgol yn achos Tina, a hitha'n athrawes dosbarth derbyn. Yn ystod 'yn hymweliad ni â Groeg, ddaru ni ddod yn ffrindia â David a Shirley Lock o Berwick Upon Tweed, cyfeillgarwch sy wedi para hyd heddiw. Yn ystod y daith gartre ar yr awyren dyma ffeindio iddyn nhw roi ar gefn y darn papur ro'n nhw wedi sgrifennu eu cyfeiriad arno, y geiriau, *"Don't forget we are only 50 minutes from Gretna Green!"*

Po fwyaf y bu Tina a minna'n meddwl am y peth, mwya i gyd oedd y syniad o briodi yn ddiffwdan yn Gretna Green yn apelio aton ni 'yn dau. Felly dyma ddechra gneud trefniada ar gyfer diwedd Chwefror, sef bwcio'r Cofrestrydd, y seremoni sifil a gwesty lleol ar gyfer noson y briodas, a hynny heb ddweud wrth neb ond David a Shirley, tan y diwrnod cyn i ni deithio i'r Alban. Dyna pryd ddaru ni roi gwbod i'n rhieni, yn gynta ar ffurf ymddiheuriad i Mam gan ei bod hi wedi dweud erioed, "Sdim gwahaniath gen i ble byddwch chi'n priodi dim ond i mi gael bod yno". Ymateb mam Tina pan gafodd hi glywed am 'yn cynllunia ni oedd, *"I wish you hadn't told me, because now I'll be longing to be with you at three o'clock on Tuesday."* Felly, o sylweddoli eu bod nhw'n siomedig braidd, ddaru ni ddifaru na fasan ni wedi dweud dim tan i ni gyrradd gartre ar ôl y briodas.

I gyrradd Gretna, ddaru ni hedfan i Gaeredin a gyrru o'r maes awyr i Berwick Upon Tweed i fwrw'r noson gyda David a Shirley. Yna ddaru'r pedwar ohonon ni yrru drwy eira mawr i Gretna, lle ro'n nhw yn dystion ar ein rhan ni yn y briodas. Yna, drannoeth y briodas, ddaru Tina a minna yrru nôl i faes awyr Caeredin a hedfan gartre. Ar y ffordd, dyma fi'n ffonio Anthony Buchannan, Rheolwr y Sgarlets, gan ddweud, *"Sorry Buccs, I can't make training tonight. I'm on my way home from Gretna Green. Tina and I got married there yesterday."* A dyna sut y cyhoeddwyd y newydd i'r byd a'r betws.

Ychydig o wythnosa wedyn, ddaru Tina a minna wahodd tua 300 o ffrindia ac aelodau o'r teulu i barti cofiadwy yng ngwesty Parc Strade yn Llanelli er mwyn i bawb na chafodd ddod i'r briodas faddau'r cyfan i ni! Ddaru ni wahodd Dave a Shirley, ond ar fore'r parti mi gawson ni alwad ffôn ganddyn nhw'n ymddiheuro am fethu â bod yno oherwydd galwadau gwaith. Y noson honno, wrth i Tina a minna sefyll yng nghyntedd Gwesty Parc Strade i groesawu ein gwesteion, pwy gerddodd i mewn ond Dave a Shirley! O Abertawe y daeth yr alwad ffôn yn ymddiheuro am eu habsenoldeb, a hwytha wedi gyrru drwy'r nos o Berwick Upon Tweed! Yn sicr ddaru eu hymdrech ychwanegu'n fawr at yr achlysur.

A minna'n amlwg wedi cael y bai am berfformiad siomedig pac y tîm A yn Iwerddon, yn enwedig yn y llinellau, mi benderfynis i fod yn rhaid i mi wneud rhywbeth i sicrhau na fydda modd i neb bwyntio bys ata i am yr agwedd honno o'r gêm byth eto – er i mi deimlo 'mod i wedi cael bai ar gam. Roedd 'na broblem hefyd yn llinellau Llanelli ar y pryd, a Paul Jones, un o'r neidwyr, yn cwyno'n gyson nad oedd y taflu i mewn yn ei blesio, a minna'n dadlau nad oedd ynta'n gwneud ei waith yn iawn. Yn wir roedd y cecru rhyngon ni ar y cae am hyn wedi arwain Gareth Jenkins i'n rhybuddio ni i ddatrys y broblem gan ei bod hi'n amharu ar ysbryd y tîm.

Yn wyneb yr anawsterau, dyma benderfynu ceisio cymorth Tony Waters, dadansoddwr Clwb Llanelli, i astudio 'nhechneg taflu i mewn i'r llinell er mwyn gweld a oedd modd ei gwella. Yn sgil yr ymarfer arbennig hwnnw, ddaru mi benderfynu newid 'yn ffordd i o daflu. O hynny ymlaen ddaru mi ddefnyddio dwy law, yn hytrach nag un, wrth afael yn y bêl i'w thaflu i'r llinell. Gyda'r ffordd newydd honno, roedd modd sicrhau bod llwybr y bêl drwy'r awyr yn dilyn llinell syth a dyna'r dull y bydd y mwyafrif o fachwyr dosbarth cynta yn ei ddefnyddio bellach. Mae 'na ambell un serch hynny, fel Ibanez, bachwr Ffrainc, yn llwyddo fel arfer i feistroli taflu ag un llaw. Yn sicr, mi weithiodd y newid, er gwell, yn fy achos i a'r hyn ddaru roi pleser arbennig i mi oedd mai fi fy hun wnaeth y penderfyniad o newid y dull o daflu.

Daeth tymor cymysg y Sgarlets i ben a minna'n cael 'y ngyrru o'r maes gan y dyfarnwr, Derek Bevan, mewn gêm yn erbyn Pen-y-bont. Yn ei farn o, ro'n i wedi defnyddio 'nhroed yn beryglus ar gorff Steve Ford wrth iddo ynta orwedd mewn ryc. Y gwir amdani oedd 'mod i'n anelu am y bêl, nid am Steve, a ddaru tystiolaeth fideo, yn ogystal â llythyr gan Steve ei hun yn fy amddiffyn i, chwarae teg iddo, berswadio Pwyllgor Disgyblu Undeb Rygbi Cymru 'mod i'n ddieuog. Er mai yn y pedwerydd safle y gorffennodd Llanelli yng Nghynghrair Heineken yn 1996, roedd y ffaith y bydden ni o ganlyniad yn cystadlu yn Ewrop y tymor wedyn yn rhoi pleser arbennig i ni. Ar ben hynny, ro'n i'n hapus iawn ar y ffordd ro'n i fy hun wedi chwarae.

Rwy'n cofio Denley yn rhoi cyngor gwerthfawr i mi pan o'n i'n chwara i'r Wyddgrug, cyngor na wnes i wrando arno ar y pryd, gwaetha'r modd, sef y dylwn ni, ar ôl pob gêm, sgrifennu nodiadau am y bachwr ro'n i newydd ei wynebu fel y gallwn wybod, cyn i mi chwara yn ei erbyn o y tro nesa, pa gryfdera a pha wendida oedd ganddo. Ddaru mi ddifaru na wnes i wrando ar y cyngor hwnnw yn y dyddia cynnar, ond erbyn y cyfnod arbennig hwn, ro'n i wedi dod i nabod nodweddion y rhan fwya o fachwyr fydda'n chwara yn y dosbarth cynta ac roedd gen i syniad da iawn, er enghraifft, pa rai oedd yn casáu cael eu penna wedi eu tynnu i lawr yn isel neu pa rai oedd ddim yn licio i'r bachwr arall yrru i mewn ar eu brest nhw â'r pen. Roedd hi'n bwysig dwyn hyn oll i gof cyn gêm fel y gallwn i wneud yr union betha hynny iddyn nhw yn ystod y chwara!

Ddiwedd y tymor hwnnw dewiswyd carfan Cymru i fynd i Awstralia yn haf 1996 ac yn ôl y disgwyl, falle, do'n i ddim yn rhan ohoni. Jonathan Humphreys a Garin Jenkins oedd y ddau fachwr a ddechreuodd y daith ond hyd yn oed pan fu'n rhaid i Garin ddychwelyd yn gynnar oherwydd anaf, ac i Barrie Williams gael ei ddewis i fynd yno yn ei le, doedd dim gwahaniaeth gen i o gwbl. Roedd bod yn rhan o garfan Cymru er mwyn eistedd ar y fainc yn unig wedi 'ngneud i'n anhapus iawn ers tro ac ro'n i o'r farn fod hynny bellach yn dechra cael effaith arna i fel person. Felly ro'n i'n ddigon hapus i dreulio'r haf hwnnw yn gweithio ar 'yn ffitrwydd o dan ofal Peter Herbert, gan roi sylw penodol i sbrintio. Yng nghwmni Ieuan Evans a Wayne Proctor ddaru mi dreulio tipyn o amser ar drac rhedeg Caerfyrddin.

Beichiau Bachwr

It is not the critic who counts, not the man who points out where the strong man stumbles or where the doer of deeds could have done them better. The credit belongs to the man who is actually in the arena, whose face is marred by dust and sweat and comes up short again and again because there is no effort without error and shortcomings, who knows the great devotion, who spends himself in a worthy cause, who at the best knows in the end the high achievement of triumph and who at worst, if he fails while daring greatly, knows his place shall never be with those timid and cold souls who know neither victory nor defeat.

Theodore Roosevelt

Mae'r pwysa ar y bachwr wedi cynyddu'n aruthrol ers i mi ddechra chwara rygbi. Mae'r bachwr, erbyn hyn, yn un o'r chwaraewyr prin hynny y bydd holl sylw'r dorf arno wrth iddo baratoi i daflu i mewn i'r llinell; mae'r sawl sy'n cymryd y ciciau i'r tîm o dan yr un math o bwysa. Yn y sgrymiau mae'n wir nad oes cymaint o bwysa ar y bachwr ag a fu gan fod llawer llai o sylw yn cael ei roi gan ddyfarnwyr bellach i bwysigrwydd rhoi'r bêl i mewn i'r sgrym yn hollol syth. Yn achos nifer fawr o dimau, anaml y bydd bachwr y tîm sydd ddim yn rhoi'r bêl i mewn, yn trafferthu i gystadlu amdani. Yn hytrach, mi fydd ei bac o yn dewis canolbwyntio ar geisio gwthio'u gwrthwynebwyr tuag yn ôl ac oddi ar y bêl, a'r wyth ohonyn nhw'n hyrddio ymlaen gyda'i gilydd yr eiliad y bydd y bêl yn cael ei rhoi i mewn gan fewnwr y tîm arall. Mae gweld bachwr yn colli pêl yn erbyn y pen yn beth anghyffredin iawn erbyn hyn a bu'r newid hwnnw yn fodd iddo gael gwared ar un math o bwysa oddi arno. I'r gwrthwyneb yn llwyr yn achos y llinell.

Pan ddechreuis i chwara rygbi dosbarth cynta, doedd dim hawl gan aelodau erill o'r pac godi'r neidwyr yn y llinell. O ganlyniad doedd sicrhau meddiant ddim mor rhwydd â hynny, felly, doedd gweld y tîm oedd yn taflu i mewn yn colli llinell neu ddwy mewn gêm ddim yn beth mor ddieithr â hynny. Erbyn hyn, mae codi chwaraewyr yn rhan gwbl hanfodol o'r gêm ac mae disgwyl i'r tîm sy'n taflu i mewn ennill y meddiant o'r llinell, sy'n ffordd mor bwysig o roi'r chwara ar waith. Oherwydd bod cymaint o bosibiliadau yn agored i fachwr y tîm hwnnw o ran ble yn union y gall o daflu'r bêl, dyla'r posibiliadau fod yn drech na neidwyr y tîm arall. Felly os na fydd y blaenwyr yn ennill llinell ar eu tafliad nhw eu hunain, mae 'na bwyntio bys, yn enwedig gan y dorf, at y bachwr, fel arfer. Y fo, gan amla, fydd yn cael y bai os bydd y bêl yn hedfan dros ben y sawl sy'n neidio amdani, neu os bydd y bêl yn mynd i fachau neidiwr y tîm arall cyn iddi gyrraedd neidiwr ei dîm ei hun. Y fo, yn rheolaidd, fydd yn cael y bai pan fydd y bêl yn mynd i aelod o'r pac sydd yn amlwg ddim yn ei disgwyl hi neu pan fydd y bêl yn disgyn i fwlch yn y llinell heb yr un neidiwr yn agos ati. Fel cyn-fachwr, felly, baswn i'n licio dangos pa mor gymhleth y medr petha fod heddiw wrth daflu'r bêl i mewn i'r llinell, er mwyn amddiffyn yr hogia sy'n dal i gario'r baich arbennig hwnnw.

Fel ddaru mi ddeud eisoes, mae pob tîm wrth daflu i'r llinell yn defnyddio set o alwadau ar ffurf cod sy'n hysbys i aelodau'r pac a'r mewnwr. Mi fydd y cod yn cael ei alw cyn pob llinell gan y bachwr, y mewnwr neu arweinydd y pac fel arfer. Pan o'n i'n chwara i Lanelli, roedden ni'n rhannu'r ddyletswydd, oherwydd pe bydden ni'n digwydd colli'r meddiant o'r llinell dair gwaith yn olynol ar ein tafliad ni, bydda'r pwysa o fod wedi colli'r llinella hynny'n medru amharu'n hawdd ar y galwadau nesa. Ar adeg felly, mi fyddwn i'n dibynnu ar rywun yn sefyll yng nghefn y llinell i weld lle'r oedd y cyfle gorau i ennill y bêl, a gweiddi'r alwad.

Fel arfer, ar ddechra pob tymor y bydd y set o alwadau'n cael eu trefnu. Mi fydd y galwadau hynny'n cynnwys ambell amrywiad ar alwadau'r tymor cynt, neu weithia, mi fyddan nhw'n set newydd sbon. Pan ddechreuis i chwara yn nhîm Abertawe, yn ystod y cyfnod pan oedd dim hawl codi chwaraewyr yn y llinell, mi fyddan ni'n defnyddio cod fel *Pink, Yellow, Mustard*, os mai tri neidiwr oedd gynnon ni yn y llinell. Pe bydda gynnon ni bump neidiwr, yna mi fydda'r cod yn cynnwys pump gair er mwyn rhoi pump opsiwn i'r taflwr. Pe bydda gair yn dechra ag unrhyw lythyren yn y gair *Pink* yn cael ei alw allan cyn y llinell honno, bydda'r bêl yn mynd i'r neidiwr yn y tu blaen; pe bydda gair yn dechrau ag unrhyw lythyren yn y gair *Yellow* yn cael ei alw, yna mi fydda'r bêl yn mynd i'r neidiwr yng nghanol y llinell. Yna i gefn y llinell y bydda'r bêl yn cael ei thaflu os mai gair yn dechrau gydag unrhyw lythyren yn y gair *Mustard* y byddai'r galwr yn ei weiddi. Roedd 'na atodiadau posib i'r cod yma. Er enghraifft, wedi penderfynu ar un o'r tri gair, pe bydda'r prif neidiwr yn y rhan arbennig honno o'r llinell, yn dawel bach, yn dangos cledr ei law i'r bachwr cyn iddo daflu'r bêl, yna roedd hynny'n golygu y bydda ynta'n symud ymlaen i dderbyn y bêl. Pe bydda'n dangos cefn ei law, yna roedd o'n mynd i symud nôl i'w derbyn hi. Os oedd y neidiwr yn cau ei ddwrn, yna roedd y bêl i gael ei thaflu'n syth ato fo.

Weithiau y bachwr oedd y dyn fyddai'n rhoi'r arwydd perthnasol. Pe byddai'n sefyll â'r bêl yn ei law dde cyn ei thaflu, yna byddai disgwyl iddi fynd i fan penodol yn y llinell gâi ei drefnu ymlaen llaw. Pe byddai'n sefyll â'r bêl yn ei law chwith, yna mi âi hi i rywle gwahanol, ac mi âi hi i rywle gwahanol eto os oedd y bachwr yn gafael ynddi â'i ddwy law cyn ei thaflu i'r llinell. Ac er mwyn ceisio drysu'r gwrthwynebwyr yn fwy fyth, falle y byddai'r bachwr, yn ogystal â gafael yn y bêl mewn ffordd arbennig, yn galw cyfres o rifau cwbl ddiystyr cyn ei thaflu.

Hwyrach fod hyn oll yn swnio'n ddyrys i rai, ond tydy'r drefn honno ddim hanner mor gymhleth â'r hyn sydd ei angen ar gyfer y gêm fodern. Mae gan y rhan fwya o dimau heddiw ryw naw neu ddeg o alwadau posib ar gyfer pob llinell. Bydd tîm sy'n taflu i mewn, falle, yn dewis rhifau o 1 i 9 a phob rhif yn rhoi opsiwn arbennig i'r bachwr. Er enghraifft, bydd rhif 1, dyweder, yn arwydd fod y neidiwr yn nhu blaen y llinell yn neidio ymlaen i ddal y bêl wrth iddi gael ei thaflu i mewn. Bydd rhif 6, dyweder, yn arwydd fod y neidiwr yng nghanol y llinell yn cymryd cam yn ôl ac yna'n neidio'n syth i fyny am y bêl wrth iddi ddod i mewn. Bydd rhif 8 yn arwydd fod y sawl sy'n sefyll y tu ôl i'r neidiwr canol yn troi ac yn codi'r dyn y tu ôl iddo ynta.

Yn yr un modd gallai fod yna arwyddocâd arbennig, o ran y tafliad, i rifau 2, 3, 4, 5, 7 a 9. Ond tydy hi ddim cweit mor elfennol â hynny. Fyddai hi ddim yn fater syml o alw rhif 1 neu 6 neu 8 cyn y llinell, neu fydda blaenwyr y pac arall ddim yn hir cyn deall i ble y bydda'r bêl yn debyg o fynd bob tro. Felly mi fydda'n rhaid cuddio'r rhif perthnasol mewn cod o bedwar rhif falle. Er enghraifft, pa opsiwn bynnag fydda'n cael ei ddewis mewn llinell arbennig, mae'n bosib y bydda'r rhif perthnasol ar ei chyfer yn cael ei roi yn drydydd mewn cyfres o bedwar rhif bob tro. Hynny yw pe bydda'r cod 9382 yn cael ei alw, byddai'r pac yn gwbod mai opsiwn 8 oedd yn berthnasol ar gyfer y llinell honno.

Weithia mi fydd rhai timau yn dewis 'rhif hudol' i ddynodi pa opsiwn fydda ar waith mewn llinell. Hynny yw, rhoi rhif penodol, dyweder 2, ym mhob cyfres o rifau fyddai'n cael eu galw fel cod. Yr opsiwn perthnasol ar gyfer y llinell honno wedyn fydda'r un oedd yn dilyn y rhif 2 bob amser. Er enghraifft, pe bydda'r bachwr yn galw 36726 yna opsiwn 6 fyddai ar waith yn y llinell honno. Mae 'na atodiadau posib i'r cod, er enghraifft byddai galw unrhyw rif dwbl, dyweder 66 neu 88, yn golygu bod y blaenwyr yn bwriadu cylchu o gwmpas cefn y llinell. Byddai galw llythyren ar ôl unrhyw rif yn golygu bod y pac yn bwriadu tyrru o gwmpas y neidiwr, wedi iddo lanio gyda'r bêl yn ei feddiant, ac yna hyrddio ymlaen gyda'i gilydd.

Wrth gwrs, mae'r llinellau y dyddia hyn wedi mynd gam ymhellach. Erbyn hyn, mae'r llinell yn ymffurfio mewn clystyrau bach o ddau, tri a phedwar blaenwr, a'r enw 'pod' yn cael ei roi ar bob clwstwr, ac wrth daflu i mewn mae'r bachwr, fel arfer, yn dewis galwad sy'n cyfateb i 'pod' arbennig. Ond yn aml iawn ar yr eiliad ola, bydd blaenwyr y tîm arall yn symud i farcio'r 'pod' arbennig hwnnw. Dyna pam y bydd y tîm sy'n taflu i mewn weithia'n cyrraedd y llinell yn un rhes ac yn osgoi ffurfio 'pod' tan ei bod hi'n ben set. Bydd gofyn newid yr alwad yn sydyn wedyn fel bod y bêl yn mynd i'r 'pod' sy ddim yn cael ei farcio'n arbennig o dda. Mae hyn i gyd yn arafu'r broses o daflu wrth gwrs, a dyna'n aml iawn sy'n gyfrifol am y ffaith fod bachwr yn oedi cyn taflu'r bêl i mewn. Daeth newid arall hefyd gyda'r system 'pod'. Mi fydda'r bachwr yn arfer disgwyl i'r neidiwr gael ei godi gynta ac yna'n taflu'r bêl ato. O dan drefn y 'pod' bydd y bêl yn cael ei thaflu ganddo i fan penodol cyn i'r neidiwr gael ei godi, fel bod y ddau yn cyrraedd yno yr un pryd... gobeithio!

Fe sylwch felly fod yr holl faes o daflu i'r llinell yn gallu bod yn gymhleth tu hwnt a falle fod y bachwr bach yn haeddu ychydig mwy o gydymdeimlad pan fo petha'n mynd o chwith. Ar adegau, mi fydd y cyfan yn mynd ar gyfeiliorn ar y cae ymarfer hyd yn oed, a hynny heb fod yna floeddio gan dorf o ddegau o filoedd a phwysa disgwyliadau cenedl neu dref yn ychwanegu at feichiau'r bachwr. Mae'r tîm arall ar hyd yr amser wrth gwrs yn ceisio datrys cyfrinach y galwadau ac weithia maen nhw'n llwyddiannus.

Rwy'n cofio Scott Johnson yn dweud wrtha i ei fod o, ar ddechra taith y Llewod yn Awstralia yn 2001, fel aelod o'r tîm hyfforddi, yn gwasanaethu fel dyn y dŵr ac yn dilyn y chwara wrth redeg i fyny ac i lawr yr ystlys. Roedd o'n gwisgo 'meic' ar y pryd, fel y gallai gyfleu a derbyn negesau rhyngtho fo a gweddill tîm rheoli Awstralia ac roedd y meic hwnnw'n gallu codi galwadau tîm y Llewod yn y llinella. O briodi'r galwadau hynny â llunia teledu o'r gêm yn nes ymlaen, ddaru'r Awstraliaid lwyddo i ddatrys cod llinella'r Llewod, oedd yn gyfraniad pwysig er mwyn sicrhau eu bod nhw'n ennill y gyfres.

Eto mae 'na ffyrdd digon syml o ddrysu'r gwrthwynebwyr o ran y tactegau a ddefnyddir yn y llinellau ac mae tîm Cymru yn defnyddio dull felly, sef defnyddio galwadau mewn iaith nad yw'r tîm arall yn debyg o'i deall, sef y Gymraeg! Steve Hansen feddyliodd am y cynllun ac mae'n dal ar waith yn llinella Cymru ers ei gyfnod o wrth y llyw. Mae Gareth Jenkins wedi dweud ei fod ynta hefyd am weld hynny'n parhau. Mae'n golygu wrth gwrs fod chwaraewyr Cymru'n gorfod dysgu cyfrif i ddeg yn y Gymraeg, a phrofiad digon doniol i mi wrth daflu i mewn, oedd clywed Brent Cockbain yn gweiddi arna i yn Gymraeg ag acen Awstraliad. Bydda defnyddio'r Gymraeg yn y modd hwn, mewn gêmau clwb yng Nghymru, wrth gwrs, yn dda i ddim.

I grynhoi pob dim am y llinell felly, pan fo'r hyder yn uchel, dim ond eisiau rhoi'r bêl yn y lle iawn, ar yr amser iawn sydd ei angen. Pan fo'r hyder yn isel, mae'r bêl yn teimlo fel *beach ball*, a phob un o'r gwrthwynebwyr fel petai dros chwe throedfedd ac yn barod i neidio. All neb anwybyddu pwysigrwydd yr ochr seicolegol, sy'n rhan mor bwysig i fachwr ac i giciwr y tîm, gan eu bod nhw o dan y meicrosgop yn fwy na neb arall.

Pwysa o fath cwbl wahanol sydd ar y bachwr yn y sgrym wrth gwrs – sef pwysa corfforol, ac mi rydw i yn fy elfen yn yr agwedd hon o'r gêm. Mi ro'n i'n ystyried mai 'y nyletswydd i yn y sgrym oedd mynd ar ôl bachwr y tîm arall trwy ei wasgu fo, ei blygu fo neu ei godi fo er mwyn trio cael y pac arall i wegian. Mi fuodd hyn yn reddfol yno i byth ers 'y nyddia i yn yr Wyddgrug o dan hyfforddiant Denley ac mewn partneriaeth â phrop mor rymus â Roger Bold. Doedd hi ddim mor hawdd gwneud hynny yn erbyn, dyweder, Garin Jenkins, gan ei fod o'n sgrymiwr cadarn a chanddo uned effeithiol yn Abertawe yn pacio i lawr y tu ôl iddo. Ar y llaw arall roedd hi'n gymharol hawdd cael Steve Thompson, bachwr Lloegr, o roi digon o bwysa arno, i ildio a saethu am i fyny, allan o'r sgrym. Yn y gêm fodern, serch hynny, a rheolau newydd ynghylch olwyno sgrym wedi dod i rym ers ychydig o flynyddoedd, mae hyfforddwyr yn licio cael y bachwr i roi cymaint o bwysa â phosib ar brop pen tyn y tîm arall, er mwyn ceisio troi'r sgrym. Mae hyn yn golygu bod tipyn mwy o straen ar bropiau pen tyn y dyddia hyn, sydd wedi arwain at brinder ohonyn nhw, ar y lefel uchaf yn enwedig. Er hynny, mae'n rhaid i mi gyfadda y buas i braidd yn hunanol ambell dro a bod 'y ngreddf i, bryd hynny, i fynd benben â'r bachwr arall er mwyn trio cael y gora arno fo, wedi bod yn drech na chyfarwyddyd yr hyfforddwr.

Mae'n bwysig bob amser dod i ddeall pa mor oddefgar mae dyfarnwr yn ystod gêm o ran yr hyn mae'n barod i'w ganiatáu yn y sgrym. O 'mhrofiad i, does gan y rhan fwya o ddyfarnwyr ddim syniad, fel arfer, beth sy'n mynd ymlaen ym mherfedd y sgrym. Ond pan fydd anhrefn yn rhemp yno maen nhw'n naturiol yn teimlo bod yn rhaid cosbi rhywun heb lwyddo, o reidrwydd, ei chael hi'n iawn bob tro. Y dyddia hyn mae *dossier* ar gael i'r clybia ar bron bob dyfarnwr ar y lefel ucha. Mi fydd hwnnw'n nodi ystadegau ynghylch pa droseddau ddaru o'u cosbi mewn gêmau blaenorol, pa droseddau mae o'n dueddol o'u cosbi a pha mor aml y bydd o'n gneud hynny. Felly mae'n bosib cael rhyw syniad cyn y gêm o'r hyn y bydd y dyfarnwr yn chwilio amdano. Does dim dwywaith fod rhai yn arbennig o ffyslyd ond, i mi, y math gwaetha o ddyfarnwr yw'r un sy ddim yn siarad â'r chwaraewyr, ddim yn egluro beth yw ei ofynion o wrth i'r gêm fynd yn ei blaen, fel y gall y chwaraewyr wybod yn union ble maen nhw'n sefyll.

Y gwaetha yn hyn o beth yw dyfarnwyr Ffrainc, er 'mod i'n sylweddoli bod eu diffyg crap nhw ar y Saesneg yn gallu bod yn rhwystr weithia. Mi gefis i gyngor unwaith, cyn mynd i chwara yn Ffrainc am y tro cynta, mai'r peth pwysig i'w gofio o ran y llinellau a'r sgrymiau oedd bod y dyfarnwyr yno yn anwybyddu pob rheol o ran yr agweddau hynny o'r chwara. Felly, o'r cychwyn, ddaru mi drio gweld i ba radda o'n i'n cael troseddu cyn i'r dyfarnwr 'y nghosbi i. Pe bydda fo o'r diwedd yn 'y nghosbi am rywbeth arbennig, ro'n i'n trio sicrhau 'mod i ddim yn cael 'y nal yn gneud hynny eto. Roedd rhai o'r dyfarnwyr y buas i'n chwara danyn nhw yn ardderchog wrth gwrs, fel Derek Bevan a Clayton Thomas o Gymru, a Chris White a Tony Spreadbury o Loegr. Ond un peth mae'n werth ei gofio, falle, yw bod dyfarnwyr, fel chwaraewyr, yn cael diwrnoda da a diwrnoda drwg a nhw mae'n debyg fydda'r cynta i gyfadda hynny.

Wrth gwrs, y boen fawr i ddyfarnwyr yw'r ffaith fod chwaraewyr, yn enwedig yn y sgrymiau, yn trio'u twyllo nhw ac mae'n rhaid i mi gyfadda 'mod i fy hun wedi bod yn euog o hynny. Dw i'n cofio un gêm yn erbyn Biarritz ar y Strade pan oeddan ni fel pac odani yn aruthrol a ninna i lawr i saith dyn ac yn cael 'yn gwthio nôl yn y sgrym bob gafael. Pan roddwyd sgrym bum llath o'n llinell ni, ddaru mi gael gair sydyn yng nghlust un o hogia'r pac a dweud wrtho am esgus ei fod o wedi brifo. Bydda hynny'n rhoi cyfle i mi, wrth iddo ynta gael triniaeth, roi gwbod i weddill y pac pa dacteg roeddan ni'n mynd i'w defnyddio ar gyfer y sgrym dyngedfennol honno.

Y disgwyl oedd y bydda Biarritz yn ennill y sgrym a'n gwthio ni tuag yn ôl dros ein llinell ni, gan roi cais rhwydd iddyn nhw. Ond 'yn cynllun ni oedd i'n dau brop ni fynd i'r afael â'u gwrthwynebwyr ym mlaen y sgrym cyn i'r bêl ddod i mewn; mi fyddan ni fel pac wedyn yn tynnu pac Biarritz aton ni, yn hytrach na gwthio yn eu herbyn nhw, gan roi'r argraff 'yn bod ni wedi cael 'yn gwthio nôl gynnyn nhw cyn i'r bêl ddod i mewn. Roedd angen ychydig bach o berswâd ar 'yn dau brop ni, oherwydd mae props yn frîd *macho* iawn a doeddan nhw ddim ar unrhyw gyfri am roi'r argraff eu bod nhw'n ildio o dan y straen. Ond dyna ddigwyddodd, a phenderfynodd y dyfarnwr, David McHugh, o Iwerddon, roi cic rydd i ni. Yn anffodus dyma'n rheng ôl ni'n codi o'r sgrym gan gymeradwyo a llongyfarch 'yn rheng flaen ni'n frwd... am fynd tuag yn ôl. Ddaru David McHugh sylweddoli'n syth ei fod o wedi cael ei dwyllo. Byth oddi ar y diwrnod hwnnw, fe fu'n llym iawn ar sgrymiau'r Sgarlets ac mi fydda fo yn ein rhybuddio ni, cyn pob sgrym, a chyn mynd ar y cae hyd yn oed, i ofalu ein bod ni'n cymryd pwysa'r sgrym wrth ymrwymo. Falle y bydda rhai'n feirniadol o ddefnyddio dulliau o'r fath, ond y cyfan ddweda i yw, o gofio pa mor uffernol mae hi'n gallu bod yn y sgrym, mae angen ychydig bach o gydymdeimlad heb sôn am ddychymyg! Beth bynnag, mae'r tîm arall, fel arfer, wrthi yn yr un modd.

Braw a Braint

If you think you are beaten, you are.
If you think you dare not, you don't.
If you like to win but think you can't,
It's almost certain that you won't.
Life's battles don't always go
To the stronger woman or man,
But sooner or later, those who win
Are those who think they can.

Aeth tymor 1996–97 â ni i mewn i'r oes broffesiynol go iawn. Ro'n i'n dal i weithio fel llinellwr i SWALEC ond roedd rhai o hogia Llanelli, erbyn hyn, yn ennill eu tamaid trwy chwara rygbi yn unig. O ran safon y ffitrwydd a'r chwara ei hun, ro'n i'n benderfynol na fydda unrhyw wahaniath rhyngtho i ag unrhyw aelod o'r tîm oedd yn cael ei dalu. Mi fyddwn i'n gwneud ymdrech fawr i ymarfer ar 'y mhen fy hun, yn ogystal â mynd i'r sesiynau ymarfer gyda'r nos yn y Strade. Fuas i erioed yn un fydda'n hoff o ddadla dros delerau ariannol. Ddaru mi deimlo bob amser 'mod i'n lwcus i gael y cyfle i chwara rygbi ar y lefel ucha a mwynhau bywyd dymunol iawn yn ei sgil. Eto pan ddaeth hi'n amser i mi drafod 'y nghytundeb newydd gyda Stuart Gallagher, Cadeirydd y clwb, ro'n i'n teimlo 'mod i'n cael 'y nghosbi, o ran yr arian oedd yn cael ei gynnig i mi, am 'mod i'n dal swydd arall. Ond doedd o ddim yn 'y mhoeni i ddigon i gwyno yn ei gylch ac mi roedd 'na ddigon o betha i edrych ymlaen atyn nhw ar ddechra'r tymor hwnnw. Un ohonyn nhw oedd bod Gareth Jenkins wedi 'ngneud i'n is-gapten i Ieuan Evans, oedd yn dipyn o anrhydedd yn 'y meddwl i.

Mi gawsom ni ddechra digon siomedig i'r tymor, gan golli yn erbyn Pen-y-bont a Chastell Nedd. Yn yr ail gêm, ro'n i'n chwara yn erbyn Barry Williams a gafodd ei ddewis, ddiwedd mis Medi, i chwara dros Gymru yn erbyn Ffrainc. Mi fyddwn i'n mwynhau chwara yn ei erbyn o bob amser gan 'mod i, fel arfer, yn cael hwyl reit dda ar ei ddofi fo yn y chwara tyn. Mi fydda fo'n amlwg iawn yn y chwara rhydd serch hynny a bydda ei osgo fo o gwmpas y cae yn rhoi'r argraff ei fod o'n chwaraewr hyderus dros ben. Falle ddaru hyn gyfrannu at benderfyniad dewiswyr Cymru i fynd amdano fo yn lle Jonathan Humphreys a Garin Jenkins. Yn wir, mewn sgwrs gyda gohebydd rygbi un o'r papura lleol yn y de, ddaru Barry honni mai rhwng y tri ohonyn nhw bellach roedd y frwydr am safle'r bachwr yn nhîm Cymru.

Ond yn sydyn iawn y Medi hwnnw daeth cwmwl anferth droston ni fel teulu a sgubodd rygbi o'r neilltu o ran 'y mlaenoriaethau personol i. Yr haf hwnnw roedd 'yn chwaer Naomi wedi graddio ym Mhrifysgol Efrog a phenderfynodd hi, maes o law, y basa hi'n licio dychwelyd gartre i Borthaethwy. Yn fuan wedi iddi neud hynny, dechreuodd deimlo'n annaturiol o flinedig o ddydd i ddydd ac mi aeth i weld y meddyg teulu. Mi gafodd gwrs o dabledi ganddo ond mi ddychwelodd i'r feddygfa ymhen diwrnod neu ddau i gwyno bod rhyw frychni ar ei chroen. Mi gafodd hi brawf gwaed ac yn hwyrach y diwrnod hwnnw daeth y meddyg draw i'r tŷ i ddweud bod angen iddi fynd i Ward Alaw, yn Ysbyty Gwynedd, y bore wedyn i gael mwy o brofion. Wedi cwblhau'r rhain mi soniwyd wrthi y dylai fynd gartre i nôl mwy o ddillad cyn dychwelyd ar ei hunion i aros yn yr ysbyty, lle bydda hi'n cael mwy o brofion.

Y bore wedyn roedd 'yn rhieni gyda Naomi yn ei hystafell wrth i arbenigwr egluro wrthi ei bod yn dioddef o "*acute myeloid leukaemia*". Mi gollodd ychydig o ddagrau i gychwyn, ond wedyn mi benderfynodd ei bod hi am fyw i fod yn 'fodryb': erbyn hyn roedd Tina a minna'n disgwyl ein plentyn cynta. Mi gafodd wybod i ddechra y bydda'r driniaeth yn cychwyn ymhen ychydig ddyddia, ond ddaru nhw ddarganfod bod yr aflwydd ar dân yn ei chorff hi a chyn diwedd y dydd roedd y gyfres gynta o gemotherapi wedi dechrau.

Ddaru'n rhieni roi gwbod i Tina yn syth yn ei gwaith a daeth hi gartre ar ei hunion er mwyn bod yno erbyn i mi gyrraedd o 'ngwaith. Mi ddaru mi dorri i lawr i grio pan ddaru mi glywed y newydd drwg. I mi, tan hynny, rhywbeth a oedd yn digwydd i deuluoedd eraill oedd ergyd mor greulon. Roeddan ni'n deulu clos iawn: dim ond y ni 'yn gilydd oedd gynnon ni, gan fod ein rhieni yn unig blant. Dyma gychwyn yn syth am y gogledd ac erbyn adeg ymweld y noson honno, roeddan ni wedi cyrradd Ysbyty Gwynedd.

Cymharol ychydig o wybodaeth a roddwyd i ni fel teulu am y clefyd, er i ni ddarganfod yn ddiweddarach fod y math hwnnw o leukaemia'n gallu bod yn lladdwr sydyn. Eto os oedd claf yn ymateb i'r driniaeth yn gadarnhaol, yna roedd y rhagolygon yn dda. Ar y pryd roedd 'Nhad ar gychwyn ar daith i Lesotho efo Dolen Cymru er mwyn hyrwyddo cyswllt rhwng Ysgol Cae Top, ei ysgol ef, ag ysgol yn y wlad honno, ond mi awgrymodd yr arbenigwr mai gwell fydda iddo beidio â mynd, felly mi anghofiwyd am yr ymweliad hwnnw.

Rhag ofn i'r gwahanol driniaethau – yn gemotherapi a chelloedd bonyn – beidio â gweithio, roedd yn rhaid sôn am un cam posib arall a alla fod yn achubiaeth i Naomi, sef trawsblaniad mêr asgwrn. Bu'n rhaid i Beth, 'yn chwaer arall i, a minna gael profion gyda hyn mewn golwg a, diolch byth, ro'n i'n cyflawni'r gofynion yn berffaith, petai angen. Mi ges i 'mhrofocio dipyn gan Naomi wedyn 'mod i bron â llewygu wrth roi gwaed ar gyfer y prawf ond mi fyddwn inna hefyd yn tynnu ei choes hi drwy ei hatgoffa bod 'yn angen i arni, felly gwell fydda iddi beidio â 'mhechu fi!

Mi fu Naomi yn yr ysbyty am dri mis, a Mam yno'n gymorth ac yn gefn iddi am y ddau fis cynta. Roedd ei hagwedd hi'n hynod o bositif, hyd yn oed ynghylch y colli gwallt fydda'n dod yn sgil y driniaeth 'cemo'. Oherwydd, cyn i hynny ddigwydd, mi ddaeth Linda, merch Mrs Davies, cogyddes Ysgol Cae Top, oedd â busnes trin gwallt ym Mangor, i roi toriad reit llym, *No. 3* i fod yn fanwl gywir, i wallt Naomi, er mwyn iddi gael osgoi diflastod y colli gwallt.

Wrth gwrs roedd amball gyfnod o wendid, ond gyda chefnogaeth hynod staff Ward Alaw, yn cael eu harwain mor arbennig gan Sister Manon a sawl meddyg, yn ogystal â chymorth teulu a ffrindiau, fe ddaeth hi drwy'r driniaeth. Mae'n rhieni'n dal mewn cysylltiad â'r ward hyd heddiw ac yn falch o fedru cyfleu eu gwerthfawrogiad trwy wneud rhywfaint o waith gwirfoddol yno bob wythnos. Mae Naomi bellach yn byw ac yn gweithio yn Swydd Durham, yn briod gyda Tim ac mae gynnyn nhw ddau o blant, Gruff, sy'n bedair oed, a Matilda, sy'n flwydd. Mae Beth yn briod â Ben, ac yn byw yn Llundain, gydag Ed, y ci.

Fel gweddill y teulu, mi ges i ysgytwad ofnadwy gan salwch Naomi a ddaru'r profiad newid 'yn agwedd i at fywyd yn gyffredinol. Ddaru o neud i mi sylweddoli bod yn rhaid i mi sicrhau mwy o bwrpas i 'mywyd i, a bywyd 'y nheulu, yn hytrach na byw o ddydd i ddydd, gan roi pwys ar fwynhau hwyl y foment. Nid 'mod i'n wamal yn fy agwedd i at fywyd nac yn osgoi ymdrechu gant y cant, beth bynnag ro'n i'n ei wneud. Ond ddaru mi sylweddoli, bryd hynny, y dylwn gymryd 'y nyfodol yn fwy o ddifri. O ganlyniad, wedi cyfnod y salwch, rwy'n meddwl i mi fynd yn berson llawer mwy dwys nag o'n i cyn hynny gan dreulio amser yn troi petha drosodd yn 'y meddwl. Ychydig fisoedd yn ddiweddarach, pan anwyd Billy, ein mab cynta ni, ac yn dilyn digwyddiad anffodus a ddaeth y ei sgil, mi ges i fwy o achos eto i feddwl felly.

Yn naturiol, ar ddechra salwch Naomi, cyn iddi ymateb i'r driniaeth, doedd gen i ddim llawer o flas at rygbi, ac mi fu Clwb Rygbi Llanelli, a Gareth Jenkins yn enwedig, yn arbennig o garedig, gan ddw;eud wrtha i am gymryd faint bynnag o amser ag ro'n i ei angen i ffwrdd ac mai Naomi oedd i gael y flaenoriaeth. Ond fel yr âi'r tymor yn ei flaen ac wrth i Naomi ddangos arwyddion ei bod hi'n gwella, mi ailgydiodd yr awydd yno' i i brofi afiaith y chwarae unwaith eto. Un o'r datblygiadau a oedd yn hwb i hynny ddigwydd oedd y ffaith fod Ieuan Evans, capten tîm Llanelli ar y pryd, wedi gorfod rhoi'r gora i chwara am dipyn oherwydd anaf. O ganlyniad, bu'n rhaid i finna gymryd y gapteniaeth ar ei ran, profiad ddaru mi ei werthfawrogi a'i fwynhau'n fawr iawn. Eto, o edrych yn ôl, braidd yn wan oedd ein carfan ni yn Llanelli ar y pryd, yn enwedig o gofio ein bod ni bellach yn brwydro ar y llwyfan Ewropeaidd.

Er hynny, roedd gynnon ni bellach un seren newydd a ddaeth yn arwr mawr ar y Strade, y maswr, Frano Botica, oedd wedi cynrychioli'r Crysau Duon. Y fo oedd y chwaraewr tramor proffesiynol cynta i arwyddo i'r Sgarlets ac mi fuodd yn esiampl ac yn ysbrydoliaeth i lawer yn y clwb, yn enwedig i chwaraewyr ifanc fel Stephen Jones. Roedd Frano yn berson dymunol dros ben ac yn gwbl broffesiynol ei agwedd. Yn wir y fo yw'r unig giciwr erioed i mi ei weld yn gofyn i'r sawl oedd yn gofalu am y peli rygbi yn y clwb, Wayne James, sicrhau bod pwysedd yr aer yn y peli oedd i gael eu defnyddio mewn gêm yn cyfateb i nifer penodol o bwysi'r fodfedd sgwâr (h.y. bod *p.s.i* arbennig i'r bêl). O gofio dawn cicio Frano mae'n amlwg fod mynd i'r fath drafferth wedi talu ar ei ganfed iddo.

Y fo oedd y seren yn ein buddugoliaeth ni yn erbyn Leinster, ein gêm agoriadol ni yn Ewrop y tymor hwnnw. Yn ddiweddarach yn y gystadleuaeth honno, mi lwyddon ni i guro Pau gartre yn ogystal, mewn gêm danllyd dros ben, gydag Iwan Jones yn cael ei yrru oddi ar y maes. Colli fu ein hanes ni yn y ddwy gêm oddi cartre yn erbyn Gororau'r Alban a Chaerlŷr, pan chwaraeodd Vernon Cooper, ac yntau ond yn 19 oed, am y tro cynta i Lanelli, a chael gêm ardderchog yn erbyn Martin Johnston. Ond mi ddaru ni fynd drwodd i'r rownd nesaf, i chwara oddi cartre yn erbyn Brive, gêm gofiadwy iawn ar sawl cyfrif, yn bennaf falle am i ni ei cholli a chael ein bwrw allan o Bencampwriaeth Heineken am y tymor hwnnw.

Roedd yr eira'n dew ar lawr pan gyrhaeddon ni Brive, felly mi alwyd ar Fyddin Ffrainc i ddod yno i glirio'r maes er mwyn i ni fedru chwara. Roedd yr awyrgylch a berw'r dorf yn wahanol iawn i'r hyn ro'n i wedi arfer ag o ac yn agoriad llygad i mi o ran pa mor danbaid mae rygbi'r clybiau yn ne Ffrainc. Ar ôl y gêm, nid yn y clwb roedd Brive wedi paratoi lluniaeth i'r chwaraewyr a'r swyddogion, fel roedd y drefn ym Mhrydain. Yn hytrach ro'n nhw wedi codi pafiliwn oedd yn dal rhai cannoedd o bobl ac wedi gwahodd y cefnogwyr i ymuno â'r chwaraewyr mewn derbyniad yno.

Yn sicr cael blas ar chwara yn Ewrop oedd uchafbwynt y tymor hyd hynny i mi, ac i'r hogia eraill, dw i'n siŵr. Roeddan ni'n edrych ymlaen, dim ond i ni orffen yn y pedwar ucha ym mhencampwriaeth y clybia yng Nghymru, at ail gynnig ym Mhencampwriaeth Heineken y flwyddyn ddilynol.

Ond gwefr lawer mwy, a hynny ar lefel bersonol, oedd genedigaeth Billy, y mab cynta, y mis Tachwedd hwnnw yn Ysbyty Glangwili, Caerfyrddin. Ro'n i wedi aros i mewn gyda Tina ar gyfer y foment fawr tan i ryw gymhlethdod bach gynacolegol olygu bod yn rhaid i mi adael. Ond ymhen ychydig ddaru mi gael 'y ngalw nôl i glywed bod Billy wedi cyrradd! Roedd o'n deimlad bendigedig i'r ddau ohonon ni ond ddaru Tina druan ddim sylweddoli am dipyn pa un ai bachgen ai merch oedd ganddi. Roedd hi'n teimlo mor wan ar ôl ei hymdrech fel na ddaeth hi ddim ati ei hun yn iawn am beth amser. Felly pan ddaru hi ddeffro, roedd hi'n gobeithio y bydda lliw y siôl oedd am y babi yn deud y cyfan wrthi, un binc ar gyfer hogan, un las ar gyfer hogyn. Yn anffodus rhoddwyd siôl felen am yr un bach, felly mi fu'n hir cyn iddi gael gwbod yn iawn!

Yn fuan wedyn, ro'n i'n chwara i'r Sgarlets yn erbyn Abertawe ar faes Sain Helen ac ar ôl y gêm aeth rhai o hogia'r tîm, ac ychydig o ffrindia erill, â mi i glwb gerllaw i 'wlychu pen y babi'. Ar wahân i'r ffaith ein bod ni braidd yn swnllyd, falle, doeddan ni ddim yn creu problem i neb. Ar ôl bod yno am ychydig mi ddaru bownsars y lle benderfynu dangos, heb dorri'r un gair â ni, mai y nhw oedd yn rheoli yno. Ddaru un ohonyn nhw 'y nharo i ar 'y mhen â stôl bar a dyma un arall yn llorio cyfaill i mi, Mark Rees, â chrât cwrw wrth iddo yntau blygu drosta i, a minna'n gorwedd yn anymwybodol ar y llawr. Pan ddes i ata i fy hun, do'n i ddim yn adnabod Mark gan fod cymaint o waed dros ei wyneb, a maes o law bu'n rhaid iddo gael dros hanner cant o bwytha.

Roedd Frano Botica wedi rhuthro'n syth i ffonio'r heddlu pan ddechreuodd y twrw ac ro'n nhw yno o fewn dim o dro. Ond wrth iddo ynta eu harwain nhw i mewn a chyfeirio at y bownsars gwallgo, dyma un o'r rheini'n taflu dwrn ato, reit o dan drwyna'r heddlu. Un canlyniad i'r twrw oedd bod o leia un o'r bownsars wedi cael dedfryd o garchar. Canlyniad arall oedd 'mod inna wedi sylweddoli'n fwy fyth fod yn rhaid i chwaraewyr proffesiynol, bellach, fod yn ymwybodol iawn o ba mor fregus yr oedd eu sefyllfa pan oeddan nhw allan yn mwynhau eu hunain. Roedd hyn yn arbennig o wir lle roedd alcohol ar gael, a phobl wirion yn aml yn awyddus i'w herio nhw. Mi ddaru'r digwyddiad arbennig hwnnw danlinellu i mi fod gen i bellach gyfrifoldebau newydd ac nad oedd mynd allan ar y sbri yn apelio ata i, fel y bydda ers talwm.

O ran y gêmau rhyngwladol yn 1997 ro'n i wedi colli 'n lle, yn wreiddiol, ar gyfer gêm gyntaf Tîm A Cymru yn erbyn yr Alban, a hynny i Barry Williams. Ond bu'n rhaid iddo dynnu nôl oherwydd salwch ac mi gefis inna 'newis i gymryd ei le. Ddaru ni golli 11–50 a phrofiad newydd hollol i mi oedd bod yn rhan o dîm gafodd ei fŵio wrth i ni gerdded oddi ar y cae, ar ôl perfformiad trychinebus. Mike Ruddock oedd yr hyfforddwr ond doedd yr hen agwedd ddifater ynghylch safonau'r Tîm A, yn 'y marn i, ddim wedi newid dim, ac unwaith yn rhagor mi ddaru mi ddechra teimlo nad o'n i'n elwa dim o chwara i Dîm A Cymru yn ystod y cyfnod hwnnw, beth bynnag.

Gwell gen i oedd canolbwyntio ar ymdrechion Clwb Llanelli, ac fel y daeth y tymor i ben, roedd gynnon ni dipyn i ymladd amdano. Mi ddaru ni gyrradd rownd gynderfynol Cwpan SWALEC, a cholli am y drydedd flwyddyn yn olynol. O ran y Gynghrair, mi ddaru ni fynd o fis Hydref tan yr wythnosa olaf heb golli ac yn y diwedd roedd hi'n ras rhyngon ni a Phontypridd ar gyfer y safle cynta. Gwaetha'r modd, y nhw ddaru orffen ar y brig ond roedd dod yn ail yn dipyn o gamp, o ystyried pa mor dena oedd ein carfan ni. Yn wir roedd hi'n fain ar y clwb yn ariannol erbyn hynny ac mi gynhaliwyd cyfarfod gyda'r chwaraewyr a'r Pwyllgor ddiwedd y tymor i weld a oedd modd cwtogi ar y gwario. Arwydd o'r ffaith nad oedd Llanelli eto wedi dod i delera â'r oes broffesiynol newydd, falle, oedd awgrym un aelod o'r Pwyllgor y bydda peidio â pharatoi brechdana i'r chwaraewyr ar ôl sesiynau ymarfer yn arbed rhywfaint o arian i'r clwb. Yn sgil y cyfarfod fe gytunon ni'r chwaraewyr gymryd gostyngiad yn ein cyfloga'r tymor wedyn.

Ddiwedd y tymor hwnnw hefyd cyhoeddwyd yr enwa oedd yng ngharfan y Llewod i fynd i Dde'r Affrig yn ystod yr haf, ac roedd Barry Williams ymhlith y bachwyr a gafodd eu dewis. Tua'r un adeg daeth y newydd y bydda fo'n symud o Gastell Nedd i Richmond ar gyflog reit dda. Roedd yr arian mawr wedi dechrau ymddangos, ond doedd dim ohono yn hedfan o 'nghwmpas i! Roedd taith wedi'i threfnu ar gyfer tîm Cymru'r haf hwnnw i Ganada ac America, chwe gêm i gyd, tair ohonyn nhw'n gêmau prawf. Y ddau fachwr a ddewiswyd yn wreiddiol oedd Jonathan Humphreys a minna, gyda Garin Jenkins, er synod falle, yn cael ei anwybyddu. Ond oherwydd anaf bu'n rhad i Jonathan dynnu nôl ac mi aeth Garin yn ei le wedi'r cyfan.

Do'n i ddim yn gweld fy hun yn ail ddewis i Garin yn y gêmau prawf ac ro'n i'n reit siomedig mai y fo gafodd ei ddewis ar gyfer yr un cynta yn erbyn UDA yng ngogledd Carolina. Mae'n rhaid i mi gyfaddef i mi gael rhyw deimlad o 'Dyma ni eto!' pan gyhoeddwyd y tîm. Mi gafwyd perfformiad digon siomedig gan Gymru, er i ni ennill 30–20. Roedd yr ail brawf yn San Francisco ac mi gefis 'y newis i chwara. Cael a chael oedd hi unwaith eto rhwng y ddau dîm a chyda chwartar awr yn weddill roedd y sgôr yn 23–23. Ond ddaru ni lwyddo rywsut i grafu trwodd 28–23, ar ôl perfformiad tîm digon siomedig. Ar gyfer y drydedd gêm brawf yn erbyn Canada, yn Toronto, er 'y mod i'n meddwl i mi wneud digon i gadw'n lle yn y gêm yn San Francisco, ro'n i nôl ar y fainc. Ro'n i'n cael y teimlad, erbyn hyn, y bydda gobeithion Garin o chwara yn y gêmau prawf, hyd yn oed pe byddai wedi torri ei goes, yn 50/50!

Pan oedd y tîm yn paratoi ar gyfer y prawf olaf hwnnw, yn hytrach na sefyllian o gwmpas, wrth i Kevin Bowring fynd trwy rai symudiadau, ddaru mi gerdded draw i ymuno â gweddill yr hogia, oedd yn gwneud ymarferion ffitrwydd ym mhen arall y cae, a thrio cael gwared ar rywfaint o'r rhwystredigaeth o'n i'n ei deimlo. Dyma Kevin yn gwylltio'n gacwn a gofyn i mi beth ar y ddaear ro'n i yn ei wneud. Mi aeth yn ffrae a minna'n deud wrtho pa mor anfodlon ro'n i nad oedd neb, unwaith yn rhagor, wedi cynnig eglurhad i mi ynglŷn â pham nad o'n i wedi cael 'y newis ar gyfer y prawf cynta na pham y collais i 'yn lle ar gyfer y prawf olaf.

Mi gliriodd y ddadl fach honno yr aer, hyd yn oed os na ddaeth dim byd arall ohoni. Roedd Kevin yn hyfforddwr da oedd yn deall y gêm i'r dim ac roedd hi'n golled i Gymru, yn 'y marn i, pan adawodd o i ymuno ag Academi Undeb Rygbi Lloegr. Ond ches i fawr o fudd allan o'n ymwneud i ag o, mwy nag o 'mherthynas i ag Alan Davies. Y rheswm penna am hyn, rwy'n cyfadde, oedd oherwydd nad oedd 'yn agwedd i fy hun atyn nhw'n ddigon iach i mi gael manteisio ar eu donia nhw. Ond roedd 'na reswm da am hynny, sy'n dal i lywio 'yn ffordd i o feddwl ynghylch sut y dyla chwaraewyr y garfan genedlaethol gael eu trin.

Yn 'y mhrofiad i mae chwaraewyr, yn enwedig rhai sy'n datblygu, yn fwy tebygol o fagu hyder os ydyn nhw'n cael gwbod lle yn union maen nhw'n sefyll, a'r hyfforddwyr yn dangos digon o hyder yn y chwaraewyr drwy eu rhoi ar y cae i gychwyn, neu fel eilydd, am rediad o ddwy neu dair gêm. Byddai arddel system o'r fath yn rhoi cyfle i hyfforddwyr asesu gwir ddonia chwaraewyr dan wahanol amgylchiadau. Cyfle hefyd i dynnu pwysa oddi ar rai chwaraewyr fydda'n meddwl eu bod nhw'n cael eu barnu ar sail, falle, un gêm yn unig. Oherwydd hynny fydden nhw ddim, o bosib, yn gwneud cyfiawnder â nhw eu hunain nac yn llwyddo i chwara i'w llawn botensial. Chefis i ddim cyfle i elwa oddi wrth unrhyw gynllun o'r fath yn 'y nghyfnod cynnar i yng ngharfan Cymru neu fe faswn i, mae'n siŵr, wedi ymateb yn well i'r profiad. Mae'n rhaid cyfadda i mi weld y sefyllfa'n gwella'n fawr o dan reolaeth hyfforddwyr fel Steve Hansen a Scott Johnson, dau hyfforddwr oedd bob amser yn fodlon eistedd i lawr gyda chwaraewyr er mwyn egluro a thrafod.

Yn 'y marn i roedd y daith honno i Ganada ac America yn gamgymeriad o ran y ffordd y cafodd ei threfnu. Roedd rhyw hanner dwsin o chwaraewyr gorau Cymru yn Ne'r Affrig gyda'r Llewod ar y pryd, felly, yn hytrach na thrin y daith i Ogledd America fel un o bwys, a chwara gêmau prawf roedd disgwyl i ni eu hennill yno, mi ddyla Undeb Rygbi Cymru fod wedi nodi o'r dechra mai taith ddatblygu oedd hi'n mynd i fod, a phwyslais ar arbrofi. Wedi'r cyfan doedd Canada ac UDA ddim yn cael eu hystyried yn dimau cryf ar y pryd ac ni fydda rhyw lawar o glod i'w gael o guro'r ddwy wlad honno. O ganlyniad roedd 'na ymdeimlad ymhlith y chwaraewyr mai taith i'w mwynhau oedd hi i fod, yn hytrach na gwaith caled. Falle mai'r agwedd hon a arweiniodd Arwel Thomas, Nathan Thomas a Gareth Thomas i liwio'u gwalltia'n felyn yn ystod dyddiau cynnar y daith, nes i Kevin Bowring eu gweld nhw, a'u gorfodi i ail-liwio'r gwallt, yn ôl i'w liw gwreiddiol.

Pan ddychwelon ni, roedd sefyllfa ariannol Llanelli yn destun trafod a'r pesimistiaid yn proffwydo y byddai'r clwb yn siŵr o fynd â'i ben iddo. Ro'n i, beth bynnag, yn edrych ymlaen yn fawr iawn at y tymor newydd gan y byddai'n rhyw fath o binacl ar 'y ngyrfa hyd hynny. Y rheswm oedd 'mod i wedi cael 'y ngwneud yn gapten ar gyfer 1997–98. Mi ddaru Gareth Jenkins bwysleisio erioed, bob cyfle y câi o, gymaint o fraint roedd hi i unrhyw un gael chwara i'r Sgarlets. Mi fydda fo'n arfar atgoffa'r hogia'n gyson eu bod yn cynrychioli gobeithion tref ac ardal oedd mor ymwybodol o hanes, traddodiad a llwyddiant clwb oedd yn cael ei barchu ledled y byd rygbi. I mi, roedd cael 'y ngwneud yn gapten ar glwb o statws Llanelli yn anrhydedd aruthrol ac mi ro'n i'n benderfynol o drio gwneud cyfiawnder â'r swydd yn ystod y tymor oedd i ddod.

Uchafbwynt y misoedd cynta oedd y gêm fawr yn erbyn y Crysau Duon ar y Strade. Roedd 'na gymaint o sôn wedi bod ymlaen llaw am gampau'r ddau dîm, yn enwedig am fuddugoliaeth syfrdanol y Sgarlets yn 1974, nes bod yr ardal ar dân cyn y gêm a'r disgwyliadau'n uchel. Ond yn eironig, fel y digwyddodd hi, roedd gêm 1997 yn cynrychioli awr dywyllaf y Sgarlets erioed ar sawl cyfrif. Ddaru ni golli 3–81, y sgôr ucha erioed yn erbyn Llanelli. Er hynny i gyd, yn rhyfedd iawn, doedd gen i ddim cywilydd fel capten. Ro'n i'n gwbod bod yr hogia wedi trio'u gorau ond roedd y Crysau Duon wedi chwara rygbi ysgubol ac roedd hi'n amhosib, bron, i amddiffyn yn ei erbyn o.

Mi ddaeth Gareth Jenkins i mewn i'r ystafell newid ar ôl y gêm gan ddweud, *"Wel, there wasn't much you could do about that!"* Yr unig gysur i ni oedd ei bod hi'n gêm glos am yr ugain munud cynta, yna mi agorodd y llifddorau, gyda chwaraewyr fel Christian Cullen a Jeff Wilson yn rhedeg reiat. Petai rhywun yn gofyn i mi sut oedd yr ymrafael yn y chwara tyn, 'yn ymateb cynta i fydda, "Pa ymrafael?" Oherwydd cyn gynted ag y bydda'r ddau bac yn ymglymu ar eu pêl nhw, mi fyddai'r bêl wedi cael ei symud oddi yno mewn chwinciad. Ar 'yn pêl ni mi fydden nhw'n ddigon bodlon i ni ei chael hi, yna ar ôl 'yn hela ni'n un haid a'n taro ni lawr yn rhwydd, mi fydden nhw'n cymryd y bêl oddi arnan ni. Yn wyneb y bwlch oedd rhwng y ddau dîm dw i'n meddwl bod awdurdodau rygbi Seland Newydd wedi dod i benderfyniad, ar ôl y gêm honno, na fydda'r Crysau Duon byth eto'n chwara yn erbyn un clwb unigol yn ystod teithiau'r dyfodol. Fel arfer, wrth gyflwyno rhyw air byr o ddiolch ar ôl gêm, yn rhinwedd 'yn swydd fel capten, mi fyddwn i'n trio meddwl am rywbeth ffraeth i'w ddweud. Yn yr achos arbennig yma roedd trio bod yn ddoniol braidd yn amhriodol ond, yn fwy na hynny, roedd trio siarad o gwbl yn drech na mi. Ar ôl canmol y Crysa Duon a diolch am y wers, bu'n rhaid i mi eistedd i lawr.

Cymysg yw'r disgrifiad mwya teg o'n perfformiad ni yn y Gynghrair y tymor hwnnw ac unwaith eto doedd y garfan ddim yn ddigon cryf, yn enwedig pan fyddai anafiadau'n taro. Canlyniad hynny oedd y bu'n rhaid i mi chwara yn safle'r prop pen tyn mewn rhai gêmau tua diwedd y tymor, a hynny yn erbyn tima a chanddyn nhw reng flaen reit gadarn, megis Pontypridd a Chastell Nedd. Mae'n rhaid i mi gyfadda 'mod i wedi mwynhau'r profiad gan fod agweddau ar chwara'r safle hwnnw a chwara'r bachwr yn ddigon tebyg. Mae gofyn i'r prop pen tyn, er enghraifft, fel y bachwr, gael ysgwydd dde gadarn er mwyn medru pwyso i lawr ar y prop pen rhydd rhag iddo gael ei godi. Mi awgrymwyd i mi'n gynnar yn 'y ngyrfa y dyliwn i falle ystyried chwarae yn y safle hwnnw yn hytrach nag yn safle'r bachwr. Yn wir yn Ffrainc, nid peth anghyffredin yw gweld ambell fachwr a phrop pen tyn yn cyfnewid safleoedd. Ond wrth gwrs mae gofyn i fachwr fod ychydig bach yn gryfach fel ei fod o'n medru cynnal yr holl bwysa sydd arno yn y sgrym yn weddol gyfforddus. Mae ganddo yn ogystal ddyletswyddau eraill o gwmpas y cae sy'n gwneud y safle hwnnw ychydig bach yn fwy diddorol.

Ddaru ni ddim llwyddo i fynd drwodd i rownd yr wyth olaf ym Mhencampwriaeth Heineken yn 1998, ond roedd y gystadleuaeth arbennig honno yn gofiadwy i mi am un rheswm yn unig, sef y ffordd farbaraidd yr aeth Pau ati i chwarae yn ein herbyn ni yn Ffrainc. Roeddan ni wedi cael profiad o'u dulliau ciaidd nhw'r flwyddyn gynt, ond doeddan ni ddim yn disgwyl i betha waethygu gymaint. Ddaru nhw ennill 44–12 ond mi ddaru fy ymdrechion i gael eu sianelu'r prynhawn hwnnw i drio sicrhau fod chwaraewyr y Sgarlets yn aros yn ddianaf, trwy ymddwyn, o raid, yn reit fygythiol, a hynny wedi i'r bêl hen fynd. Ro'n i'n gwirioneddol boeni am ein diogelwch ni ar y cae, yn enwedig gan nad oedd y dyfarnwr yn barod i wneud dim byd i'n hamddiffyn ni. Doedd y ffaith ein bod ni wedi eu curo nhw ar y Strade yn ddiweddarach, mewn gêm weddol dawel, ddim yn gysur o gwbl. Mi fu'r Sgarlets erioed yn dîm sy'n licio 'chwara rygbi' a tydw i ddim yn cofio i ni fynd allan ar y cae ar unrhyw adeg gyda'r bwriad o geisio brifo chwaraewyr eraill oddi ar y bêl. Ydan, mi rydan ni'n medru amddiffyn ein hunain gyda'r gora, fel arfer, os bydd y tîm arall â'i fryd ar greu llanast. Ond eilbeth oedd y bêl i Pau ac, o ran sgori pwyntiau, roedd yn well gynnyn nhw ddull y sgwâr bocsio, heb gydnabod rheolau'r gamp honno chwaith.

Cyn i'r tymor ddod i ben, mi ddaru mi gael gwahoddiad gan Glwb Rygbi'r Wyddgrug i fynd yno i agor cae ymarfer synthetig newydd ac ro'n i'n falch iawn o gael gneud hynny. Mi fydda i'n trio dychwelyd i'r gogledd cyn amled â phosib er mwyn hybu rygbi yno a gwneud yn siŵr nad ydw i'n anghofio'r math o gefndir ddaru mi ddod ohono. Mae ceisio gwella safona yno yn dalcen caled ond tydw i ddim yn meddwl mai'r ffordd ymlaen, fel sy'n digwydd ar hyn o bryd, yw cael y clybiau gora yn y gogledd i chwara bob wythnos yn erbyn timau o'r de yn Adran 3 yr Undeb. Mae hyn yn gofyn am ymroddiad arbennig o daer gan y chwaraewyr, fydd yn siŵr o wanio ymhen ychydig o flynyddoedd. Yn sicr mae timau o'r de yn ei chael hi'n anodd teithio, er enghraifft, yr holl ffordd i Langefni i chwara, er mai dim ond unwaith y tymor mae gofyn iddyn nhw wneud hynny. Yr ateb, yn 'y marn i, fydda sefydlu tîm lled broffesiynol yn y gogledd yn cynnwys y chwaraewyr gora o blith y clybiau yno a falle rhyw bedwar neu bump chwaraewr o safon na lwyddon nhw i gyrradd cweit i'r brig yn y de, a fydda'n fodlon ymrwymo i dreulio amser gyda'r tîm newydd. Mi fydden nhw'n cael eu talu'n deg ac yn chwara bob tymor, maes o law, yn erbyn y pedwar tîm rhanbarthol o'r de, yn ogystal â thimau erill. Efallai bydda tîm y gogledd yn cael ei guro'n rhwydd ar hyn o bryd ond, o gael yr ymrwymiad iawn gan y garfan, a hyfforddiant cymwys gan staff profiadol am ychydig o flynyddoedd, rwy'n meddwl y galla cynllun o'r fath weithio.

Mi fydda 'na fanteision erill. Ar hyn o bryd mae nifer o chwaraewyr o'r gogledd yn ymuno â chlybia'r de ac, ar ôl methu â chyrraedd y lefel uchaf, maen nhw'n diflannu ymhlith y clybia llai yno. Bydda sefydlu tîm lled broffesiynol o bwys yn y gogledd falle'n fodd i gadw'r chwaraewyr gora yn y gogledd. Rhwng gêmau, ar wahân i'r cyfnoda y bydden nhw gyda'r garfan yn gweithio, er enghraifft, ar dactegau, gallai hyfforddwyr y tîm newydd a'r dyrnaid o chwaraewyr o safon, dreulio amser yn ymweld â'r gwahanol glybia i geisio hybu'r gêm fan'no. Bydda'r aelodau hynny o'r garfan sy'n chwara i'r clybia o wythnos i wythnos yn gallu tynnu ar eu profiada gyda'r tîm newydd, er lles eu cyd-chwaraewyr yn y clybia. Mi fydda hyn oll yn sicr yn ffordd o wella safon rygbi yn y gogledd yn sylweddol ac o bosib yn hwyluso'r ffordd i'r gogledd fod yn brif ardal ddatblygu'r Undeb. Yn wir bydda lle i ddadla dros sefydlu Academi Rygbi Genedlaethol yno a phwy a ŵyr, hwyrach y gwelwn i'r gogledd rywdro yn dod yn bumed Rhanbarth Undeb Rygbi Cymru a chael cystadlu yng nghwpan y Parker Pen!

Er gwaethaf ambell siom yn ystod 1997–98, ddaru Llanelli orffen y tymor yn fuddugoliaethus trwy ennill Cwpan Hyder (SWALEC gynt), gan guro Glynebwy, 19–12 yn Ashton Gate, Bryste. Roedd o'n deimlad bendigedig fel chwaraewr ac yn enwedig fel capten, yn fwy fyth o gofio ein bod ni cyn hynny wedi colli dair gwaith yn olynol yn y rownd gynderfynol ac mai dyma'r tlws cynta i Lanelli ei ennill ers 1992–93! Do'n i'n bersonol erioed wedi bod yn aelod cyflawn o unrhyw dîm oedd wedi ennill tlws o'r blaen, ac eithrio yng Nghystadleuaeth Saith Bob Ochr Cwm Tawe! Mae'n wir 'mod i'n aelod o garfan Abertawe pan ddaeth y clwb yn Bencampwyr Cynghrair Heineken yn 1993, ond do'n i ddim yn aelod rheolaidd o'r tîm hwnnw ac roedd yna deimlad i mi gyflawni rhywbeth pwysicach o lawer yn Ashton Gate. Ro'n i'n synhwyro hefyd, wedi cyfnod digon cythryblus, fod y llanw'n dechrau troi o blaid Clwb Llanelli, a 'mod inna bellach yn cael cyfle i ddangos 'y nghymeriad fel person, i fynegi'n hun go iawn fel chwaraewr ac i ddefnyddio 'nylanwad, er gwell, fel capten.

Chefais i fawr o gyfle i wneud fy marc ar y lefel ryngwladol yn 1998. Ar ddechra'r flwyddyn honno ro'n i ar y fainc i dîm A Cymru, yn bedwerydd dewis fel bachwr, y tu ôl i Barry Williams, Garin a Jonathan Humphreys. Yna, mi gefis i 'newis i dîm A Cymru yn erbyn Iwerddon a Ffrainc, a Barry Williams bellach wedi disgyn o fod yn ddewis cynta i fod yn bedwerydd dewis. Ro'n i'n falch iawn o gael y cyfle i chwara i'r tîm A unwaith eto er nad oedd gen i obeithion y byddwn i'n debyg o weithio'n ffordd nôl i'r brif garfan. Ond ddaru Kevin Bowring ymddiswyddo fel hyfforddwr Cymru ddiwedd y tymor hwnnw, yn dilyn canlyniadau siomedig, yn enwedig yn erbyn Ffrainc a Lloegr.

Trefn Newydd

They always say that time changes things, but you actually have
to change them yourself.

Andy Warhol

Yn dechra tymor 1998-99 mi gafodd Graham Henry ei benodi'n
hyfforddwr cenedlaethol Cymru. Mi roedd yr enw'n gwbl
ddieithr i mi a do'n i ddim yn disgwyl y bydda unrhyw newid mawr
i'n sefyllfa bersonol i o dan ei arweiniad o. Y peth cynta o bwys
ddaru o'i wneud oedd cynnal dwy gêm brawf y mis Medi hwnnw, y
naill yng Nghaerdydd a'r llall yn Abertawe, er mwyn iddo gael cyfle
i fwrw llinyn mesur dros chwaraewyr amlyca Cymru ar ddechra'r
tymor. Mi gefis i 'newis i eistedd ar y fainc yng ngêm Abertawe ond
ches i ddim cyfle wedyn i dorri gair gyda Graham am 'y ngobeithion
personol i nac am unrhyw ran fydda gen i yn ei gynlluniau fo.

Yng Nghlwb Llanelli roedd awyrgylch positif, calonogol iawn
i'w deimlo ar ddechrau'r tymor, a phawb yn synhwyro bod y dyddia
ansicr, tywyll, a fu'n gysgod dros y clwb ers rhyw ddwy flynedd,
bellach wedi diflannu. Efallai fod hyn wedi dylanwadu ar 'y newis
i, fel capten, o ddarn o gerddoriaeth i groesawu tîm Llanelli i'r
maes pan fyddai gêm yn cael ei darlledu ar y teledu. Ro'n i eisiau
dewis cân i'n hysbrydoli ni cyn y gêm, fyddai'n ddigon hawdd
i'r dorf ei chanu ac a fyddai'n ein hatgoffa ni pwy roedden ni'n
'gynrychioli. Doedd pawb ddim yn gyfarwydd â'r gân ar y pryd, a'r
rhan fwya ddim yn deall y geiriau, nes iddyn nhw gael eu cyfieithu.
Ond unwaith y chwaraewyd hi ar y bws, roedd pawb yn gytûn, ar

Dafydd Iwan yn canu 'Yma o Hyd'!

Ar drothwy'r tymor, trefnwyd gwersyll ymarfer ar gyfer y chwaraewyr lawr yn Sir Benfro. Y bwriad oedd rhoi cyfle i aelodau'r tîm ddod i nabod ei gilydd yn iawn, yn enwedig y rhai oedd wedi ymuno â'r Clwb dros yr haf, chwaraewyr fel Salesi Finau, y canolwr o Tonga. Ar y cae doedd dim posib cael chwaraewr caletach, mwy ffyrnig nag o, a'i ymroddiad yn ei wneud o yn un o ffefrynnau mawr y Strade am rai blynyddoedd. A dweud y gwir, ro'n i'n dibynnu'n helaeth arno fo, neu Scott Quinnell, i ddefnyddio'i nerth i dorri'r llinell fantais ac i gymryd rhyw dri neu bedwar o amddiffynwyr allan o'r chwara. Oddi ar y cae, chaech chi neb mwy dymunol ac addfwyn. Fydda fo byth yn yfed alcohol, bob amser yn gweddïo cyn mynd ar y cae ac yn mynd yn selog i'r eglwys ar y Sul. Yn gymeriad hoffus dros ben, roedd hi'n fraint cael dod i nabod Salesi.

A minna ar 'yn ail dymor fel Capten, roedd hi'n braf iawn cael canlyniada da o'r cychwyn, y tymor hwnnw. Roedd y chwaraewyr, falle, yn fwy balch nag arfer o hynny, gan fod y clwb, am y tro cynta, wedi cynnig cytundebau i ni oedd yn golygu ein bod ni'n cael ein talu yn ôl ein canlyniada... hynny yw, llai o gyflog os nad oeddan ni'n ennill. Mi gynhaliwyd cyfarfod gan y chwaraewyr i drafod y mater, gan fod rhai'n anhapus â'r drefn honno, ond o'm rhan i, roedd o'n gynllun teg iawn. Fel y datblygodd pethau yn ystod y tymor, profodd y trefniant hwnnw i fod yn un digon buddiol i ni.

Mi ddaru ni wneud yn reit dda yng Nghwpan Heineken eto'r tymor hwnnw, a chafwyd canlyniadau derbyniol yn y gêmau rhagbrofol yn erbyn Stade Français a Begles Bordeaux ar y Strade, a buddugoliaeth wych 34–27 yn Leinster, oedd yn cael eu hyfforddi gan Mike Ruddock, ar ôl bod ar ei hôl hi 0–21 ar un adeg. Dau beth rwy'n eu cofio'n arbennig am y gêm oedd bod y tri brawd Boobyer wedi sgori cais yr un i ni. Tybed ydy hynny'n record ynddi'i hun? Hefyd, 'mod i wedi mynd trwy'r gêm heb orfod bachu'r un bêl. Hynny yw, rhoddwyd y bêl i mewn i'r sgrym bob tro ychydig tu cefn i 'nhraed i. Ond chawson ni ddim ein cosbi unwaith, felly roedd y tric roeddan ni wedi ei ddysgu ar ôl chwara nifer o gêmau yn Ffrainc wedi talu ffordd. Un bonws bach a ddaeth yn sgil y gêm honno yn Leinster oedd bod Graham Henry, ddaru ddod draw yn un swydd i'w gweld hi, wedi galw i mewn i'n hystafell newid ni wedyn i'n llongyfarch ni ar berfformiad ardderchog. Ond yn anffodus, mi dalodd y Gwyddelod y pwyth yn ôl i ni ar y Strade ac mi ddaru ni golli hefyd y gêmau oddi cartre yn erbyn y ddau dîm o Ffrainc.

Ers rhai wythnosa, roedd gewynnau 'y mhen-glin dde wedi bod yn brifo ac oherwydd nad o'n i'n gyfforddus yn rhoi 'y mhwysa llawn arni, yn enwedig wrth redeg, ddaru mi ddechra trio arbed rhywfaint arni. Y canlyniad oedd i mi ddechra cael poen reit ddrwg yn yr afl rhwng 'y nwy goes. Doedd dim posib byw efo fo, felly ddaru Llanelli benderfynu 'y ngyrru i glinig preifat yn Llundain at Dr Gilmour. Roedd y llawfeddyg yn adnabyddus trwy'r byd chwaraeon am drin yr anaf arbennig hwnnw oedd, yn ôl yr hyn ddywedodd o wrtha i, yn anaf mor gyffredin fel y dylai pob chwaraewr rygbi a phêl-droed gael y driniaeth arbennig honno er mwyn cryfhau'r afl. Yn wir, yn y clinig ar yr un adeg â mi ac am yr un rheswm, roedd Duncan Ferguson, ymosodwr Everton. Y diwrnod ar ôl y llawdriniaeth, ro'n i'n cerdded oddi yno, ond mi aeth chwech wythnos heibio cyn y medrwn i ymarfer yn iawn ar y Strade ac, yn naturiol, mi roedd lefel 'yn ffitrwydd i wedi disgyn tipyn yn y cyfamser. Yn ystod y cyfnod hwnnw hefyd bu'n rhaid i mi fod yn ofalus iawn yn 'y ngwaith bob dydd gyda SWALEC a pheidio â dringo polion nac ystolion.

Ro'n i ar dân isio dod nôl i arwain Llanelli yn y ras am Bencampwriaeth Cymru. Roeddan ni wedi gneud yn dda ar hyd y tymor ac, er bod ennill y Cwpan y flwyddyn gynt wedi bod yn hwb mawr i'r Clwb, y prawf mawr i ni oedd dangos ein bod ni bellach yn gallu cynnal y cysondeb ar hyd y tymor sydd ei angen os am ennill cystadleuaeth. A dyna naethon ni ac roedd hi'n deimlad braf iawn i mi'n bersonol fod y tîm wedi ennill y Cwpan yn 'y mlwyddyn gyntaf i fel capten a Phencampwriaeth Cymru yn fy ail flwyddyn wrth y llyw. Un hwb mawr gafodd y tîm yn ail hanner y tymor oedd gweld John Davies, y prop o Boncath, yn dychwelyd o

Glwb Richmond i chwara i'r Sgarlets. Ro'n i'n arbennig o falch o'i weld o'n ymuno â ni, yn y lle cynta am ein bod ni'n hen ffrindia o ddyddia cystadleuaeth y Cymro Cryfa. Yn ail, mi ddaru o gryfhau'r rheng flaen yn sylweddol, gan barhau i wneud cyfraniad aruthrol dros gyfnod maith.

Ond doedd dim Cwpan i fod y tymor arbennig hwnnw gan i ni gael 'yn chwalu 10–37 gan Abertawe yn y Rownd Derfynol ar Barc Ninian. Erbyn mis Mai roeddan ni'n dîm blinedig iawn, yn chwarae rhyw ddwy gêm yr wythnos tua diwedd y tymor, yn bennaf oherwydd bod gêmau wedi eu gohirio am 'yn bod ni wedi cyrraedd yr wyth olaf yng Nghwpan Ewrop.

Anrhydedd arall ddaru mi gael y mis Mai hwnnw oedd dychwelyd i Borthaethwy i agor yn swyddogol gae a Chlwb Rygbi'r Borth ar eu newydd wedd. I nodi'r achlysur, cafodd gêm arbennig ei threfnu rhwng y tîm cynta a thîm y Llywydd ac roedd hi'n braf iawn cael chwara unwaith eto yn yr un tîm â ffrindia dyddia ieuenctid fel Trystan a Huw Percy. Roedd y gêm ei hun, fel y diwrnod ar ei hyd, yn brofiad pleserus dros ben ac ro'n i'n falch iawn o gael y cyfle i dalu nôl mewn rhyw ffordd i Wil, oedd yn Llywydd y clwb bellach, i Doug Barnes ac i nifer o bobl erill yno y cefis i gymaint o gefnogaeth gynnyn nhw ar hyd y blynyddoedd. Roedd yr achlysur yn bwysig iawn i mi hefyd o ran fy ngwreiddiau ar Ynys Môn. Mi rydw i wedi gwerthfawrogi pob cyfle i ddychwelyd ers i mi ymgartrefu yn y De a bu'n fraint, er enghraifft, i dderbyn fwy nag unwaith, wobr arbennig gan Gyngor Ynys Môn am 'y nghyfraniad i'r byd chwaraeon. Yn yr un modd, ym mis Medi 1999, roedd hi'n bleser cael derbyn gwahoddiad i agor adeilad newydd Clwb Rygbi Llangefni.

Ond roedd un siom yn fy nisgwyl ddiwedd tymor 1998–99. Er y llwyddiant a gawson ni yn ystod 'y nghyfnod i fel capten Llanelli, roedd Gareth Jenkins o'r farn fod y gêm yn erbyn Abertawe yn Rownd Derfynol y Cwpan wedi cymryd tipyn allan ohono i. Mi benderfynodd felly mai Wayne Proctor ddyla fod yn gapten ar gyfer y tymor nesa, gan ei fod o wedi bod yn aelod ffyddlon o'r tîm cynta ers blynyddoedd. Ar y pryd do'n i ddim yn meddwl y dyla'r rheswm hwnnw ynddo'i hun fod yn llinyn mesur ar gyfer dewis capten. O gofio'r pwys roedd Gareth ei hun yn ei roi ar yr anrhydedd y dylai pob chwaraewr ei deimlo wrth wisgo crys y Sgarlets, ac yn enwedig crys y capten, mae'n siŵr y bydda fo'n gallu deall bod colli'r swydd arbennig honno wedi bod yn dipyn o siom i mi.

Roedd rygbi erbyn hyn wedi mynd yn gêm fwy proffesiynol ar sawl cyfri. Roedd y safonau'n uwch, a llawer mwy o sylw yn cael ei roi i dactegau, i ffitrwydd ac i bŵer, ac roedd mwy o ofynion ar chwaraewyr. Oherwydd hyn i gyd, mi benderfynis i, ddiwedd tymor 1998–1999, y baswn i'n gofyn i Western Power 'yn rhyddhau i o 'ngwaith ar ddyddia Mercher, gan mai dyna'r unig ddiwrnod llawn y byddai Llanelli yn ymarfer. Y gŵr a roddodd ganiatâd i mi wneud hyn oedd Phil Davies, 'y mhennaeth i yn Llanfihangel-ar-arth ac wedyn ym Mhontarddulais ac mae'n rhaid i mi ei ganmol am y ffordd deg y cefis i 'y nhrin ganddo yn ystod 'y nghyfnod i gyda Western Power. Ychydig fisoedd yn ddiweddarach, dechreuodd y cwmni sôn am y posibilrwydd o orfod diswyddo staff, oedd yn bryder mawr ar y pryd i 'nghydweithwyr i. Mewn cyfarfodydd Undeb ro'n i'n reit dawel fel arfer ond pan alwyd cyfarfod gyda'r rheolwyr i drafod y mater, bu'n rhaid i mi ddweud 'mod i'n ofni bod gan y Cwmni agenda cudd i ddod â chontractwyr preifat i mewn i wneud mwy a mwy o'r gwaith y bydda'r gang yn arfer ei wneud. Falle, o edrych yn ôl, 'mod i'n teimlo, yn ôl y ffordd roedd y byd rygbi'n symud, fod gen i lai i'w golli na'r hogia erill wrth ddweud 'y marn yn blaen a rhoi rhywfaint o hwb i'w hachos nhw.

Mae'n rhaid i mi gyfadda bod y diwrnod ychwanegol hwnnw o ymarfer wedi gneud gwahaniaeth i'n ffitrwydd i ac ro'n i'n teimlo bod y sesiynau'n tynnu'r gora allan ohono i. Dw i wedi licio erioed holi un neu ddau o'r hogia erill yn ystod sesiwn ymarfer caled, ac oeddan nwytha hefyd yn hoffi her yr ymarferion. Fydda dim pwynt i mi ofyn, er enghraifft, i Steve Ford, yr ail reng, neu i Martyn Madden, oherwydd ro'n nhw yn gweld pob sesiwn ymarfer yn eithriadol o galed! Fel llinyn mesur i'n ffitrwydd personol, roedd yn well gen i holi chwaraewr fel Simon Easterby, oedd bob amser yn gwbl broffesiynol ei agwedd tuag at ymarfer a pharatoi. Ro'n i wedi cael gwers gynnar, bwysig gan Meic Griffith yng Nghlwb Porthaethwy ac rwy i wedi ei chofio ar hyd 'y ngyrfa. Ei eiria fo oedd, "Paid byth â dangos i'r boi ffitrwydd ei fod o wedi cael y gora arnat ti. Dangos dy fod ti'n barod am fwy." Ond tydy hi ddim wedi bod yn hawdd dilyn y cyngor hwnnw bob tro!

Er gwaetha'r gwaith caled i drio gneud yn siŵr 'mod i'n barod ar gyfer tymor 1999–2000, mi gefis siom fawr yn y gêm gynta yn erbyn Glynebwy. Mi gefis anaf i 'mhen-glin ddaru gadw mi allan o'r gêm am wythnosa. Roedd yna ymarferion erill ro'n i'n gallu eu gneud yn rheolaidd yn y cyfamser, er enghraifft chwythu i beiriant cynyddu capasiti'r sgyfaint a thasga cryfhau rhan ucha'r corff. Yn ogystal, wrth gwrs, ro'n i'n cael triniaeth i'r anaf dan ddwylo medrus Dai Chips, neu, i ambell un nad oes ganddo gysylltiad â Llanelli, David Jenkins, ffisiotherapydd y Strade ac un o gymeriada'r Clwb. Roedd Dai'n cael gwbod hanes pawb a phopeth o'r gwely trin anafiadau a doedd neb ar y Strade'n gwbod mwy nag o am hynt a helynt y chwaraewyr. Mae hyn yn wir am bob physiotherapydd, ac rwy'n gwybod pa mor bwysig yw'r rhan mae Mark Davies, physiotherapydd Cymru, wedi ei chwarae dros y blynyddoedd a chymaint mae sawl hyfforddwr wedi elwa o'i waith.

Yr hydref hwnnw, wrth gwrs, cafwyd bwrlwm Cwpan y Byd yng Nghymru ond toedd gen i ddim rhan i'w chwara yn ymgyrch Cymru, oedd yn ddigon siomedig gwaetha'r modd. Ond ro'n i'n rhan o rediad gwych Llanelli yng Nghwpan Heineken y tymor hwnnw. Ddaru ni gael canlyniad ardderchog yn Bourgoin yn y rownd ragbrofol, y tîm cynta o Gymru i gael buddugoliaeth yn Ffrainc yn y gystadleuaeth arbennig hon, ac ennill hefyd yn Ulster. Ond falle mae'r gêm fwyaf cofiadwy oedd honno pan guron ni'r Wasps mewn awyrgylch trydanol ar y Strade. Rwy'n cofio Scott Quinnell yn rhedeg dros Lawrence Dallaglio, a drwadd, a Craig Gillies yn carlamu fel camel ar hyd yr ystlys i sgorio cais i sicrhau 'yn bod ni'n ennill o ddeg pwynt i fynd drwodd i'r rownd nesa. Mi gollodd Lawrence ei ben yn lân yn ystod y gêm wedi i Ian Boobyer dynnu arno. Dyna un o brif gryfderau Ian ar y cae, ac oddi arno. Un enghraifft o'i bryfocio sy'n sefyll yn y cof ydy gweld wyneb John Davies wedi iddo gyrraedd diwedd llyfr roedd o wedi bod yn ei ddarllen ers tro, a ffeindio bod y bennod olaf wedi ei rhwygo oddi yno!

Ymlaen wedyn i rownd yr wyth olaf, a buddugoliaeth yn erbyn Caerdydd, ac yna'r siom fawr o golli 28–31 yn erbyn Northampton yn y rownd gynderfynol, pan giciodd Paul Grayson gic gosb, yn yr amser a ganiatawyd am anafiadau, i ennill y gêm. Hyn wedi i Ian Boobyer gael ei gosbi am gicio'r bêl o ddwylo'r mewnwr Don Malone, ddaeth ar y cae fel eilydd i Matt Dawson. Mi gath yr hen Ian dipyn o *stick* gan yr hogia wedyn. Oherwydd tywydd poeth y diwrnod hwnnw, mi ddaru'r chwaraewyr i gyd roi eu penna mewn bwcedi mawr o ddŵr a rhew ynddo fo i drio gostwng tymheredd eu cyrff yn ystod hannar amsar. Diolch byth nad oedd yn rhaid chwara amsar ychwanegol.

Yr hyn ddaru wneud argraff arbennig arna i yn Stadiwm Madejski yn Reading, ar wahân i Stephen Jones yn cicio 23 pwynt, oedd y gefnogaeth drydanol gawson ni. Wrth deithio ar y bws i'r cae, y cyfan welwn i ym mhob man ar hyd y strydoedd yn ymyl, oedd cefnogwyr Northampton yn eu miloedd yn chwifio'u baneri, nes i mi ddechrau poeni mai cefnogaeth dena iawn roeddan ni'n mynd i'w chael. Ond wrth i'r bws droi i mewn i'r Stadiwm, roedd pen draw'r maes parcio'n fôr o goch, yn y man lle'r oedd yr holl bebyll cwrw. A ddaru berw eu cefnogaeth bara drwy'r gêm i gyd. Mae dilynwyr y Sgarlets yn enwog am eu cefnogaeth ar y Strade wrth gwrs ond mae'r hwyl a'r brwdfrydedd a ddangoson nhw'r diwrnod hwnnw, yn ogystal ag yn Nottingham yn erbyn Caerlŷr yn rownd gynderfynol Cwpan Heineken yn 2002, yn dal yn fyw iawn yn y cof heddiw.

Roedd colli'r gêm yn erbyn Northampton yn siom aruthrol ond roedd ennill Cwpan Cymru yn erbyn Abertawe yn Stadiwm y Mileniwm yn rhyw fath o gysur. Dyna'r tro cynta i mi chwara yno ac mae'n rhaid dweud ei fod yn un o'r llefydd gora dwi wedi chwara ynddo erioed. Mae'r adnoddau ar gyfer y cefnogwyr a'r chwaraewyr yn wych ac rwy'n hoff iawn o'r syniad o gau'r to ar dywydd gwlyb. Mae rhai o blaid gadael i'r elfennau chwara eu rhan mewn gêmau a gynhelir yno ond, i mi, does dim boddhad wrth chwara nac ennill gêm mewn tywydd drwg gyda'r to ar agor, os oes modd osgoi hynny.

Mi ddaru'r tymor rhyngwladol orffen ar nodyn reit galonogol hefyd, achos mi ddaru mi gael 'y newis yn eilydd i Garin ar gyfer gêm ola'r tîm cenedlaethol yn Nulyn. Yn ystod hanner amser tra oedd Graham Henry yn annerch y tîm yn yr ystafell newid, aeth Neil Jenkins a minna rownd y gornel i gicio pêl yn dawel bach nôl ac ymlaen i'n gilydd. Yn eironig cafodd y ddau ohonon ni ddod ar y maes pan oedd chwarter awr yn weddill ac yn fuan wedyn, a Chymru ar ei hôl hi 17–19, dyma Neil yn rhedeg y bêl o'i 22 ei hunan, ei phasio i mi, a minna, yn anarferol iawn i mi, yn rhoi cic bwt i'r bêl ar hyd y llawr. Doedd gen i ddim gobaith o'i chyrradd hi gynta ond ddaru Keith Wood 'y nal i nôl. Dyma Neil yn trosi'r gic gosb gafodd ei dyfarnu i ni o ganlyniad i'r drosedd, a'n rhoi ni ar y blaen. Ymhen ychydig, dyma fo'n cicio un arall i selio'r fuddugoliaeth 23–19. Mae'n rhaid bod yr ymarfer bach gawson ni yn ystod hannar amsar wedi talu. Roedd Cymru wedi gorffen yn bedwerydd yn y Bencampwriaeth, ac wedi cael tair buddugoliaeth y tymor hwnnw. Ro'n innau bellach wedi ennill 'y mhedwerydd cap rhyngwladol.

Er hynny roedd achlysur pwysica'r flwyddyn wedi digwydd ym mis Chwefror, sef geni Harry, ein hail blentyn. Roedd yn ddigwyddiad llawen iawn wrth gwrs, ond nid heb ei bryderon. Gan fod genedigaeth Billy wedi bod yn anodd i Tina ddwy flynedd ynghynt, roedd hi wedi penderfynu, ymlaen llaw, mai trwy lawdriniaeth *Caesarian* y byddai Harry'n dod i'r byd. Er i hynny ddigwydd yn ddihelynt, roedd Tina a minna'n synhwyro nad oedd petha'n iawn a bod rhyw fath o bryder ymhlith y staff meddygol yn Ysbyty Glangwili yn dilyn yr enedigaeth. Yna, i neud petha'n waeth, ddaru'r meddyg ofyn a oeddan ni'n gwbod unrhyw beth am ryw diwmor "oedd yno". Roedd y cyfan yn ddyrys iawn, ac yn achos tipyn o ofid ar y pryd, ond ymhen hir a hwyr, mi gawson ni wybod bod tiwmor ffibroid, o faint melon, wedi tyfu yng nghroth Tina. Soniwyd y byddai'n rhaid iddi ddod yn ôl i Ysbyty Glangwili i gael ei dynnu o wedi iddi gryfhau ar ôl yr enedigaeth. Dyna ddigwyddodd a chafodd hi ddim rhagor o drafferth oddi wrtho.

Ar ddechrau tymor 2000–2001 ro'n i'n teimlo 'mod i'n chwara'n well nag erioed ac yn awchu am gael profi fy hun ar y lefel ryngwladol. Yn y profion oedd yn rhan o raglen ymarfer y garfan genedlaethol, rwy'n cofio gwneud argraff arbennig ar Graham Henry â lefelau 'yn ffitrwydd i. Er hynny, yn y tîm A yr o'n i ar gyfer y ddwy gêm gafodd eu trefnu'r mis Tachwedd hwnnw, yn erbyn tîm A De'r Affrig a thîm A Seland Newydd, oedd yn cael ei hyfforddi gan Steve Hansen. Ond cyn hynny, roedd Graham wedi cael gair gyda mi i egluro sut roedd o'n gweld y byddwn i'n cyfrannu i'r garfan. Roedd o hefyd wedi 'ngwneud i'n gapten ar gyfer y ddwy gêm hyn, oedd yn anrhydedd fawr. Erbyn hynny roedd tîm A Cymru yn cael y parch roedd yn ei haeddu ac roedd trefniada ar gyfer gêmau o'r fath yn cael yr un sylw â rhai gêmau'r tîm cenedlaethol. Roeddan ni bellach yn cwrdd, chwe diwrnod cyn y gêm, yng ngwesty'r Vale ym Mro Morgannwg. Dros y cyfnod hwnnw mi fyddan ni'n ymarfer, trafod tactegau, cynnal cynadleddau i'r wasg, cynnal cyfarfodydd rhwng y chwaraewyr hŷn a'r staff hyfforddi a mwynhau sesiynau ymlacio gyda'n gilydd. Roedd un prynhawn a noson yn rhydd yn y canol i ni fynd gartre tan y bore wedyn.

Er i ni golli'r ddwy gêm honno, ro'n i'n teimlo 'mod i wedi chwara'n reit dda fy hun a 'mod i wedi cael hwyl ar arwain yr hogia. Ddaru ystadega'r llinellau, yn enwedig, greu tipyn o argraff, mae'n debyg, ar Graham Henry. Ar ôl y gêmau hyn mi ddaru pob aelod o garfan Cymru dderbyn adroddiad ysgrifenedig gan Graham oedd yn asesu pob agwedd ar ei gêm arbennig o. Ro'n i'n croesawu'r datblygiad hwn yn fawr iawn gan ei fod yn nodi'n union lle ro'n i'n sefyll yn llygaid yr hyfforddwr. Roedd 'yn adroddiad i yn ffafriol iawn ond roedd yn nodi 'mod i'n dal yn drydydd dewis yn olyniaeth y bachwyr, y tu ôl i Garin a bellach Andrew Lewis, prop o Glwb Caerdydd oedd hefyd yn gallu chwara yn safle'r bachwr. Doedd gen i ddim cwyn ynghylch lle Garin yn y drefn ond rwy'n meddwl bod yr ail ddewis hwnnw fel bachwr wedi'n sbarduno i ymdrechu hyd yn oed yn galetach i gyrraedd y brig.

Profiad siomedig gafodd Llanelli yng nghystadleuaeth Cwpan Ewrop y tymor hwnnw, gan fethu â mynd ymhellach na'r rowndiau rhagbrofol. Ond mi ddaeth uchafbwynt y tymor i mi ar Chwefror y 3ydd, 2001, sef chwara dros y tîm cenedlaethol yn erbyn Lloegr, yn Stadiwm y Mileniwm. Wedi saith mlynedd yn y diffeithwch, ers i mi gael 'y newis i chwara am y tro cynta i Gymru yn Fiji, ro'n i'n cael cychwyn gêm ym Mhencampwriaeth y Chwe Gwlad. Doedd dim rhyfedd felly i mi ystyried y cap hwnnw fel 'y nghap cynta go iawn i ac, yn ôl yr ymateb ddaru mi gael gan y teulu a'n ffrindia, yn gardiau llongyfarch a galwadau ffôn di-ri, roedd nifer o bobl erill yn meddwl yr un fath â fi.

Ond erbyn hynny, ro'n i'n derbyn mai arna i oedd y bai am y ffaith 'mod i wedi cael 'yn anwybyddu am gymaint o amsar. Do'n i ddim wedi gwerthfawrogi'r cyfleoedd ro'n i wedi eu cael, ddim wedi cymryd yr agwedd iawn, ddim wedi gofyn i mi fy hun pam nad o'n i'n cael 'y newis, a beth allwn i neud i wella petha. Ro'n i falle'n rhy barod i feirniadu ac erbyn hyn fedra i ddim coelio 'mod i wedi dweud rhai o'r petha wnes i wrth hwn a'r llall. Ond gan 'mod i wedi wastio'r cyfle cynta hwnnw flynyddoedd ynghynt, ro'n i'n benderfynol o wneud yn fawr o'r cyfle y tro hwn. Er hynny faswn i ddim wedi newid dim, gan i mi lwyddo i ddysgu gwersi o'r profiada hynny, sydd wedi bod yn werthfawr iawn i mi yn ystod gweddill 'y ngyrfa. Ro'n i'n teimlo erbyn hyn fod gen i reolaeth ar 'y ngêm ac wedi synhwyro bod gan Graham Henry dipyn o ffydd yno' i. Roedd hynny yn gneud byd o les i'r hyder ac i'n agwedd i.

Doedd y ffordd ddaru mi fynd i mewn i'r gêm honno yn erbyn Lloegr yn ddim gwahanol i'r hyn fuodd hi ar hyd 'y ngyrfa ryngwladol i. Pryd mawr o fwyd ar y nos Wener ac yna mynd gyda'r garfan i'r pictiwrs, arfer sy'n dal i ddigwydd ac a fu'n rhan o'r drefn ers degawdau. Yn y dyddia hynny roedd y digwyddiad fel trip ysgol: pawb yn cyrraedd y sinema *multiplex* mewn bws gyda'i gilydd, a Trefor James, Rheolwr y Garfan Genedlaethol, bryd hynny, yn arwain y ffordd. Yna, y fo, druan, fydda'n gorfod prynu'r tocynnau i'r criw i gyd, y fo fydda'n tywys pawb i'w seddi ac y fo fydda'n prynu ac yn dosbarthu'r Cornettos i gyd yn ystod yr egwyl! Ddaru petha newid yn y blynyddoedd diwethaf, gyda rhyddid i'r hogia fynd i'r pictiwrs fel y mynnen nhw, fel arfer yn eu ceir eu hunain.

Ddaru mi gysgu'n sownd y nos Wener arbennig honno a deffro'n fore. Ro'n i'n trio peidio â meddwl am y gêm gan fod hynny'n aml, yn f'achos i, yn gallu gneud i mi deimlo'n flinedig braidd. Yna codi tua hanner awr wedi deg a chael brecwast mawr o gig moch, wya wedi'u sgramblo, sos brown, a thost a phanad i ddilyn. Dim byd i'w fyta wedyn tan ar ôl y gêm. Yna, nôl i'n stafell am dipyn, lle ro'n i'n ddigon hapus gyda 'nghwmni fy hun. Yn wir, mi rydw i weithia'n teimlo'r angen i fod ar 'y mhen fy hun, fel ro'n i ar hyd y blynyddoedd pan o'n i'n treulio'r holl amser yna'n ymarfer ar 'y mhen fy hun ac yn byw ar 'y mhen fy hun ar ôl gadal cartra. Mi fydda i'n teimlo'r un fath weithia pan fydda i ar daith rygbi, ond does dim dwywaith fod rhai o'r hogia fydd efo fi yn meddwl bod hynny braidd yn od.

Roedd y daith bws i ddinas Caerdydd trwy'r miloedd o gefnogwyr ac i mewn i berfeddion y Stadiwm yn gofiadwy iawn, a'r cyfan yn ychwanegu at yr awydd i fynd i'r afael â thîm Lloegr mor fuan â phosib. Roedd 'yn rhieni i yn rhywle yn y dorf ond mi fuon nhw'n meddwl ddwywaith cyn dod i'r gêm achos yn y cyfnod yn arwain at y diwrnod hwnnw, ro'n nhw wedi mynd i feddwl eu bod nhw'n dod â rhyw *jinx* gyda nhw, gan 'mod i'n cael 'y mrifo bron bob tro ro'n nhw'n dod i 'ngweld i'n chwara!

Bachwr Lloegr yn fy erbyn i oedd Dorian West, oedd wedi'i eni'n Wrecsam a'i rieni'n dod o Ynys-y-bŵl, cynefin Garin wrth gwrs. Roedd Garin wedi chwara i Abertawe yn ei erbyn o y penwythnos cynt, felly dyma gael gair gydag o am ddonia bachwr Caerlŷr.

Dim byd i boeni amdano oedd y neges, ac felly y buodd hi o ran ymryson y rheng flaen, ond cythral o gweir gafodd Cymru, 15–44, oedd yn dipyn o siom i'r chwaraewyr a'r cefnogwyr. Ond roedd yn rhaid cyfadda bod Lloegr yn dipyn gwell tîm na ni'r diwrnod hwnnw. Roedd hi'n bwysig iawn i mi 'mod i wedi cael gêm go lew, gan 'mod i'n ei chyfri fel gêm 'ail gyfle'. Ddaru mi gadw'n lle ar gyfer y gêm nesa yn erbyn yr Alban ac wrth i ni gerdded o amgylch Murrayfield ar y dydd Gwener cyn y gêm honno, daeth Graham Henry ata i a dweud ei fod o'n sylweddoli 'mod i'n newydd i'r tîm cenedlaethol hwnnw ond ei fod o'n credu i mi wneud argraff fawr eisoes a'i fod yn fy ystyried i yn un o'r chwaraewyr mwya profiadol oedd gydag o, geiriau oedd yn naturiol yn gysur mawr i mi. Gêm gyfartal, 28–28, gawson ni yn yr Alban, a hynny er i ni fod ar y blaen ar un adeg o 25 i 6. Mi ddaru'r gêm yn erbyn Iwerddon gael ei gohirio oherwydd clwy'r traed a'r genau ac mi ddaru ni guro'r Eidal yn ôl y disgwyl. Ond y gêm ddaru roi'r pleser mwyaf i ni i gyd y tymor hwnnw oedd y fuddugoliaeth wych a gawson ni yn erbyn Ffrainc ym Mharis. Mae'r profiad o deithio i'r Stade de France yn gwbl unigryw. Bydd fflyd o blismyn ar gefn beicia modur yn arwain bws y tîm. Mi fydd y rheini'n hollol ddiamynedd wrth unrhyw geir fydd yn ara deg yn symud o'r ffordd ac yn rhoi cic iddyn nhw wrth eu pasio. Os byddan nhw'n meddwl ei bod hi'n haws teithio ar yr ochr anghywir i'r ffordd, yna bydd disgwyl i'r bws eu dilyn, waeth pa mor beryglus fo hynny!

Doeddan ni ddim mewn perygl o golli'r gêm yn erbyn Ffrainc y flwyddyn honno. Mi gawson ni fuddugoliaeth ardderchog o 43–35. Mi naethon ni'n well na'r disgwyl yn y llinellau a'r sgrymiau a minna'n teimlo'n gyfforddus iawn wrth bacio i lawr rhwng Dai Young a Darren Morris. Roedd Graham Henry mor falch o'r perfformiad hwnnw fel ei fod o wedi cyflwyno copi fideo o'r gêm i bob aelod o'r garfan, yn gofnod o'r camau positif roeddan ni wedi eu cymryd fel tîm ac yn batrwm ar gyfer yr hyn roedd o yn anelu ato ar 'yn cyfer ni.

Cyn y gêm yn erbyn Ffrainc, roedd 'yn enw i ymhlith y 67 o

chwaraewyr oedd dan ystyriaeth ar gyfer taith Llewod Prydain i Awstralia'r haf hwnnw. Ro'n i wedi arfer cael 'y ngadael allan o dimau ar hyd y blynyddoedd felly ro'dd y gwahoddiad yn un hollol annisgwyl, a do'n i ddim yn credu am eiliad y byddwn i'n rhan o'r garfan derfynol. Roedd y newydd, a gyhoeddwyd ar Ebrill 25, 2001, 'mod i wedi cael 'y newis yn y garfan derfynol o 37, yn gythral o sioc. O fod yn drydydd dewis i Gymru yn Nhachwedd 2000, ro'n i bellach yn un o dri bachwr, ynghyd â Keith Wood a Phil Greening, oedd yn cael eu hystyried fel y rhai gora yng ngwledydd Prydain. Dw i'n meddwl mai ar ben polyn o'n i pan ddaeth y newydd dros y radio 'mod i yn y garfan. Yn wir mi ges i lun o'r polyn, a minna ar ei dop o, wedi ei dynnu gan y cwsmer ro'n i'n gneud gwaith iddo ar y pryd. Y capsiwn oedd, 'Dyma lle roedd Robin McBryde pan glywodd o ei fod o wedi'i ddewis i'r Llewod!'

Wedi derbyn llongyfarchiadau o bob man, roedd hi'n bryd wynebu ambell broblem ymarferol fydda'n codi o fod oddi cartra am nifer o wythnosa. Roedd Tina eisoes wedi'n sicrhau i y bydda hi a'r hogia'n iawn. Mater arall roedd angen mynd i'r afael ag o'n syth oedd 'yn sefyllfa i yn Western Power. Y munud ddaru mi gerdded i mewn i swyddfa Phil Davies, 'y mhennaeth i, roedd o'n gwbod beth o'n i isio. Mi gawson ni drafodaeth gyfeillgar a ddaru ni gytuno y baswn i'n cymryd blwyddyn sabothol o'r gwaith. Roedd trefniant o'r fath yn fy siwtio i i'r dim, gan y bydda hynny'n 'y ngalluogi fi i fynd ar daith y Llewod ac yna i gael profiad o fywyd fel chwaraewr proffesiynol amser llawn am gyfnod, ar ôl i mi ddychwelyd o Awstralia. Roedd petha wedi dechra mynd yn anodd, beth bynnag, o ran cyflawni gofynion y gwaith a gofynion carfan Cymru. Ambell dro mi fu'n rhaid i hogia'r giang, chwara teg iddyn nhw, yn dawel bach, neud rhai dyletswyddau yn fy lle i. Roedd un mater bach ar ôl i'w setlo, serch hynny. Doedd Billy, oedd ychydig dros ei dair blwydd oed erbyn hyn, ddim yn ffansïo gweld ei dad yn troi yn llew o gwbl, medda fo!

Dofi'r Llew

Lots of people want to ride with you in the limo, but what you
want is someone who will take the bus with you when the limo
breaks down.

Oprah Winfrey

Daeth carfan y Llewod ynghyd am wythnos yn Tylney Hall, swydd Hampshire, ddiwedd Mai, 2001, cyn hedfan oddi yno i Perth, wythnos yn ddiweddarach. Hyfforddwr y Llewod ar gyfer y daith oedd Graham Henry, gyda'r Gwyddel, Donald Lenihan, oedd ei hun yn gyn-Lew, yn Rheolwr. Pwrpas y cyfnod preswyl hwnnw oedd rhoi cyfle i ni i gyd ddod i nabod ein gilydd ac i'r tîm rheoli ddod i wybod mwy amdanon ni. Yn ogystal â defnyddio ymarferion ysgrifenedig, mi gynhaliwyd pob math o brofion ymarferol fyddai'n dangos i'r tîm rheoli ac i ni ein hunain, beth oedd hyd a lled ein dycnwch corfforol a meddyliol ni.

Un o'r tasga cynta gawson ni oedd nodi ar siart ein hatebion ni i nifer o gwestiyna penodol fyddai wedyn yn cael eu trafod wedi i ni gael 'yn rhannu'n grwpia. Graham Henry lywiodd trafodaethau ein grŵp ni. O ran hwyl, ro'n i wedi penderfynu rhoi atebion cellweirus ar un ochr i'r siart, a'r atebion go iawn ar yr ochr arall. Felly, ar yr ochr roedd Graham Henry yn mynd i'w gweld gynta, i'r cwestiwn, 'Ymhle fyddwch chi'n teimlo leiaf cyfforddus?' – ro'n i wedi sgrifennu 'Pan fydda i'n cwrdd â phobl ddieithr mewn lleoliad anghyfarwydd'. I'r cwestiwn, 'Beth fyddwch chi'n casáu ei wneud fwyaf?', 'yn ateb i oedd, 'Sefydlu perthynas newydd ac ymweld â

llefydd tramor'. Yn naturiol, mi ddisgynnodd wynab Graham, wrth
iddo fynd trwy'r atebion 'ffug' yma, ac ynta'n dechra meddwl, mae'n
siŵr, ei fod o wedi dewis un o'r creaduriaid mwyaf anghymdeithasol
i fod yn un o lysgenhadon rygbi Prydain yn Awstralia.

Ond do'n i ddim yn gweld dim byd doniol ynglŷn â'r dasg nesaf
a roddwyd i ni. Roedd gofyn i bob chwaraewr sefyll o flaen ei grŵp
a siarad amdano fo ei hun am hyn a hyn o amser. Mewn geiria erill,
roedd hi'n gyfle i helaethu ar y sylwada roedd pob un ohonom wedi
eu rhoi ar ei siart – hynny yw, yr atebion go iawn, yn fy achos i.
Roedd hi'n amlwg fod rhai wedi hen arfer â'r math yna o beth ond,
yn y dyddia hynny, roedd y fath syniad yn 'y nychryn i, gan fod
gen i gyn lleied o brofiad o neud y fath beth. I neud petha'n waeth,
y person ddaru siarad yn union o 'mlaen i, yn ein grŵp ni, oedd
Lawrence Dallaglio, a'r hyn roedd o'n ei gasáu fwyaf mewn pobl,
medda fo yn ei anerchiad, oedd diffyg hyder mewn person. Ond,
fel y digwyddodd hi, gan fod Lawrence ac Austin Healy, y *Leicester
Lip*, yn ein grŵp ni, ddaru mi ddim gorfod dweud llawer. Roedd
un aelod o'r tîm rheoli, Steve Black, yn ei elfen gyda'r math yna
o sesiwn, ac o ganlyniad bu ei grŵp o'n trafod yn llythrennol am
oriau. Swydd Blackie ar y daith oedd 'cyflyrwr', un oedd i fod i neud
i bawb arall deimlo'n dda amdanyn nhw eu hunain, ac roedd o'n
feistr ar wneud hynny. Roedd o wedi bod yn aelod o dîm hyfforddi
Cymru am sawl blwyddyn tan ei ymadawiad yn 2000, oedd, ar y
pryd, yn siom fawr i nifer ohonon ni'r chwaraewyr. Yn anffodus, fel
y ca' i ddangos yn nes ymlaen, bu'n rhaid i mi ddibynnu tipyn ar
ddoniau arbennig Blackie yn ystod y daith oedd i ddod.

Do, mi roddwyd tipyn o bwyslais ar y 'bondio' wrth baratoi i
fynd ar daith y Llewod. Rwy i bellach wedi cael profiad 'yn hun o
fod yn aelod o dîm rheoli ar daith dramor ac mi rydw i'n gorfod
cydnabod bod 'na werth i sesiynau o'r fath, o fewn rheswm. Cyn
mynd i Tylney Hall, dim ond i un gwersyll 'bondio' ro'n i wedi bod,
a hynny gyda Llanelli yn un o ganolfannau'r fyddin yn Poole. Mi
gawson ni'n rhannu yn dimau o wyth a oedd i ymgymryd â nifer
o dasga corfforol. Mi gawson ni'n gyrru ar draws gwlad gan gario

logia, dŵr a stretsiar gyda ni. Ar y ffordd mi drefnwyd 'yn bod ni'n dod ar draws damwain, a chyrff a gwaed ym mhob man, ac erbyn hynny roedd rhai o'r tîm yn dechrau gwegian. Yna roedd yn rhaid i ni fynd ar gwch ar draws y dŵr i ynys gan ddilyn map er mwyn cyrradd rhyw leoliad arbennig. Ar y ffordd, roeddan ni fod i godi bwyd fel y gallen ni neud pryd i ni'n hunain maes o law... bagiad o datws fan hyn, bagiad o foron fan draw ac yna iâr. Y broblem i ni oedd bod yr iâr yn fyw. Roedd y pryd bwyd i fod i gael ei goginio mewn gwersyll penodol ar ben draw'r daith. Ar ôl cerdded am oria a chredu ein bod ni ar gyrradd, ddaru ni weld y gwersyll – filltiroedd i ffwrdd ar draws gwlad. Dyma gyrradd o'r diwedd a ninna ar lwgu. Daeth Sarjant Major aton ni i ddangos beth roeddan ni fod i neud â'r iâr, sef ei lladd hi drwy droi ei gwddw hi'n sydyn. Cynigiodd un o'n canolwyr cyhyrog ni i wneud y gwaith hwnnw ond doedd o ddim yn sylweddoli faint o nerth oedd ei angen wrth droi ei gwddw hi. Y peth nesa welson ni oedd bod pen yr iâr ganddo mewn un llaw a chorff yr iâr yn y llaw arall... a hitha'n dal yn fyw! Yna, dyma Neil Boobyer a Martyn Madden, oedd yn fytwr heb ei ail, yn penderfynu nad oedden nhw eisio bwyd wedi'r cyfan. Yn y man, mi ddangoswyd i ni sut oedd plufio'r iâr a sut i'w hagor hi er mwyn tynnu'r wyau allan ohoni, fel y gallen ni fwyta'r rheiny hefyd. Erbyn hyn doedd fawr neb ohonon ni isio bwyd. Cyn clwydo roedd yn rhaid i ni osod ein pebyll. Yn ystod yr oria mân, bu'n rhaid i un criw godi i ailosod eu pabell gan fod dŵr wedi dod i mewn iddi tra o'n nhw'n cysgu a bu'n rhaid i ninna wneud yr un fath gan ein bod ni wedi gosod ein pabell ni ar nythaid o forgrug. Hyn oll i asesu sut roeddan ni'n ymateb dan bwysa i wahanol sefyllfaoedd ac i ddangos pwy o'n plith ni oedd yn gymwys i arwain. A'r cyfan er mwyn ein cynorthwyo ni i fod yn well chwaraewyr rygbi?

Ro'n i'n ymwybodol iawn ar ddechra taith y Llewod mai trydydd dewis o'n i ar gyfer safle'r bachwr. Er hynny, mi ddaru Andy Robinson, oedd yn gyfrifol am hyfforddi'r blaenwyr, ddweud wrtha i ar ddechra'r daith nad felly roedd o'n gweld y sefyllfa a'i fod o'n disgwyl i mi ymladd am 'yn lle yn y tîm prawf. Roedd hynny'n galondid gan 'mod i'n ymwybodol iawn o'r ffaith 'mod i'n dipyn o 'hogyn newydd' i gymaint o'r rhai oedd ar y daith. Doedd gan James Robson, er enghraifft, Albanwr a meddyg swyddogol y Llewod, ddim syniad pwy o'n i pan es i ato am y tro cynta. Ar y dechra, roedd deunaw o Saeson yn y garfan (y rhan fwya ohonyn nhw'n meddwl bod ganddyn nhw hawl arbennig i fod yno), deg o Gymru, chwech o Wyddelod (oedd yn meddwl y dyla fod mwy ohonyn nhw nag oedd o Gymry), a thri Albanwr. Y rhai cynta o'r gwledydd eraill i mi ddod i'w nabod yn o lew oedd Jason Leonard, (ro'n i'n rhannu stafell gydag o yn Tylney Hall), a Rob Henderson, a hynny oherwydd i ni benderfynu mynd allan am beint neu ddau gyda'n gilydd un noson cyn ymadael am Awstralia.

Ddaru mi fwynha'r dyddia cynnar yn Awstralia. Roedd Manly, ger Sydney, yn lle braf i aros ynddo ac ro'n i'n cael hwyl ar yr ymarfer. Roedd rhai agwedda ohono braidd yn gymhleth ar y cychwyn, ond roedd ychydig o fantais gynnon ni'r Cymru. Y rheswm am hyn oedd bod Graham Henry wedi penderfynu defnyddio'r un patrymau yn y chwara rhydd, ag roeddan ni'n eu defnyddio yn nhîm Cymru, er enghraifft, ble i fynd yn y sgarmesi ac ar ôl y llinella a'r sgrymiau, sef system y 'pod', y bydda i'n ei thrafod yn fanylach nes ymlaen. Roedd hi'n braf hefyd gweld cymaint o gefnogwyr o Gymru allan yno, a'r chwaraewyr o'r tair gwlad arall yn synnu wrth weld y berthynas agos-atoch oedd rhwng y cefnogwyr hynny a chwaraewyr Cymru. Yn anffodus, mi gododd un broblem fawr yn yr ymarfer cyn y gêm gyntaf. Cafodd Phil Greening, un o'r bachwyr, ei anafu mor ddrwg nes iddo gael gwbod yn syth na fydda fo'n gallu chwara o gwbl yn ystod y daith. Er hynny ddaru o benderfynu aros yn Awstralia tan y diwedd gan fod ganddo noddwyr oedd yn barod i dalu amdano. Unwaith y cafwyd cadarnhad pa mor ddifrifol oedd anaf Phil Greening, galwyd ar Gordon Bulloch, bachwr yr Alban, oedd ar ei wyliau ar y pryd, i lenwi'r bwlch.

Ddaru mi gael blas ar chwara dros y Llewod yn gynnar, a hynny yn y gêm gyntaf yn erbyn Gorllewin Awstralia yn Perth, pan gefis i ddod ymlaen fel eilydd i Keith Wood, gyda deng munud o'r gêm yn weddill. Chwaraewyr amatur oedd yr Awstraliaid hynny ac roedd yna fwlch anferth rhwng y ddau dîm. Mewn gêm, a oedd yn debycach i sesiwn ymarfer, ddaru ni sgorio 18 cais gan ennill 116–10. Pan gefis i 'y newis i ddechra'r ail gêm, yn erbyn tîm Llywydd Queensland yn Townsville, ro'n i ar ben 'y nigon, ond o fewn saith munud i ddechra'r gêm, ddaru mi gael anaf naeth droi'r daith i fod yn hunlle mwya 'ngyrfa rygbi i.

Wrth redeg i gynorthwyo yn y chwara rhydd, dyma fi'n cael cic cwbl ddamweiniol i 'nghlun gan un o chwaraewyr y tîm arall oedd wedi taflu ei hunan i mewn i dacl. Dyma feddwl i ddechra y basa chydig o redeg o gwmpas yn cael gwared ar y boen ac y gallwn i gario mlaen i chwara, yn enwedig gan mai newydd gyrradd Awstralia oedd Gordon Bulloch, oedd yn eistedd ar y fainc. Ond cyn pen dim do'n i ddim yn gallu cerdded, heb sôn am chwara. Erbyn i mi adael y cae do'n i ddim yn gallu plygu 'nghoes o gwbl. Ar y pryd ro'n i'n barod i dderbyn bod yr anaf yn enghraifft reit ddrwg o goes ddiffrwyth (*dead leg*) ond pan ddaru mi gael sgan y bore wedyn roedd *haemotoma* mawr yn y goes.

Am ddyddia wedyn, tra bu'r hogia erill yn ymarfer ac yn ymweld â'r atyniadau lleol, ro'n i'n gaeth i'r gwesty. Mi fyddwn i'n cael triniaeth reolaidd gan y ddau ffisiotherapydd, Mark Davies o Abertawe a James Robson o'r Alban. Yr unig ymarfer o'n i'n gallu ei neud oedd ychydig o nofio a cherdded i fyny ac i lawr y grisia, er mwyn dod i arfer unwaith eto â phlygu'r goes, ac, yn y man, reidio beic yn y *gym*. Ro'n i'n teimlo'n reit ddigalon erbyn hyn a dyna pryd y daeth Steve Black i'r adwy. Mi aeth â mi un diwrnod i siop lyfra ym Manly ac fe ddewisodd un neu ddau o gyfrolau oddi ar y silffoedd i mi gael cip arnyn nhw. Falle fod hyn yn anodd ei gredu, ond tan hynny, do'n i ddim wedi darllen llyfr cyfan erioed, achos doedd gen i ddim diddordeb o gwbl mewn darllen. Bydda'n well gen i, dreulio fy amser hamdden, yn *gwneud* rhywbeth neu'n *mynd* i rywle. Ond roedd Blackie wedi dewis llyfr, yn y gyfres *Chicken Soup*, ar 'y nghyfer i, yn dwyn y teil *Chicken Soup for the Soul*. Ers y diwrnod hwnnw dw i wedi bod yn ddarllenwr barus tu hwnt, ac wedi cael blas ar bob math o lyfra. Mae'r diolch am hynny i'r llyfr arbennig hwnnw fu'n gymorth mawr i mi roi petha mewn persbectif, er gwaetha 'yn siom i. Ro'n i'n ddiolchgar iawn i Blackie am y gefnogaeth werthfawr dros ben ddaru mi gael gynno fo yn y cyfnod digalon hwnnw.

Ymhen rhyw wythnos roedd y goes dipyn yn well a'r *haematoma* wedi dechra mynd i lawr. Penderfynodd y tîm hyfforddi roi prawf ffitrwydd i mi ar noswyl y gêm yn erbyn Awstralia A ar Fehefin 25ain. Mi ddaru nhw neud i mi redeg nôl a blaen ar hyd y traeth ym Manly ond ro'n i'n gwbod nad oedd y goes yn hollol iawn. Eto ro'n i o dan dipyn o bwysa i chwara, pwysa gynna i fy hun yn benna, gan fod pob math o betha ar y pryd yn effeithio ar 'yn ffordd i o edrych ar betha. Ro'n i'n gwbod bod problem gan y tîm rheoli yn sgil yr anaf i Phil Greening a'r ffaith nad oedd Gordon Bulloch wedi cael amser i gael ei draed dano eto. Ro'n i'n ymwybodol hefyd fod 'yn rhieni i ar gychwyn am Awstralia er mwyn dilyn y Llewod am dair wythnos ola'r daith ac ro'n i am drio cyrraedd rhyw lefel dderbyniol o ffitrwydd erbyn iddyn nhw lanio yno. Hefyd roedd hen ffrind o Fangor, Gavin McClennan, oedd wedi priodi merch o Seland Newydd ers blynyddoedd ac wedi symud yno i fyw, wedi cyrraedd Awstralia i 'ngweld i'n chwara. Rhwng popeth, ro'n i'n teimlo y dylwn i chwara yn erbyn Awstralia A er 'y mod i'n gwbod yn 'y nghalon nad o'n i gant y cant yn ffit.

Rhoddwyd siorts arbennig i mi eu gwisgo ar gyfer y gêm, â thwll yng nghanol y goes a defnydd reit dew o'i gwmpas o, a ches i rybudd i gymryd gofal. Er hynny do'n i ddim yn hapus o gwbl yn ystod y gêm honno. Yn ogystal â'r ffaith nad o'n i'n teimlo'n iawn, roedd pob math o betha yn bod ar ein chwara ni fel tîm, a'r llinella, yn enwedig, ar chwâl yn llwyr – mi ges glywed gan Scott Johnson flynyddoedd wedyn fod tîm hyfforddi Awstralia, erbyn hyn, wedi datrys y cod roeddan ni'n ei ddefnyddio wrth daflu i mewn. Y canlyniad oedd i mi gael 'yn eilyddio gan Gordon Bulloch ar ôl awr, er na wnaeth hynny newid dim ar berfformiad y tîm. Ddaru ni golli 25–28 a do'n i ddim yn hapus o gwbl â chyflwr y goes.

Mi ges 'y newis ar y fainc ar gyfer y gêm nesaf yn erbyn y New South Wales Waratahs yn Sydney, bedwar diwrnod wedi'r gêm yn erbyn Awstralia A. Ro'n i'n falch o hynny, er gwaetha 'nghyflwr bregus, oherwydd bod 'yn rhieni wedi cyrraedd erbyn hyn ac roedd 'na obaith, felly, y basan nhw'n cael 'y ngweld i'n chwara yng nghrys y Llewod. Ro'n i'n falch iawn hefyd o gael y cyfle i'w cyfarfod nhw ym Manly wedi iddyn nhw deithio yno ar y fferi o Sydney. Roedd Mam yn dathlu ei phen-blwydd felly mi es i â hi i brynu anrheg iddi... copi o *Chicken Soup for the Soul*! Mi ddaethon nhw draw i westy'r tîm gyda mi, a Mam yn cael cyfle i ddangos i Graham Henry y crys-T arbennig oedd ganddi, crys-T ac arno luniau'r holl Gymry ar daith y Llewod.

Y fi oedd yr unig Gymro Cymraeg yng ngharfan y Llewod ar y pryd, gan mai'n ddiweddarach ddaru Scott Gibbs gyrraedd, ac felly dim ond y fi oedd ar gael i wneud cyfweliadau ar gyfer y cyfryngau Cymraeg. Ro'n i'n trio swnio'n bositif ynghlŷn â'r anaf, gan ddweud droeon 'mod i'n obeithiol y byddwn i'n dod drosto'n llwyr cyn bo hir. Ond dweud celwydd o'n i mewn gwirionedd, gan 'mod i'n gwbod yn 'y nghalon fod y sefyllfa'n reit ddrwg. Ddaru mi ddod ymlaen am y deng munud ola yn erbyn y Waratahs, oedd yn gêm galed iawn, ond mi enillodd y Llewod 41–24. Mae'n siŵr y bydd hi'n cael ei chofio'n benna am y dyrnu didrugaredd a gafodd Ronan O'Gara gan Duncan MacRae, cefnwr y tîm cartre, a Ronan yn gorwedd ar ei gefn ar y llawr. Yn ystod y cyfnod byr hwnnw ddaru mi dreulio ar y cae, mi ges i glec boenus arall ar 'y nghoes: doedd petha ddim yn edrych yn dda.

Roedd y ffisiotherapydd, James Robson, o'r farn na fyddwn i'n chwara eto ar y daith. Erbyn hyn roedd y goes yn hollol stiff a'r *haematoma* wedi symud yn is i lawr. Yn naturiol, falle, ro'n i'n teimlo'n isel a'r byd yn edrych yn ddu iawn o 'nghwmpas ond mi ges i hwb bach i godi 'nghalon i. Roeddan ni wedi symud bellach i westy moethus Novotel, yn Coffs Harbor, lle'r oedd y Llewod i chwarae NSW Country Cockatoos. Tra o'n i'n sefyll ar y cae ymarfer yn y fan'no, pwy welis i'n cerdded ar draws y cae tuag ata i ond

Meic Griffith, oedd wedi dod draw i ddilyn y Llewod fel *back packer*. Roedd hi'n braf iawn cael ei gwmni fo am ychydig cyn iddo dderbyn gwahoddiad gan 'yn rhieni i deithio gyda nhw yn eu car llog i Brisbane ar gyfer y prawf cynta.

Ychydig ddyddia wedi gêm y Waratahs, ddaru mi gael un o brofiada mwya brawychus 'y mywyd, ar y traeth o flaen y gwesty. Doedd y goes ddim yn caniatáu i mi wneud fawr ddim mwy na mynd am dro ambell waith i'r traeth. Ar un o'r adega hynny, wrth i mi gerdded ar hyd y tywod, dyma ferch fach yn rhedeg ata i gan weiddi bod 'na ddyn yn gorwedd ar ymyl y dŵr a'i fod o wedi boddi. Rhuthrodd hitha yn ei blaen am y gwesty wrth i mi anelu am y criw bach oedd yn sefyll o gwmpas y person oedd yn gorwedd yn llonydd ar y traeth. Syrffwyr oedden nhw, wedi dod i'r lan pan ddaru nhw weld y corff yn y dŵr. Pan gyrhaeddais i yno roedd un ohonyn nhw'n trio'i adfer o drwy'r dull 'ceg wrth geg'. Dyma fi, gan 'mod i wedi cael rhywfaint o hyfforddiant cymorth cynta yn 'y ngwaith, yn dechra tylino'i galon o, nes i swyddog achub bywyd gyrraedd o'r gwesty.

Wrth i mi gamu nôl i adael iddo ynta fwrw iddi, dyma fi'n sylwi, am y tro cynta, fod y person oedd yn gorwedd yno yn gwisgo'r un trowsus nofio ag a ddosbarthwyd i aelodau carfan y Llewod ar ddechra'r daith. Mi welis i mai Anton Toia oedd o, y Maori dymunol a phoblogaidd roedd Undeb Rygbi Awstralia wedi ei ddewis yn swyddog cyswllt i edrych ar ein hola ni'r Llewod yn ystod y daith. Roedd o wedi bod am drip mewn cwch gyda rhai o hogia'r garfan, oedd am fynd ymlaen wedyn i rywle arall ar draws y bae. Ond mi ddaru Anton benderfynu ffarwelio â nhw a nofio nôl i'r traeth oddi ar y cwch er mwyn iddo gael mynd yn ôl i'r gwesty. Yn anffodus mi gafodd drawiad ar ei galon wrth iddo gyrraedd y lan. Bu farw ar y traeth.

Ro'n i erbyn hyn wedi penderfynu 'mod i am fynd gartre a dyma ffonio 'yn rhieni i ddweud hynny wrthyn nhw. Roedd byd Mam, mae'n debyg, yn deilchion o glywed y newyddion drwg, a 'Nhad fawr gwell. Hyn, er eu bod nhw'n aros ar y pryd yng ngwesty

Byron Bay, un o'r 25 gwesty gora yn y byd! Ro'n nhw wedi bwcio a threfnu eu taith am y pythefnos oedd yn dilyn a doedd gynnyn nhw ddim dewis ond parhau â'u taith, er mai'r holl bwrpas yn wreiddiol oedd dod i 'ngweld i'n chwara. Mi ro'n i wedi penderfynu aros i weld yr hogia yn y Prawf cynta ac ro'n i'n arbennig o falch drostyn nhw pan ddaru nhw guro'r gêm honno 29–13, wedi perfformiad ardderchog.

Ond stori fawr y prynhawn hwnnw oedd bod Matt Dawson wedi sgrifennu erthygl, ar ffurf dyddiadur, a gyhoeddwyd ym Mhrydain y bore hwnnw yn y *Daily Telegraph*, yn beirniadu'r ffordd roedd y tîm rheoli'n trin chwaraewyr y Llewod ar y daith. Roedd o'n honni bod llawer ohonyn nhw am roi'r gorau iddi a dychwelyd gartre a bod y daith yn 'fethiant'. Doedd neb o griw'r Llewod yn gwbod am hyn tan rai oriau wedi'r gêm brawf a dw i'n cofio'n glir sylwi ar Matt Dawson, oedd yn un o'r eilyddion y prynhawn hwnnw, yn dod i mewn i'r ystafell newid ar ddiwedd y gêm, lle'r oedd pawb arall yn gorfoleddu, ac yn rhoi ei ben yn ei ddwylo. Roedd o'n sylweddoli, mae'n siŵr, pa mor ffôl roedd o wedi bod a hynny ychydig cyn camp fawr yr hogia yn y Prawf cynta. Roedd y tîm rheoli, yn naturiol, yn siomedig ac yn ddig fod Matt wedi gwneud be na'th o. Mi fu'n rhaid iddo dalu dirwy drom a sefyll gerbron y criw, â'i ben yn ei blu, i ymddiheuro wrth bawb.

Mae'n rhaid i mi gyfadde nad o'n i'n bersonol yn ymwybodol o unrhyw densiwn mawr rhwng y chwaraewyr a'r tîm rheoli. Mi fuodd 'na gwyno gan y tîm 'canol wythnos' rai dyddia cyn y Prawf cynta. Roedd Graham Henry yn disgwyl iddyn nhw fod yn amddiffynwyr yn erbyn y tîm prawf yn y sesiwn ymarfer tra o'n nhw'n teimlo y dylen nhw gael parhau â'u cynlluniau ymarfer eu hunain. Roedden nhw'n awyddus i baratoi ar gyfer eu gêm yn erbyn NSW Cockatoos y diwrnod wedyn. Mi rydw i'n eu cofio nhw'n rhedeg o gwmpas y cae ymarfer dan ganu 'Sloop John B' trwy orffen pob pennill â'r geiria tafod-yn-y-boch *"This is the worst tour we've ever been on"*. Yn ôl y sôn, mi ddaru Graham Henry golli cefnogaeth nifer o'r chwaraewyr yn ystod gweddill y daith ac, er 'mod i erbyn hynny'n dilyn y cyfan o 'nghadair freichiau, ro'n i'n teimlo'n flin drosto.

Doedd hi ddim yn daith hawdd: roedd 10 gêm i'w chwara, 3 ohonyn nhw'n gêmau prawf, mewn 5 wythnos. Roedd 37 o chwaraewyr yn awchu am chwara, a nifer fawr o'r rheiny, yn enwedig aelodau tîm Lloegr, yn meddwl y dylen nhw fod yn y tîm prawf bob tro. Yn wir, mi gafodd rhagor o ddrwg ei wneud i'r daith pan gyhoeddwyd erthygl bapur newydd ddamniol arall yn enw Austin Healy, ac mi gafodd ynta hefyd ei gosbi. Ond dw i'n cofio siarad ag o beth amser wedyn ac mi roedd o'n cyfadda bod yr holl gyhoeddusrwydd a ddaeth yn ei sgil wedi talu ganwaith drosodd iddo. Fuodd ei asiant o erioed mor brysur, medda fo. Roedd Austin yn gymeriad llawn ohono'i hun bob amser, ond yn wahanol i lawer o bobl erill, roedd ganddo'r sgiliau personol i gynnal ei bersonoliaeth allblyg, hunanhyderus. Er enghraifft pan oedd yr hogia'n tynnu ar ei gilydd o ran eu donia golff, mi fedra Austin ddreifio pêl golff oddi ar y ti drwy redeg ati, o ryw bedair llath y tu ôl i'r bêl, a'i tharo'n hollol lân, neu wneud hynny trwy fynd ar ei benaglinia a'i hitio hi o'r safle hwnnw.

Mi ddaru mi ffarwelio â'n rhieni wedi'r Prawf cynta yn Brisbane. Ddaru nhw gario mlaen â'u taith, a Mam, yn ôl 'Nhad, yn ei dagra ar ddechra sawl un o'r pum gêm oedd ar ôl, wrth iddi hi sylweddoli eu bod nhw ym mhen draw'r byd tra 'mod i erbyn hynny nôl yn y Tymbl. Mi naeth Scott Quinnell, chwara teg iddo, fynd i'w cyfarfod nhw ym maes awyr Canberra ac mi ofalodd o bod gynnyn nhw docynna ar gyfer pob un o'r gêmau oedd ar ôl. Mi arhosis i a Lawrence Dallaglio, oedd hefyd yn gorfod dychwelyd gartre oherwydd anaf i'w ben-glin, yn Brisbane am ryw ddiwrnod neu ddau, cyn hedfan yn ôl gyda'n gilydd. Tra o'n i yno mi ges i gyfle i dreulio diwrnod dymunol yng nghwmni Salesi Finau, gan fod ei gartre o yn ymyl Brisbane. Hefyd roedd gan Lawrence nifer o gysylltiadau busnes yn Awstralia ac mi naeth hynny sicrhau ein bod ni'n cael amser digon pleserus yn Brisbane. Roedd ynta hefyd, wrth gwrs, yn siomedig iawn ei fod yn gorfod cefnu ar daith y Llewod. Er gwaetha'r ddelwedd anffodus sy gynno fo weithia yn ein plith ni'r

Cymry, roedd o'n gwmni dymunol yn ystod taith awyren ddigon digalon, ar sawl cyfrif. Ar ben popeth roedd 'y nghoes i'n dal i roi tipyn o drafferth i mi ac, i wneud petha'n waeth, doeddwn i ddim yn gallu ei phlygu hi. Bob tro ro'n i isio mynd i'r tŷ bach yn ystod y daith hir nôl i Lundain, ro'n i'n gorfod gadael drws y toilet ar agor gyda 'nghoes i'n sticio allan!

Roedd hi'n anodd derbyn hynny ar y pryd ond rwy'n siŵr fod rheswm dros bob dim sy'n digwydd, hyd yn oed yr anffawd gefais i ar daith y Llewod. Er i mi brofi siom ac anhapusrwydd, dw i'n meddwl i mi ddysgu llawer, fel chwaraewr rygbi ac fel person, yn sgil y profiad.

Y Dylanwad Du

Two monks on a pilgrimage came to the ford in the river. There they saw a girl dressed in all her finery, obviously not knowing what to do since the river was high and she did not want to spoil her clothes. Without more ado, one of the monks took her on his back, carried her across and put her down on dry ground on the other side.Then the monks continued on their way. But the other monk after an hour started complaining, "Surely it is not right to touch a woman; it is against the commandments to have close contact with women. How could you go against the rules?" The monk who had carried the girl walked along silently, but finally he remarked, "I set her down by the river an hour ago, why are you still carrying her?"

Irmgard Schloegl

Bellach, ro'n i'n chwaraewr amser llawn ac wedi arwyddo cytundeb tair blynedd gyda'r Sgarlets. Ar y dechra, ro'n i'n ei chael hi'n anodd iawn heb y patrwm gwaith dyddiol ro'n i wedi dod i arfer ag o ers pymtheng mlynedd. Ro'n i, hyd yn oed, yn ei gweld hi'n rhyfedd peidio â gorfod paratoi bocs bwyd bob bore, ond ddaru mi setlo i'r bywyd newydd yn weddol rwydd yn y man. Wrth gwrs roedd y byd rygbi proffesiynol yn newydd i Glwb Llanelli hefyd. Felly, gan ein bod ni'n cael ein talu'n llawn ganddyn nhw, roedd disgwyl, ar y dechra, i'r chwaraewyr ddod bob dydd a thrwy'r dydd i ymarfer neu weithio ar ffitrwydd, neu i drafod tactegau. Erbyn heddiw maen nhw wedi sylweddoli bod angen cyfnoda o orffwys ar y chwaraewyr er mwyn eu cadw nhw'n ffres, yn gorfforol ac yn feddyliol, ac felly bydd chwaraewyr yn cael dau ddiwrnod cyfan o orffwys wedi gêm.

Teimlad rhyfedd oedd chwara i Gymru ym Mhencampwriaeth y Chwe Gwlad, ond dyna fu'n rhaid ei wneud yng Nghaerdydd ganol mis Hydref 2001, yn erbyn Iwerddon. Y rheswm oedd bod gêm y gaeaf cynt wedi cael ei gohirio yn sgil clwy'r traed a'r genau. Ond cweir gawson ni, 6–36, a'r atgof gwaetha sydd gen i o'r diwrnod oedd mynd gyda gweddill y tîm am bryd o fwyd yng Ngwesty'r Parc wedi'r gêm a chael ein bŵian gan gefnogwyr fel roeddan ni'n dod oddi ar y bws. Profiad newydd a diflas iawn i mi.

Erbyn hyn roedd Steve Hansen o Seland Newydd wedi ymuno â'r tîm hyfforddi, fel dirprwy i Graham Henry, a chanddo gyfrifoldeb arbennig am y blaenwyr, er bod Lyn Howells, hyfforddwr Pontypridd, yn y swydd gyda'r un dyletswyddau ar y pryd. Doedd o ddim yn un hawdd i ddod i'w nabod ar y dechra ac ynta'n ddyn tawel, braidd yn ddi-wên a styfnig ar brydia. Mi ddaeth â system newydd o daflu i mewn i'r llinella gydag o, system a oedd i ddechra'n amhoblogaidd dros ben gynnon ni'r blaenwyr. Roedd o am 'y ngweld i, wedi galw'r cod priodol, yn taflu'r bêl i wagle, a'r neidwyr yn llenwi'r gwagle hwnnw pan oedd y bêl yn yr awyr. Rwy'n cofio sibrydion yn mynd o gwmpas y garfan ar y pryd yn amau cymwystera Steve i fod yn hyfforddwr ar y blaenwyr, gan mai canolwr oedd o fel chwaraewr. Wrth weld pa mor anhapus oeddwn i ac Andy Moore, ein prif neidiwr ni, mi ddaru o ddangos fideo o bac Canterbury, lle'r oedd o wedi bod yn hyfforddi cyn hynny, yn defnyddio'r system yn llwyddiannus dros ben. Ein hesboniad ni am hynny oedd bod neb o flaenwyr y gwrthwynebwyr, yn y *Super 12*, yn neidio yn erbyn blaenwyr Canterbury. Ateb Steve oedd eu bod nhw'n methu â neidio yn erbyn blaenwyr Canterbury am nad oedd gynnyn nhw, yn wyneb y system roedd o'n ei harddel yn y llinell, unrhyw syniad i ble byddai'r bêl yn cael ei thaflu. Ond ei neges o i mi oedd, *"Carry on throwing into space; if we don't win the ball, keep on doing it. I know that you know what we're trying to do"*. Doedd hynny ddim yn hawdd, yn enwedig o flaen torf o 70,000 yn Stadiwm y Mileniwm yn rhuo am eich gwaed chi!

Roedd gynnon ni dair gêm arall yng Nghaerdydd yn yr hydref, yn erbyn yr Ariannin, Awstralia a Tonga. Ddaru ni golli'r ddwy gynta, gan chwara'n ddigon siomedig, a churo Tonga'n hawdd. Mi wnaeth Iestyn Harris chwara ei gêm gyntaf dros Gymru yn erbyn yr Archentwyr ond, fel yn hanes ei yrfa gyfan gyda'r tîm cenedlaethol, roedd pobl yn disgwyl llawer mwy ganddo na'r hyn oedd o'n gallu ei gynnig mewn cyn lleied o amser wedi iddo gael ei drosglwyddo o Rygbi'r Gynghrair. Does dim dwywaith ei fod o'n chwaraewr talentog dros ben. Mi rydw i'n cofio un sesiwn ymarfer yn arbennig, pan oedd Steve Hansen, wedi iddo ddod yn hyfforddwr y tîm cenedlaethol, yn trio'n cael ni i amddiffyn i batrwm arbennig. Yn yr ymarfer ar gyfer hyn roedd y chwaraewyr yn eu tro'n gorfod taclo ymosodwr yn rhedeg atyn nhw o fewn sianel gyfyng iawn. Dyma dro Gareth Llewellyn yn dod i drio stopio Iestyn wrth iddo redeg ato. Ddaeth o ddim yn agos ato wrth i Iestyn ddawnsio heibio o fewn y lle cyfyng ar gael iddo. *"No! No!"* medda Steve wrth Gareth, *"not like that, like this!"* gan gymryd lle Gareth er mwyn dangos iddo sut y dyla fo fod wedi stopio Iestyn. Digwyddodd yr union beth eto, wrth i Iestyn adael Steve yn gafael yn y gwynt. Dw i ddim yn meddwl bod Steve wedi gwerthfawrogi llawer o'i ddonia fo ar yr adeg arbennig honno. Yn anffodus chafodd cefnogwyr Cymru chwaith mo'r cyfle i'w werthfawrogi'n iawn. Y rheswm penna am hynny oedd iddo gael ei wthio i ferw llwyfan rhyngwladol gêm yr Undeb yn llawer rhy gynnar. Roedd o'n hogyn dymunol y bu'n rhaid iddo ddiodde tynnu coes didrugaredd yn yr ystafell newid, oherwydd ei acen Saesneg ogledd Lloegr bras.

Dechreuodd ein hymgyrch ni yng Nghwpan Heineken ddiwedd Medi pan gollon ni 9–12 yng Nghaerlŷr. Uchafbwynt y gêm i mi oedd pan ddaru mi rwystro Andy Goode rhag sgorio cais â thacl ar draws ei frest wnaeth ei lorio fo a'i ysgwyd o drwyddo. Mi rydw i'n cofio cael amser i fesur hyd a lled y dacl honno yn 'y meddwl cyn ei gwneud hi ac ro'n i'n arbennig o falch ohoni. Fel y dywedis i o'r blaen, roedd gwneud tacl dda yn rhoi mwy o bleser i mi na bron dim byd arall ar gae rygbi ac rwy'n dal i gofio ambell un sy'n cystadlu â'r un honno ar Andy Goode. Er enghraifft, un ar Leigh Davies pan oeddan ni'n chwara yn erbyn Caerdydd yng Nghwpan Ewrop, ac un arall ar Rod Snow yn erbyn Canada yng Nghwpan y Byd.

Nid rhyw orchest yw hyn ar 'yn rhan i, ond ymgais i gydnabod pwysigrwydd y dacl yn y gêm fodern, nid yn unig fel ffordd o atal symudiad neu rediad gan y tîm arall, ond fel ffordd o osod stamp ar gêm. Mae meithrin caledwch meddwl yn gallu achosi rhyw fath o arswyd ar y gwrthwynebwyr, sy'n effeithio ar eu hyder ac felly ar eu chwara. Dwi ddim erioed wedi annog neb i fynd allan ar gae rygbi i frifo rhywun yn fwriadol. Eto rwy'n llwyr gredu nad oes digon o sylw'n cael ei roi heddiw, wrth baratoi chwaraewyr, i'r angen am feithrin y caledwch meddwl hwnnw sydd ei angen ar gyfer y gêm fodern.

Mi dalon ni'r pwyth yn ôl i Gaerlŷr ar y Strade 24–12 (wyth cic gosb i Stephen Jones a phedair i Andy Goode) lle'r oedd berw arferol y cefnogwyr yn arf pwysig i ni. Ond y tro hwn, roedd Gareth wedi mynd â ni i gae cyfagos i gynhesu cyn y gêm, yn lle gwneud hynny, fel roeddan ni wedi arfer, o flaen y dorf ar y Strade. Y canlyniad oedd bod y floedd gynta honno gan y dorf, wrth i ni redeg ar y cae, wedi ein codi ni i'r entrychion a'n hysbrydoli ni am weddill y gêm. Yn y gêmau rhagbrofol erill, ddaru ni guro Calvisano ddwywaith a Perpignan gartre ac er i ni gael cweir ganddyn nhw yn Ffrainc, roeddan ni wedi gwneud digon i fynd drwodd i rownd yr wyth ola yn erbyn Caerfaddon ym mis Ionawr.

Roedd y daith yno'n gofiadwy am sawl reswm. Wedi glaw trwm ar y dydd Sadwrn, mi wnaeth y dyfarnwr, Alan Lewis, o Iwerddon, benderfynu am 1.15 p.m. na fyddai'n bosib chwara'r gêm y prynhawn hwnnw. Erbyn hynny, roedd miloedd o gefnogwyr Llanelli wedi cyrraedd y ddinas ac yn ddig na fyddai'r dyfarnwr wedi disgwyl tan tua 3.00 cyn dod i benderfyniad, gan fod cyflwr y cae wedi gwella tipyn erbyn hynny. Chwaraewyd y gêm ar y prynhawn Sul a'r gofid oedd na fydda'r Sgarlets yn gallu denu eu cefnogwyr i deithio'r eilwaith ar hyd yr M4 y diwrnod wedyn. Ond, diolch byth, roedd y cae'n fôr o goch am yr eildro mewn dau ddiwrnod – diolch i radda helaeth iawn i haelioni Cadeirydd y clwb, Huw Evans, a gyfrannodd £5 000 i dalu am gost y bysys i gario'r cefnogwyr yn ôl i'r Recreation Ground ar y dydd Sul. Roedd Huw yn Gadeirydd ers dwy flynedd ac wedi rhoi cannoedd o filoedd yng nghoffrau'r Clwb bob blwyddyn. Ar y pryd, roedd o'n Gadeirydd cwmni meddalwedd cyfrifiadurol llewyrchus o'r enw Malborough Stirling. Flynyddoedd yn ôl, mi fu o'n chwarae i ail dîm Abertawe a'i frawd, Morrie Evans, yn un o ffefrynnau Sain Helen.

Mi ddaru ni chwara'n ardderchog yn erbyn Caerfaddon, y pac yn enwedig, gan ennill 27–10, gyda Stephen Jones, am yr ail gêm yn olynol yng Nghwpan Heineken, yn gyfrifol am holl bwyntiau Llanelli. Roedd y fuddugoliaeth, a chael symud ymlaen i'r rownd gyn-derfynol, yn ôl y sôn, yn werth £250,000 i Glwb Llanelli ar y pryd, a'r bonws i'r chwaraewyr yn sgil hynny yn werth ei gael. Ond fuas i ddim yn rhan o'r dathlu wedi'r gêm honno. Ychydig wythnosa ynghynt roeddan ni fel teulu wedi mynd i'r gogledd dros y Flwyddyn Newydd. Tra oeddan ni yno, ddaru ni gael gwbod bod Susan, mam Tina, wedi cael ei chymryd i'r ysbyty, a hitha wedi bod yn diodde o gefn drwg ers tro. Cyn hir mi gawson ni ein hysgwyd gan y newydd fod canser wedi mynd trwy ei chorff hi. Ymhen ychydig, a minna ar 'yn ffordd i'r gogledd i agor estyniad i Ysgol Llanfechell, mi gefis neges i ddweud ei bod hi'n wael iawn a bu'n rhaid troi nôl am adra. Ryw ddeng niwrnod wedyn, yn syth wedi i mi ddod oddi ar y cae yng Nghaerfaddon, mi ges wybod ei bod hi wedi marw, wedi mis yn unig yn yr ysbyty, a hithau ond yn 55 oed. Roeddan ni fel teulu yn agos iawn at Susan, a chan fod Tina'n gweithio yn ardal Castell-nedd, mi roedd hi'n gadael Billy (cyn iddo ddechrau yn yr ysgol amser llawn), ac yna Harry, gyda'i mam bob dydd. Doedd Harry ond yn ddwy oed pan fu hi farw. Roedd ei cholli hi'n ergyd fawr i ni.

Cafodd Cymru ddechra trychinebus i Bencampwriaeth y chwe Gwlad yn 2002 gan golli 10–54 i Iwerddon yn Nulyn. Yn dilyn y gêm honno, ddaru Graham Henry ymddiswyddo fel hyfforddwr Cymru, ac mi gymerwyd ei le gan Steve Hansen am weddill y

Ar y Strade yn barod amdani!

Y rheng flaen yn ystod y gêm yn erbyn Caerfaddon, 2002.

Chris a finne'n derbyn ein capiau a Stephen yn pasio record arall (isod).

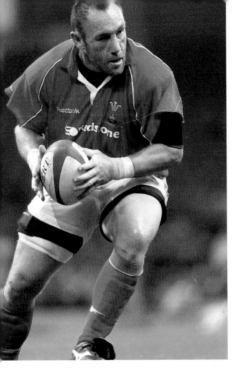

Yn erbyn y Barbariaid, 2002.

Y tîm yn dathlu'r fuddugoliaeth yn erbyn Ffrainc ym Mharis, 2001.

Carfan y Llewod 2001.

Harry a finne'n cael cyfle am gêm fach yn Tylney Hall
cyn i mi adael am Awstralia.

Y cais na welodd Tina!

Carfan Cymru ar gyfer Cwpan y Byd 2003.

Andrew Hore, hyfforddwr ffitrwydd Cymru.

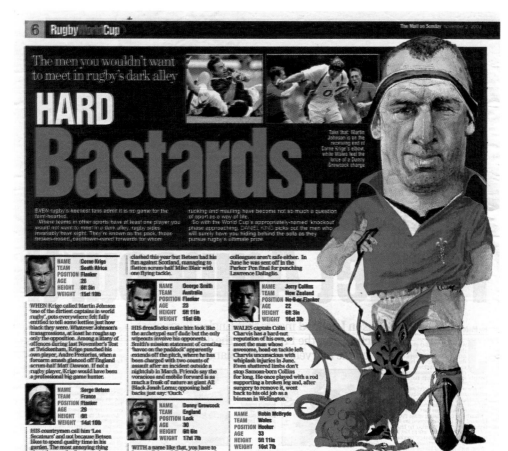

Mae'n syndod sut mae ambell un yn fy ngweld i!

*Pump ohonom ni'n darllen papur – dau i afael, un i droi tudalen,
un i bwyntio bys, ac un i ddarllen yn uchel!*

Y côr yn ymarfer!

Yn chwarae 'hide and seek' hefo'r siarc!

Trio osgoi'r dacl yn erbyn yr Ariannin.

Torri trwodd yn erbyn yr Eidal.

Steve Hansen yn cymerawdwyo'r dorf yn ei gêm olaf fel hyfforddwr Cymru.

Fi a'r hogia'n manteisio ar gyfle i gael llun hefo'r gwpan ar ôl ennill y Gamp Lawn.

Yng nghwmni rhai o blant Ysgol Llan-non ar ôl fy ngêm dysteb.

Noson y sioe ffasiwn yn Neuadd Y Tymbl.

Gladys Knight yn perfformio am un noson yn unig, i godi arian at y Tsunami.

Scott Johnson a roddodd y cyfle i mi hyfforddi'r blaenwyr yn 2006.

Neil Jenkins a finne'n cael sgwrs yn ystod ymarfer yn yr Ariannin.

Mewn trafodaeth hefo Duncan Jones, capten Cymru ar y daith i'r Ariannin.

Robin o Fôn.

Yr hogia' a finne yng nghwmni Ieuan, Clive a Ray
yn ein gwisgoedd ar gyfer yr Orsedd.

bencampwriaeth, tan iddo yntau gael ei benodi'n swyddogol i'r swydd ym mis Ebrill. Unwaith eto, wedi'r gêm honno, mi gawson ni, y chwaraewyr, y profiad annifyr o gael ein bŵian gan gefnogwyr yn y maes awyr a'u clywed nhw'n torri allan i ganu, *"We've got the worst team in the land!"*

Do'n i'n bersonol ddim yn teimlo ddim nes at Graham pan ddaru o adael na phan ddechreuodd o fel hyfforddwr. Roedd rhai chwaraewyr, ar y llaw arall, fel Rob Howley a Neil Jenkins, yn ei ganmol yn fawr am ei gyfraniad ac yn agos iawn ato. Byddai Neil, er enghraifft, yn dweud mai i Graham oedd y diolch am ei ddatblygiad fel maswr oherwydd iddo roi mwy o ryddid iddo chwara ei gêm ei hun. O ran y tîm, ddaru Graham hefyd gyflwyno system soffistigedig iawn o ran patrwm yn y chwara rhydd, sef system y 'pod'. Yn y llinell, roedd hyn yn golygu bod 'na glystyrau penodol o ryw dri neu bedwar chwaraewr yn gyfrifol am ennill y bêl, gyda neidiwr a chodwyr penodol ym mhob pod.

O ran y chwara rhydd, roedd hi hyd yn oed yn fwy cymhleth. Dyma'n fras sut roedd hynny'n gweithio. Rhag i'r blaenwyr i gyd orfod rhedeg ar draws y cae i bob sgarmes yn dilyn sgrym neu linell, roedd 'na glystyrau o chwaraewyr penodol yn gwneud hyn. Er enghraifft, ar ôl sgrym, byddai disgwyl i'r blaenasgellwr agored gyrraedd y bêl gyntaf a bwydo'r mewnwr neu'r maswr. Yna bydda rhifau 4, 5, 6, ac 8, sef y 'pod' cynta, yn derbyn y bêl, gan barhau i fynd i'r un cyfeiriad. Wrth i'r pod hwnnw gael ei atal, a'r bêl gael ei throsglwyddo i'r mewnwr, mi fydda rhifau 1, 2, a 3 yn ffurfio ail 'pod', i dderbyn y bêl ganddo. Byddai'r 'pod' hwnnw wedyn yn bwrw ymlaen i'r un cyfeiriad neu falle yn newid cyfeiriad: y mewnwr neu'r maswr fyddai'n gyfrifol am benderfynu pa gyfeiriad y byddai'r 'pod' nesa'n mynd drwy wneud galwad penodol. Yna, mi fydda'r patrwm yn cael ei ailadrodd am falle 5 sgarmes. Ac roedd y podia hynny'n gweithredu yn yr union ffordd honno drwy'r gêm yn dilyn sgrym.

Roedd y 'pod' ar waith yn dilyn llinell hefyd ond nid yn yr un modd yn hollol, gan fod y drefn yn gallu newid rhywfaint o linell i linell. Bryd hynny mae'n bosib mai'r 'pod' yn cynnwys rhifau 3, 5 a 6 fydda'n gyfrifol am ennill y bêl. Felly, pan fydda rhif 7 yn cyrraedd y sgarmes gynta, rhifau 8, 4 ac 1 fydda'n ffurfio'r 'pod' cynta i dderbyn y bêl yn y chwara rhydd, ac yna'n trosglwyddo i'r mewnwr, falle, wedi i hwnnw gael ei atal. Mi fydda'r mewnwr wedyn yn bwydo'r ail 'pod', yn cynnwys rhifau 3, 5 a 6, ac felly ymlaen. Wrth gwrs byddai cynnwys y 'pod' cynta yn dilyn llinell yn dibynnu'n union ar ble ddaru'r bêl fynd yn y llinell honno a pha 'pod' oedd yn gyfrifol felly am eu hennill.

Yn sicr roedd 'na fanteision i system y 'pod' ond roedd e'n gorfodi rhywun i chwara'r gêm fel robot braidd ac yn atal rhywun rhag ymateb i'r hyn roedd o'n ei weld o'i flaen. Bydda Steve Hansen hefyd yn defnyddio system y 'pod' ond dim ond hyd at ryw ddwy sgarmes yn unig. Yna byddai disgwyl i chwaraewyr edrych i fyny, gweld beth oedd yn bosib, ac yna galw symudiad. Yn ogystal, pe bydda rhywun yn torri drwodd bydda Steve yn pwysleisio bob amser ei bod hi'n bwysig fod gan y chwaraewr hwnnw opsiynau gwahanol, fel na fydda fo'n marw gyda'r bêl.

Roedd y ffordd ddaru Graham Henry ysbrydoli Cymru i 10 buddugoliaeth olynol ar ddechrau ei gyfnod fel hyfforddwr, yn hwb pwysig i'r gêm yng Nghymru ar y pryd. Ond dw i ddim yn meddwl ei fod o wedi gwerthfawrogi, pan ddaeth o yma gynta, pa mor danbaid roedd pobl dos rygbi yng Nghymru a pha mor gorfforol roedd rhai agwedda o'r chwarae ym Mhencampwriaeth y Chwe Gwlad. Doedd o ddim wedi sylweddoli chwaith fod yr agwedda hynny'n cael eu dyfarnu'n wahanol yma o'i gymharu â Hemisffer y De. Rwy'n meddwl bod Steve Hansen hefyd wedi cael ei synnu yn yr un modd. Beth bynnag am hynny, rwy'n credu bod y ddau ohonyn nhw wedi mwynhau byw yng Nghymru'n fawr iawn a'u bod nhw, a rygbi yn Seland Newydd, wedi dysgu oddi wrth eu profiad nhw fel hyfforddwyr yma.

Ddaru ni golli bob gêm y tymor hwnnw wedi i Graham ymddiswyddo, ac eithrio'r un yn erbyn yr Eidal, gan gynnwys cael cweir arall yn erbyn Lloegr. Roeddan ni yn y safle gwaelod ond un yn y Bencampwriaeth a'n record ni o ennill pêl o'n llinella ni ein hunain yn waeth na'r un wlad arall. Ro'n i'n bersonol yn falch iawn fod Steve Hansen wedi cymryd drosodd, er i mi gael 'y ngadael allan o'r tîm yn erbyn yr Alban. Mi ddaeth Steve ata i egluro pam, sef ei fod o am weld sut y bydda bachwr arall, sef Barry Williams (yn ei gêm olaf dros Gymru), yn siapio gyda'r tactega newydd.

Dyna un o'i gryfdera fo, sef ei barodrwydd i drafod yn bersonol, yn unigol, gyda chwaraewyr. Er ein bod ni fel blaenwyr yn dal i gael amser caled gyda'r llinella a heb gael ein perswadio'n llwyr fod y drefn newydd yn mynd i weithio, roeddan ni'n barod i gydnabod bod 'rhywbeth' gan y system i'w gynnig. Roedd Steve yn ymwybodol o hyn ac yn barod i wrando ar ein hamheuon ni. Dyna un arall o'i rinwedda fo – roedd o'n licio clywed chwaraewyr yn herio'r drefn os oedd gynnyn nhw resymau cadarn dros wneud hynny. Yna mi gâi o ddadl frwd hefo nhw i drafod eu hamheuon heb fyth gael ei bechu. Roedd o'n ffyddiog y bydda petha'n gwella ac yn barod i'n hamddiffyn ni'n daer yn wyneb yr holl feirniadaeth roeddan ni yn ei chael. Mi fydda fo'n amheus iawn o'r wasg ac yn feirniadol o'r cyn-chwaraewyr rhyngwladol hynny oedd yn hoff o ladd arnon ni. Mi fydda fo'n pwyso arnon ni'n barhaus i beidio cymryd dim sylw ohonyn nhw. Iddo fo, roedd lles y tîm a'r chwaraewyr yn hollbwysig ac mi wnâi bopeth y medra fo i warchod hynny.

Ddiwedd Ebrill, ddaru'r Sgarlets deithio i Nottingham i wynebu Caerlŷr unwaith eto yn rownd gyn-derfynol Cwpan Heineken. Mi roeddan ni'n eitha ffyddiog y gallen ni ennill, gan ein bod ni eisoes wedi eu curo nhw ar y Strade yn gynharach yn y gystadleuaeth. Roedd y ffaith fod rownd derfynol y flwyddyn honno i'w chwara yn Stadiwm y Mileniwm yn sbardun ychwanegol. Ond unwaith eto ddaru ni gael ein siomi. Wedi gêm eithriadol o glos, mi ddaru Tim Simpson, o ddwy lath y tu fewn i'w hanner ei hun, lanio cic gosb a aeth drosodd oddi ar y trawst yn y funud ola. Roedd 'na amheuaeth ei fod o, cyn cymryd y gic, wedi symud y bêl ryw ddau gam ymlaen o'r fan lle digwyddodd y drosedd! O'n rhan ni doedd dim posib cael diweddglo mwy creulon. Mi gawson ni ryw gysur fel clwb o ennill cynghrair Cymru a'r Alban y tymor hwnnw, drwy guro Caerdydd ar Barc yr Arfau, hefo cic Stephen Jones yn selio'r fuddugoliaeth yn y munudau olaf. Ond roedd y wobr fawr unwaith eto wedi dianc o'n gafael ni.

Eto roedd 'na edrych ymlaen mawr ymhlith y garfan genedlaethol at daith i Dde'r Affrig. Ro'n i'n falch iawn 'mod i wedi 'nghynnwys achos roedd hi'n syndod i lawer nad oedd rhai o'n chwaraewyr mwya profiadol ni'n cael mynd ar y daith, chwaraewyr fel Scott Quinnell a Chris Wyatt. Yn wir roedd Steve Hansen wedi dewis tîm ifanc, cymharol ddibrofiad ar gyfer y ddwy gêm brawf. Ond roedd 'na deimlad cryf yn y garfan bellach ein bod ni'n dechra asio ac yn cyd-dynnu'n dda. Roedd y bobl roedd Steve wedi eu cyflwyno i'r tîm rheoli a hyfforddi, fel Andrew Hore, yr hyfforddwr ffitrwydd, Scott Johnson, yr hyfforddwr sgiliau, ac Alan Phillips, y Rheolwr, wedi dechra cael dylanwad positif. Er i ni golli gêm baratoi yn erbyn y Barbariaid yng Nghaerdydd 25–40 cyn madael am Dde'r Affrig, doeddan ni'r chwaraewyr ddim yn meddwl ein bod ni'n mynd i gael ein sgubo o'r neilltu gan y Springboks, er bod y wasg a'r cyfrynga'n gyffredinol yn disgwyl hynny.

Yn wir, er i ni golli'r prawf cynta hwnnw o 34–19, gyda Dwayne Peel a Michael Owen yn ennill eu capiau cynta, ddaru ni chwarae'n arbennig o dda ac am gyfnod maith y ni oedd y tîm gora. Yn ddiddorol iawn, Michael Owen oedd y 1000fed chwaraewr i gynrychioli'i wlad ac erbyn hyn, roedd Steve wedi dechrau trefn o nodi ar grys pob chwaraewr ei le fo yn nhrefn y chwaraewyr a fu'n chwara dros Gymru. Felly pan o'n i'n chwarae, roedd pob un o 'nghrysa i â'r nod 'Robin McBryde 913' arnyn nhw, sef 'yn rhif i yn yr olyniaeth. Ers y diwrnod hwnnw, mae pob un o grysa Michael Owen wedi cario'r nod 'Michael Owen 1000'. Rhyw ddeg crys sy gen i ar ôl erbyn hyn. Dw i wedi cadw'r crysa hynny sydd ag arwyddocâd arbennig i mi – yn ôl pwysigrwydd y gêm ddaru mi wisgo'r crys ynddi. Mae gen i hefyd grys pob un o'r gwledydd ddaru mi chwara yn eu herbyn nhw, 13 i gyd. Roedd 'na 14 ar un adeg ond ddaru mi roi crys Lloegr i ffwrdd. Roedd rhoi rhif pob chwaraewr yn yr olyniaeth ar ei grys bob tro'n rhan o fwriad Steve i'n cael ni i ymfalchïo ym mhwysigrwydd y fraint roeddan ni'n ei gael o wisgo crys ein gwlad. Yr hyn roedd o am ei gyfleu oedd, "Hwn yw dy gyfnod di'n gwisgo'r crys arbennig yma... edrych ar ei ôl o!" Un digwyddiad ddaru roi pleser arbennig i mi yn ystod y prynhawn hwnnw oedd gweld Martyn Madden yn dod ymlaen fel eilydd i ennill ei gap cynta. Erbyn y cyfnod hwn roedd o wedi gweithio'n galed ar ei ffitrwydd ac yn llwyr haeddu ei gyfle. Mae 'na ambell gymeriad sy'n gallu llenwi ystafell ar ei ben ei hun, yn chwa o awyr iach, ac mae Martyn yn un o'r rheiny.

Roedd llawer yn disgwyl y bydda De'r Affrig yn dial yn ffyrnig arnon ni yn yr ail brawf am ei ni roi gêm mor galed iddyn nhw yn Bloemfontein. Yn wir, cyn y gêm, mi gafwyd tipyn o siarad bygythiol ganddyn nhw yn y wasg ynghylch sut roeddan nhw'n mynd i'n 'sortio ni allan', ac yn gwneud yn fawr o'r frwydr oedd i ddod rhwng finna a James Dalton, bachwr tanllyd De'r Affrig. Does gen i fawr o fynadd â siarad blagardus o'r math yna. Mae 'na reolau i'r gêm, a phawb yn gorfod chwara yn unol â nhw ar y cae. Fedrwch chi ddim mynd allan a bygwth rhoi cweir a chicio penna. Ond dyna'r math o awyrgylch roedd y 'Boks, neu'n sicr y wasg, yn trio'i greu cyn yr ail brawf. Roedd hyn, mae'n amlwg, wedi achosi rhyw fath o ofn mewn rhai cylchoedd, achos ychydig ddyddia cyn y gêm, gofynnwyd i'r chwaraewyr ddweud ychydig o eiriau amdanon ni'n hunain i gamera teledu. Roedd Rupert Moon yno ar y pryd yn cynorthwyo gyda'r darllediadau o Dde'r Affrig ac mi ddychrynodd pan ddaru mi benderfynu cyflwyno fy hun yn Gymraeg. Er bod Rupert yn llwyr gefnogol i'r iaith, roedd o'n gofidio'n fawr y galla 'nghyfraniad Cymraeg i gorddi'r dyfroedd hyd yn oed yn fwy ymhlith y Springboks, a gwneud iddyn nhw feddwl ein bod ni'n tynnu arnyn nhw!

Roedd ein perfformiad ni yn yr ail brawf yn Cape Town hyd yn oed yn well, er i ni golli 8–19 eto, ar ôl bod yn gyfartal 8–8, a dim ond deng munud yn weddill. A dweud y gwir ddaru ni lwyddo i gadw pump blaen De'r Affrig ar y droed ôl am y rhan fwya o'r gêm.

Ro'n i'n arbennig o hapus gyda 'ngêm i, wrth i ni ennill pob llinell ar ein tafliad ein hunain. Roedd Steve Hansen yn fodlon iawn ar y ffordd ddaru ni chwara, oedd yn cadarnhau'r neges roedd o wedi bod yn ei phregethu ers tro, sef mai'r perfformiad oedd yn bwysig, nid y canlyniad. Roeddan ni wedi dangos ein bod ni fel tîm, gam wrth gam, yn graddol gyrraedd y nod roedd o fel hyfforddwr wedi'i osod ar ein cyfer ni.

Roedd y daith yn gyffredinol yn un hapus dros ben. Roedd Mefin Davies a minna'n rhannu stafell, a ni gan amla oedd yn gyfrifol am yr adloniant ar y bws. Bydda Mefin yn dweud jôcs a minna'n adrodd stori... o ddifri! Roedd Steve Hansen bob amser yn meddwl ei bod hi'n bwysig iddo wybod gymaint ag y galla fo am ei chwaraewyr, sef beth oedd eu diddordeba nhw, beth oedd eu tâst nhw mewn llyfra ac yn y blaen. Pan fyddan ni, er enghraifft, yn darllen mewn lolfa maes awyr, ac ynta'n cerdded heibio, mi fydda fo'n gafael yn y llyfr er mwyn gweld beth yn union roeddan ni'n ei ddarllen. Ddaru o wneud hynny efo fi rywdro tra o'n i'n pori yn un o'r llyfrau ro'n i wedi'u cael gan 'Nhad, un yn llawn dyfyniadau a storia byr. Rhywbeth digon tebyg i'r gyfres *Chicken Soup* ddaru Steve Black 'y nghyflwyno fi iddyn nhw yn y siop lyfrau honno ym Manly yn ystod taith y Llewod. Ro'dd Steve Hansen yn meddwl ei fod o'n llyfr difyr iawn ac y dylwn i ddarllen darna ohono i'r hogia wrth i ni fynd o le i le yn y bws, gan y gallen nhw gael tipyn o fudd o'r profiad. A dyna ddigwyddodd ac, er mor amheus o'n i, cyn gneud, o beth fydda ymateb yr hogia, mi gefis i 'yn synnu o glywed rhai'n cyfadda i'r darna gael tipyn o effaith arnyn nhw!

Fel pob ymwelydd â Capetown, roedd yn rhaid i mi gael mynd i gopa Table Mountain ac ymweld ag Ynys Roben, lle y carcharwyd aelodau blaenllaw yr ANC, gan gynnwys Nelson Mandela. Mi gefis i hefyd gyfle i weld tipyn o'r wlad o gwmpas gan fod tad Tina, John, wedi dod allan yno ac wedi trefnu ymweld ag aelodau o'r teulu oedd wedi setlo yno. Mi gawson ni ddiwrnod braf iawn yn eu cwmni nhw yn crwydro ardaloedd y Cape.

Erbyn i mi ddod gartre o Dde'r Affrig, roedd 'y mlwyddyn

sabothol o'r gwaith fel llinellwr i SWALEC wedi dod i ben, a minna wedi penderfynu mynd yn chwaraewr rygbi amser llawn. Ro'n i'n cael blas ar 'y ngyrfa ryngwladol ac yn teimlo y basai'n amhosib parhau fel chwaraewr rhan amser. Ar ben hynny, yn ddiweddar, roedd natur 'y ngwaith i wedi newid, a minna bellach ddim yn gyfarwydd â'r datblygiadau yn y maes, fel y gofynion diogelwch diweddaraf. Gan fod natur y gwaith yn gallu bod yn beryglus, roedd ystyriaethau diogelwch yn bwysig dros ben. Ond doeddan nhw ddim yn gweithio bob tro! Dyna'r tro hwnnw yng Nghlydach pan o'n i'n trio gosod cebl ar hyd gwaelod to garej. Yn ddirybudd, ddaru mi ddisgyn drwy'r tro a glanio ar 'y nhraed ar lawr. Trwy lwc ddaru mi ddim brifo ond bu bron i Mike Clement, oedd ar ben polyn gerllaw, ddisgyn oddi arno gan ei fod o'n chwerthin gymaint ar 'y mherfformiad i. Yn ôl John Jones, un arall o'r giang, roedd y cyfan yn debyg iawn i olygfa mewn ffilm lle mae King Kong yn ei gaitsh ar waelod y llong!

Ddechrau mis Gorffennaf ddaru mi ddod yn ôl i Fangor er mwyn derbyn anrhydedd oedd yn bwysig iawn i mi, yn arbennig gan ei bod wedi ei chyflwyno gan un o'r sefydliadau mwya adnabyddus yng Nghymru, sef Prifysgol Cymru Bangor. Ro'n i'n ei theimlo'n fraint fawr cael bod nôl yn 'y nghynefin i dderbyn Cymrodoriaeth er Anrhydedd a rhannu llwyfan gydag enwogion fel Mark Hughes, Esgob Bangor, Dr Eirwen Gwynn a'r arlunwyr Gwilym Pritchard a Claudia Williams, oedd i gyd yn derbyn yr un anrhydedd.

Unwaith eto ddaru mi golli nifer o gêmau yn ystod wythnosa agoriadol y tymor rygbi newydd oherwydd anaf, y tro hwn i esgyrn prif gymalau dau fys bawd 'y nhraed i. Mi ro'n nhw wedi bod yn 'y mhoeni i ers tro a dim ond trwy gael pigiada ro'n i'n gallu parhau i chwara. Fel yna y llwyddis i chwara dwy gêm agoriadol Llanelli yng Nghwpan Heineken, yn erbyn Glasgow a Bourgoin. Ond bu'n rhaid i mi golli dwy gêm gynta Cymru'r tymor hwnnw yn erbyn Romania a Fiji, gêmau ddaru Cymru eu hennill yn hawdd. Cyn y gêm yn erbyn Romania yn Wrecsam, mi ofynnodd Steve i mi gyflwyno'r crysa i'r hogia, ac mi ddaru mi werthfawrogi hynny'n fawr iawn. Ddaru Cymru ennill yn hawdd y diwrnod hwnnw, felly ro'n i'n falch iawn o gael 'yn lle nôl yn erbyn Canada ar Dachwedd 16eg. Mi gafwyd buddugoliaeth arall, 32–21, er nad oedd sglein arbennig ar y perfformiad.

Mi fydda i'n cofio'r gêm yn fwya arbennig am ddau beth, sef y derbyniad gwych a gafodd Scott Quinnell gan y dorf yn Stadiwm y Mileniwm wrth iddo ddod i'r cae i gynrychioli Cymru am y tro ola, ac ynta wedi ennill 52 o gapiau. Roedd o wedi dodda tipyn o anafiadau yn ystod y blynyddoedd cynt, felly doedd ei benderfyniad o i roi'r gora iddi ddim yn syndod. Roedd ei gyfraniad o i'r tîm cenedlaethol ac i'r Llewod wedi bod yn aruthol, ac fe fydden ni'n sicr o weld ei golli. Yr ail beth cofiadwy, i bobl erill yn fwy na fi falle, oedd i mi sgorio 'nghais cynta dros Gymru yn y gêm hon. Mater oedd hi o dderbyn y bêl gan Stephen Jones yn ymyl y llinell gais a disgyn drosodd i dirio. Ddaru mi adael y bêl yno a rhedeg yn ôl i ganol y cae. Mae'n debyg fod Steve Hansen wedi rhyfeddu 'mod i wedi cofnodi 'y nghais cynta dros 'y ngwlad â chyn lleied o ddathlu. I wneud petha'n waeth, roedd Tina, wedi mynd i'r lle chwech ar y pryd, felly mi gollodd hi'r foment fawr!

A dweud y gwir, roedd o mor nodweddiadol o Steve Hansen ei fod o am i chwaraewyr ddangos eu bod yn danbaid dros eu gwlad. Mi ddaru o, a Scott Johnson hefyd, wneud i mi gywilyddio sawl gwaith pan fydden nhw'n 'yn holi i am hanes a diwylliant Cymru, a minna ddim yn gallu eu hatab nhw. Fel y dywedis i cynt, Steve ddechreuodd yr arfer o alw'r cod ar gyfer taflu i mewn i'n llinellau ni yn Gymraeg ac roedd o hefyd yn awyddus iawn i ni ganu caneuon Cymraeg, yn enwedig ar ôl gêmau, ac roedd hynny'r un mor wir am Gareth Jenkins. Roedd hyn i gyd yn rhan o'i gred sylfaenol, sef po fwya y bydd rhywun yn rhoi ohono'i hun i achos arbennig, mwya i gyd y bydd o am i'r achos hwnnw lwyddo. Felly os oeddan ni am fod yn daer dros achos Cymru, gora i gyd po fwya o Gymreictod y gallen ni ei arddel. Rwy'n cofio Graham Henry, cyn iddo ymddiswyddo, yn dod â seicolegydd i mewn i un o'n sesiyna trafod ni er mwyn ein goleuo ni ar bwysigrwydd gosod nod ("*goal setting*" oedd ei ddisgrifiad o). Roedd Steve yn sefyll yn y cefn, yn gwrando ar yr anerchiad. Yna dyma fo'n dechra cwestiynu syniadau'r seicolegydd nes bod y creadur druan ddim yn gwbod lle i droi. Y llynedd, tra o'n i yng nghwmni seicolegydd oedd yn rhan o dîm y Crysau Duon, dyma fi'n adrodd y stori hon wrtho. *"Ah! Yes!"* medda fo, *"but Steve is a psychologist in his own right!"*

Yn yr un modd, byddai'n rhoi pwysigrwydd mawr ar 'werthoedd'. Rwy'n dal i gofio'r chwe 'gwerth' roedd o bob amser yn seilio ei neges arnyn nhw: dycnwch, undod, ffydd, gonestrwydd, parch a mwynhad. Mi gawson ni sawl enghraifft ohono'n rhoi'r rhain ar waith. Rwy'n cofio un tro pan oeddan ni i gyd yn paratoi ar gyfer gêm ryngwladol ac wedi cael gorchymyn i aros gyda'n gilydd yng ngwesty'r Vale am wythnos. Mi benderfynodd un o'r asgellwyr y bydda fo, yng nghanol yr wythnos honno, yn treulio noson yn ei gartre a dychwelyd drannoeth. Pwy oedd yn y cyntedd pan gerddodd o i mewn i'r Vale y bore wedyn ond Steve. Dyma ofyn iddo ble roedd o wedi bod.

"Out to the car to fetch a CD," atebodd yr asgellwr.

"Where is it then?" holodd Steve gan sylwi iddo ddod i mewn yn waglaw!

"I couldn't find it," atebodd ynta.

"You haven't been home, then?" gofynnodd Steve, oedd yn dechra ama erbyn hyn.

"No!" oedd yr ateb. Mae'n debyg fod Steve wedi gofyn iddo dair gwaith a chael yr un ateb gan yr asgellwr bob tro. Dyma'r chwaraewr yn mynd nôl i'w ystafell, ac aeth Steve allan i'r maes parcio.

Roedd hi'n fore oer, a thipyn o farrug o gwmpas, yn enwedig ar ffenestri blaen y ceir oedd wedi bod yno dros nos. Fel cyn-blismon craff, sylwodd nad oedd unrhyw farrug ar ffenestr car yr asgellwr a bod bonet y car a'r beipen egsôst yn gynnes. Aeth Steve i fyny i'w stafell o i roi cyfle arall iddo ddweud y gwir, heb ddatgelu ei waith plismona, ond roedd o'n dal i wadu iddo fod gartre. Ond gartre y bu'n rhaid iddo fynd wedyn achos mi wnaeth Steve ei luchio fo allan o'r garfan. Mae'n debyg mai'r rheswm roedd o'n gwneud hynny oedd bod yr asgellwr wedi dweud celwydd wrtho, nid oherwydd iddo dorri'r rheolau a gadael y gwesty'r noson gynt.

Enghraifft arall o bwysigrwydd y gwerthoedd hyn i Steve oedd ei neges i bob chwaraewr fyddai'n cynrychioli Cymru i adael yr ystafell newid yn yr un cyflwr ag oedd hi cyn y gêm. Mi fydda fo a'r tîm hyfforddi i gyd yn dangos trwy esiampl, ac yn mynd o gwmpas yr ystafell newid yn eu siwtiau crand wedi gêm ryngwladol, er mwyn helpu i glirio'r sbwriel. Yn yr un modd, yn ystod amball sesiwn daclo, yng nghanol y glaw a'r mwd, fydda hi ddim yn anghyffredin ei weld o'n lluchio'i hunan at y bagia taclo i ddarlunio rhyw bwynt neu'i gilydd, er ei ddiffyg ffitrwydd, gan ddangos ei fod o'n fwy na pharod i ymuno â'r hogia yn y fath dywydd.

Roedd un gêm arall i'w chwarae ym mis Tachwedd 2002, yn erbyn y Crysau Duon, a'r gobeithion o'u curo nhw am y tro cynta ers 1953 yn uchel. Ond er i ni golli 17–43, ddaru ni ddod yn agos iawn at ennill y gêm. Yn wir wedi 79 munud, dim ond 17–22 roeddan ni ar ei hôl hi ond daeth Seland Newydd nôl aton ni'n aruthrol o gryf, gan sgorio tri chais yn y munudau ola un. Sgoriwyd un, yn eironig, gan Regan King, a fu'n disgleirio i'r Sgarlets fel canolwr yn ystod y blynyddoedd diwetha ac a oedd yn ennill ei gap cynta dros ei wlad y diwrnod hwnnw. Roeddan ni, fel pac, yn hapus iawn â'n perfformiad, yn enwedig wrth i ni orfodi sgrym y Crysau Duon i ildio cais cosb tua diwedd y gêm. Eto, roedd yr ymwelwyr wedi dangos i ni unwaith eto nad oedd gynnon ni'r awch na'r dycnwch hynny sydd eu hangen i gynnal y safon ucha tan y chwiban ola.

Roedd gwella'r gêm yng Nghymru wedi bod yn bwnc llosg ers rhai wythnosau. Roedd Prif Weithredwr Undeb Rygbi Cymru, David Moffat, wedi cyhoeddi cynllun i greu pedwar Rhanbarth newydd fydda'n cymryd lle'r clybiau unigol oedd yn cynrychioli rygbi dosbarth cynta yng Nghymru. Roedd tri ohonyn nhw i fod yn y de ac un yn y gogledd. Y syniad y tu ôl i hyn oedd y bydda datblygiad o'r fath yn arwain at chwara llai o gêmau a'r rheiny o safon uwch. Yn naturiol roedd hyn yn golygu y bydda rhai o'r clybiau traddodiadol yn chwalu ond doedd hynny ddim mor bwysig â hynny i David Moffat. Yn ei farn o, roedd traddodiad yn gallu bod yn rhwystr i ddatblygiad ac os oedd rygbi i ffynnu yng Nghymru ar y lefel genedlaethol, roedd yn rhaid cael newid sylfaenol. Yn sicr, ddaru o gorddi'r dyfroedd a thra bo rhai carfanau yn ei gefnogi, roedd erill yn gwrthwynebu'n llym ar y dechra, gan gynnwys Llanelli. Ddaru'r Clwb gychwyn brwydr daer i gael cadw ei statws unigol ac yn 'y marn i roedd ei record dros y blynyddoedd yn haeddu hynny. Felly, mi newidiwyd cynllun gwreiddiol David Moffat mewn sawl ffordd, yn enwedig ei fwriad i greu rhanbarth newydd yn y gogledd. Rwyf eisoes wedi dweud 'y marn am sut y dylid datblygu rygbi yno, ond mae hi'n ddiddorol nodi bod sawl person amlwg yn y byd rygbi yng Nghymru wedi galw ar yr Undeb i roi cynlluniau ar waith ar gyfer gwneud y gogledd yn un o'r Rhanbarthau, maes o law.

Gan fod 'y modia i'n rhoi mwy a mwy o draffarth i mi, dyma Steve Hansen yn 'y nghynghori i gael llawdriniaeth, er mwyn rhoi cyfle i mi wella'n iawn erbyn Cwpan y Byd. Roedd hi'n braf gwbod ei fod o'n meddwl amdana i ar gyfer Awstralia ac felly mi ges i lawdriniaeth i lanhau cymalau'r bodia ddechrau 2003. Canlyniad hynny oedd i mi fethu pob gêm ym Mhencampwriaeth y Chwe Gwlad y flwyddyn honno, oedd yn gyfnod trychinebus i dîm Cymru. Mi ddaru ni golli pob gêm, gan gynnwys yr un yn erbyn yr Eidal, a hynny am y tro cynta erioed. 'Yn unig gyfraniad i i'r bencampwriaeth oedd rhoi sylwadau ar y gêmau ar S4C!

A minna heb chwara ers Ionawr 17eg, mi ddaru mi basio prawf ffitrwydd ar gyfer y gêm yn erbyn Perpignan yn rownd yr wyth olaf yng Nghwpan Heineken ar y Strade. Roedd ein gobeithion ni'n reit uchel ond unwaith eto ddaru'r gobeithion hynny gael eu chwalu wrth i ni golli 19–26. Mi roedd gynnon ni dipyn o fynydd i'w ddringo wedi i Dafydd Jones, ein blaenasgellwr, gael ei yrru o'r cae am sathru, ar ôl deng munud yn unig. Ond yr hyn 'nath y siom yn fwy oedd ei bod hi'n gêm y gallan ni fod wedi'i hennill. Roedd y bawd yn dal i roi ychydig o boen ac mi ddaru Aled Gravelle ddod ymlaen yn fy lle i cyn y diwedd ond roedd hi'n braf iawn cael bod nôl yn chwara unwaith eto. Roeddan ni'n dal yng Nghwpan y Principality ac mi gawson ni dipyn o blesar wrth sgubo Caerdydd o'r neilltu yn y rownd gyn-derfynol, gyda'n sgôr uchaf ni erioed yn eu herbyn nhw, 44–10. Ymlaen wedyn i'r ffeinal a churo Casnewydd 32–9 â pherfformiad graenus arall, gan ennill y Cwpan am y deuddegfed tro, oedd yn record penigamp.

Pennod 12

Herio'r Byd

Let the world know you as you are, not as you think you should
be, because sooner or later, if you are posing, you will forget the
pose, and then where are you?

Fanny Brice

Er mwyn paratoi ar gyfer Cwpan y Byd yn ystod hydref 2003,
trefnwyd dwy gêm, yn erbyn Awstralia a Seland Newydd, ym
mis Mehefin, ond bu bron i'r chwaraewyr wrthod teithio yno ar
y funud ola. Oherwydd anghydfod gydag Undeb Rygbi Cymru
ynghylch telera ac yswiriant, ddaru'r garfan benderfynu peidio
â gadael gwesty'r Vale i fynd i Heathrow nes y bydda'r Undeb
wedi setlo'r cwynion oedd gynnon ni. Yn y diwedd, mi gawson
ni'r chwaraewyr ein bodloni ond roeddan ni dipyn ar ei hôl hi'n
cychwyn am y maes awyr oherwydd yr anghydfod. Y canlyniad
oedd i ni fethu'r awyren wreiddiol roeddan ni i fod i deithio arni
a ddaru newid i awyren arall, oedd yn mynd yn hwyrach, gostio
£150,000 i'r Undeb. Roedd rhai yn gweld bai ar y chwaraewyr,
ond yn sicr roedd modd beirniadu swyddogion yr Undeb hefyd am
nad oeddan nhw wedi rhagweld y brotest. Wedi'r cyfan, roedd y
wasg wedi eu rhybuddio nhw ddyddia ynghynt fod 'na helynt ar
dorri. Er hyn i gyd mae'n rhaid i mi gyfadde mai'r cyfan ro'n i am ei
neud y bore hwnnw oedd ei bwrw hi am y maes awyr er mwyn i ni
gael cyrraedd Sydney a dechrau chwara rygbi cyn gynted â phosib.
Dyma enghraifft arall o 'niffyg diddordeb i mewn trafod pres!

Ddaru'r daith ddechra'n addawol yn erbyn Awstralia ond yn

dilyn gêm galed, a'n chwaraewyr ni'n dangos digon o dân ac asgwrn cefn, colli 10–30 fu'n hanes ni. Eto daeth digon o'r perfformiad hwnnw i'n gwneud ni'n reit hapus ar gyfer y gêm nesa yn erbyn Seland Newydd yn Hamilton. Mi gawson ni'n croesawu i'r wlad yn ffordd draddodiadol y Maori ar *marae*, sef canolfan ysbrydol pob llwyth Maori. Wrth gwrs, roedd dau o'n prif swyddogion ni, Steve Hansen ac Andrew Hore, fel brodorion o Seland Newydd, yn hen gyfarwydd â'r drefn ac yn gwbod bod yn rhaid i ni fel carfan ateb y croeso yn ein hiaith ni. Cyn gadael Cymru, roedd Steve Hansen wedi 'ngwneud i, yn ogystal â Colin Charvis, Martin Williams a Stephen Jones, yn gapteiniaid ar gyfer y daith. Yn y bôn y bwriad oedd tynnu'r pwysau oddi ar Colin Charvis, a oedd wedi diodde tipyn gan y wasg yn sgil perfformiadau diweddar y tîm. Heblaw am hynny, do'n i ddim yn gweld llawer o reswm dros y drefn newydd tan i mi gyrradd y *marae* hwnnw, pan drodd Steve Hansen ata i a gofyn i mi ateb y croeso yn y Gymraeg. Dw i ddim yn cofio beth ddaru mi ddweud ond, o ran sglein a chyfoeth 'y nghyflwyniad i, falle ei bod hi'n beth da nad oedd ein cyfeillion y Maori yn ei ddeall o!

Doedd dim llawer o groeso i'w deimlo ar y cae pan ddaru ni chwarae yn erbyn y Crysau Duon yn ddiweddarach. Mi gawson ni gweir ganddyn nhw o 55 i 3, ac roedd y bwlch rhwng y ddau dîm yn ymddangos yn anferth. Yr unig ddigwyddiad sydd yn sefyll yn 'y meddwl i, ydy'r ergyd dderbyniodd Colin Charvis yn y dacl gan Jerry Collins, ac ymateb Tana Umaga, wrth iddo wneud yn siŵr nad oedd o 'di llyncu ei dafod. Ro'n nhw gymaint gwell na ni mewn sawl agwedd allweddol o'r chwara, yn enwedig yr agweddau oedd yn gofyn am gyfuno cyflymdra â grym. Eto, ro'n i'n teimlo'n ddigon cyfforddus yn eu herbyn nhw yn y chwara tyn, tan i mi orfod gadael y cae ag anaf, ddeng munud i mewn i'r ail hanner. Ddaru nhw sgorio chwe chais, un gan Daniel Carter, bachgen ifanc, bryd hynny, a fydd, dw i'n siŵr, yn un o sêr Cwpan y Byd yn 2007. Mi giciodd, yn ogystal, chwe throsiad ac un gôl gosb. Ond mantais gêm o'r fath, er y canlyniad trychinebus, oedd y bydda hi'n rhoi digon o betha i ni weithio arnyn nhw wedi dychwelyd i Gymru. Oedd, mi roedd y canlyniad yn ergyd ar y naill law ond dw i'n siŵr fod Steve Hansen yn ei weld o fel cyfle arall i'n gwneud ni'n well tîm yng Nghwpan y Byd, yn enwedig gan ein bod ni'n garfan weddol ifanc.

Trefnwyd pedair gêm arall ddiwedd yr haf yn erbyn Romania – yn Wrecsam, Iwerddon yn Nulyn, a Lloegr a'r Alban yng Nghaerdydd. Ddaru mi ddim chwara yn y ddwy gêm gynta gan fod y tîm hyfforddi am weld cymaint o wyneba newydd â phosib cyn Cwpan y Byd. Mi gafwyd buddugoliaeth hawdd yn erbyn Romania, a chweir unwaith eto yn erbyn Iwerddon. Ro'n i nôl yn y tîm ar gyfer gêm Lloegr, a'r ymwelwyr yn rhoi eu hail dîm, i bob pwrpas, yn ein herbyn ni. Ddaru ni chwara yn ofnadwy gan wneud camgymeriad ar ôl camgymeriad wrth i ni golli 9–43, y degfed gêm brawf yn olynol i ni ei cholli yn erbyn prif wledydd y byd rygbi.

Fasen ni ddim wedi medru cael canlyniad gwaeth mor agos at Gwpan y Byd, ac erbyn hyn roedd 'na floeddio am waed Steve Hansen. Ond roedd 'na un gêm ar ôl cyn y gystadleuaeth fawr, yn erbyn yr Alban ac roedd 'na bwysa arno i newid y tîm a galw chwaraewyr mwy profiadol nôl. Ddaru o ddim gwneud hynny, ond er rhyddhad mawr i bawb mi gafwyd perfformiad derbyniol wrth i ni eu curo nhw 23–9. Mi glywis i o le da wedi'r gêm honno fod swyddogion Undeb Rygbi Cymru yn barod iawn i roi'r sac i Steve Hansen pe baen ni wedi colli yn erbyn yr Alban, wythnosa yn unig cyn dechra Cwpan y Byd!

Yn ystod y gêm ddaru mi anafu bawd 'y nhroed unwaith eto ac mi roedd 'na dipyn o bryder na faswn i'n ddigon iach i fynd i Awstralia. 'Ro'n i'n cael triniaeth gyson gan Mark Davies, ffisiotherapydd yr Undeb, ond roedd yn rhaid i enwa holl aelodau'r garfan fod i mewn erbyn Medi'r 10fed. Dyma gael prawf ffitrwydd terfynol ar y diwrnod hwnnw a dod trwyddo'n llwyddiannus, diolch i'r drefn! Felly i ffwrdd â ni i Lanzarote am gyfnod o baratoi dwys, a phwyslais aruthrol ar ffitrwydd o dan ofal Andrew Hore. Ro'dd o'n waith caled a phoeth ond roeddan ni wedi cael ein paratoi'n reit dda, yn ein sgubor ymarfer ni yng Ngwesty'r Vale, ar gyfer y gwres. Ychydig wythnosa cyn i ni adael Cymru, roedd y tîm hyfforddi wedi dod â sawl gwresogydd nwy anferth i mewn i'r sesiynau ymarfer er mwyn i ni ddod i arfer â gwres Lanzarote ac Awstralia.

Roedd Andrew yn canolbwyntio ar ofynion ffitrwydd pob chwaraewr unigol ac roedd ganddo ymarferion wedi eu teilwra i'w hanghenion arbennig nhw. Mi roedd o'n trin y chwaraewyr hŷn a mwya profiadol, fel Gareth Llywellyn a minna, yn wahanol. Mi roedd o'n cymryd bod y blynyddoedd o ymarfer ar y lefel ucha wedi rhoi i ni'r ffitrwydd aerobig cyffredinol heb iddo fo orfod ein cael ni i redeg a rhedeg nes hanner ein lladd ni! Yn hytrach, mi fydda fo, yn ein hachos ni, yn canolbwyntio ar ddatblygu cyflymdra a phŵer ffrwydrol gan gyfuno gwaith cynyddu grym y cluniau yn y *gym* a gwaith gwibio dro ar ôl tro dros bellteroedd byr penodedig.

A ninnau wedi gweithio mor galed yn Lanzarote, ddaru'r tîm rheoli benderfynu ein bod ni'n haeddu noson allan yn y dre. Mi gawson ni awr neu ddwy reit hwyliog gyda'n gilydd tan i'r bws ddod i'n codi ni a mynd â ni nôl i'r ganolfan wyliau lle roeddan ni'n aros. Roedd y sesiwn ymarfer arferol wedi'i threfnu ar gyfer yr un amser y bore wedyn ond roedd rhyw bedwar o'r hogia, mae'n amlwg, yn diodda yn fwy na'r gweddill wedi'r noson gynt ac mi ro'n nhw'n hwyr yn cyrradd yr ymarfer.

Roedd hynny'n anfaddeuol yn llygaid Steve Hansen. Ond, gan ei fod o'n gredwr cryf yn ethos 'y garfan' a dyletswydd yr holl aelodau i edrych ar ôl ei gilydd, roedd o'n gweld bai ar yr hogia oedd wedi cyrradd yr ymarfer mewn pryd na fasan nhw wedi gwneud yn siŵr fod pawb arall yno. Felly ddaru o benderfynu mai y ni, y rhai oedd wedi cyrradd mewn pryd, ddyla gael ein cosbi, nid y pedwar oedd yn hwyr. O ganlyniad mi fu'n rhaid i ni wneud sesiwn ychwanegol o ymarfer, yn y gwres llethol. Mi gafodd y pedwar 'troseddwr' eu cosbi trwy wneud iddyn nhw deimlo'n euog o'n gweld ni'n diodde. Dyna enghraifft wych o seicoleg 'anghyffredin' Steve Hansen ar waith.

Yn Awstralia roeddan ni'n aros i ddechrau yn yr union westy ym Manly ddaru mi dreulio oria ar 'y mhen fy hun ynddo yn ystod taith y Llewod, pan o'n i'n trio gwella o'r anaf i 'nghoes. Roedd o'n westy llawn atgofion chwerw i mi, ond ro'n i'n benderfynol, y tro hwn, o fwynhau pob munud o'r daith. Ro'n i'n croesawu'r ffaith 'mod i wedi cael cyfle arall i brofi i fi'n hun mai'r hyn ddaru wneud taith y Llewod mor ddiflas oedd 'yn anlwc i fy hun a'r ffaith nad oedd 'yn agwedd i, ar y pryd, yn ddigon aeddfed i ddelio â hynny. Ond mi fydda'n wahanol y tro hwn!

Fel y dywedis o'r blaen, roedd y gwesty mewn lle braf reit ar ymyl y traeth a'r peth cynta naethon ni ar ôl cyrradd oedd rhuthro i'r dŵr i wneud tipyn o syrffio. Yn anffodus mae mwy i'r gamp honno nag yr oedd y rhan fwya ohonon ni'n ei feddwl ar y pryd a dim ond ambell un dawnus, fel Dwayne Peel, oedd yn gallu cadw i sefyll ar y bwrdd syrffio am unrhyw hyd. Ond doedd pob difyrrwch ym Manly ddim mor ddiniwed. Tra o'n i yno, ddaru mi gael un o brofiadau mwya cynhyrfus 'y mywyd i. Nofio mewn tanc anferth gyda nifer o siarcod *grey nurse* ynghyd â thua dwsin o gyd-chwaraewyr, a phawb yn llawer mwy nerfus yno nag a fuon nhw ar gae rygbi erioed!

Tua dechra'r daith mi gawson ni'n holi yn unigol gan gyfryngau Awstralia wrth iddyn nhw drio creu rhyw ddarlun o bob chwaraewr fyddai'n cymryd rhan yng Nghwpan y Byd. Roedd llawer o'r cwestiyna yn rhai a gafodd eu gofyn i mi droeon yn ystod 'y ngyrfa ac erbyn hynny ro'n i'n trio meddwl am rywbeth gwahanol, bachog i'w ddweud wrth ateb. Felly pan ddaru nhw ofyn i mi a oedd 'na un gair, yn fwy na'r un arall, oedd yn fy sbarduno i ymdrechu hyd yn oed yn galetach dyma ateb yn Gymraeg, â 'nhafod yn 'y moch, "Sais!" Wrth gwrs roeddan nhw am wybod beth oedd ystyr y gair hwnnw ond rhag i mi greu 'helynt diplomataidd' ddaru mi wrthod dweud wrthyn nhw.

Ein prif ganolfan ar y daith oedd Canberra. Am wn i ddaru'r lle hwnnw gael ei ddewis, yn ddoeth iawn, am nad oedd llawer i'w wneud yno ac roedd modd canolbwyntio ar ymarfer a pharatoi. Gan fod pencadlys Sefydliad Chwaraeon Awstralia yn y ddinas honno, roedd yno gyfleusterau gwych. Roedd pob dim roeddan ni ei angen yn y ganolfan arbennig lle roeddan ni'n aros, ac eithrio stadiwm i ymarfer ynddo. Ond roeddan ni'n cael defnyddio cae

Canberra Raiders, tîm Rygbi'r Gynghrair leol, oedd o fewn tafliad carreg, felly roedd pob dim wrth law i ni.

Roedd trefniada'r llety'n wych yno hefyd. Doeddan ni ddim yn aros mewn gwesty ond yn hytrach mewn fflatiau, gyda dau'n rhannu, a thair neu bedair fflat ar bob llawr. Roedd y criw hwnnw'n gwneud tîm ac roedd y garfan yn ymrannu'n bedwar 'tîm' felly. Shane Williams oedd 'y mhartner i ac, fel pawb arall, y ni oedd yn gyfrifol am siopa bwyd i ni'n hunain a'i goginio fo, am olchi ein dillad 'yn hunain (mi roedd 'na beiriant golchi yno), ac yn y blaen. Roedd y system hon yn ardderchog yn 'y marn i gan ei bod hi'n dod â threfn a phatrwm i fywyd rhywun. Mae aros mewn gwesty yn gallu bod braidd yn ddiflas ac yn gneud i rywun fynd yn ddiog yn hawdd. I neud y cyfan yn fwy cymdeithasol, mi fydda hogia'r llawr arbennig hwnnw yn gwahodd ei gilydd i ginio nos, gan greu rhyw deimlad cymdeithasol braf. Wedyn, rhyw ddwywaith yr wythnos mi fydda'r pedwar 'tîm' yn dod at ei gilydd mewn rhyw dŷ bwyta lleol, ac roedd digon ohonyn nhw ar gael o fewn cyrradd hwylus.

Rhan gymdeithasol bwysig arall i'n bywyd ni'r adeg honno oedd y côr. Ers talwm, roedd ffurfio côr o blith chwaraewyr ar daith yn digwydd yn awtomatig bron yn achos Cymru a'r Llewod. Roedd Steve Hansen wedi gofyn i mi ddechra trefnu côr ar gyfer ein cyfnod ni yn Awstralia, a'r pwyslais ar ganu Cymraeg. Roedd o, mae'n siŵr, yn awyddus i barchu'r traddodiada Cymreig fel ffordd o gynnal y 'gwerthoedd' oedd mor bwysig iddo. Felly, y fi oedd yn gyfrifol am sgrifennu'r geiria ar gyfer ein cantorion ni. Unig wendid y system o bosib oedd bod pawb, gan gynnwys y tîm hyfforddi, yn gorfod ymuno â'r côr, hyd yn oed os oedd llais fath â brân gan ambell un! I ychwanegu at y naws eisteddfodol, mi ddaru mi roi ffug enw i bob aelod, er enghraifft 'Pen Pin' oedd enw Brent Cockbain, 'Dwayne Gwddw Hir' oedd yr enw gafodd Dwayne Peel. Mi weithiodd y cynllun yn ardderchog gan i ni fwynhau sawl sesiwn o ganu gyda'n gilydd yn ystod y daith, fydda'n parhau am ryw hanner awr ar y tro, weithia mewn tŷ bwyta, dro arall mewn barbeciw neu Glwb Rygbi y byddan ni wedi cael ein gwahodd iddo. Y ffefryn ymhlith yr holl ganeuon oedd 'I lawr ar lan y môr'. Y rheswm penna am hynny oedd bod yr hogia'n gallu ychwanegu eu geiria eu hunain i 'Mi gefais i... lawr ar lan y môr!' ond mae arna i ofn na fedra i roi enghreifftia o'r fersiyna hynny yn y fan hon!

Fel adlewyrchiad o'r pwysigrwydd roedd Steve yn ei roi ar wreiddiau trefnwyd ein bod ni'n mynd un noson i Gymdeithas Gymraeg Manly lle y cyflwynwyd ein capiau i ni. (Er mai dim ond ar achlysur ei gap cynta y bydd cap yn llythrennol yn cael ei roi i chwaraewr, roedd cap glas arbennig yn cael ei gyflwyno i bob chwaraewr oedd yn cynrychioli ei wlad yng Nghwpan y Byd.) Roedd llawer iawn o Gymry, wrth gwrs, wedi mudo i Manly'n gynnar yn ystod y ganrif ddiwetha i weithio yn y pylla glo yno. Roedd Steve hefyd am i ni flasu peth ar ddiwylliant brodorol Awstralia. Felly ddaru ni gael ein diddanu un noson gan un o 'feirdd y gwylltiroedd' a ninna, y chwaraewyr, yn cymryd rhan wedyn mewn cystadleuaeth sgrifennu penillion. Dro arall bu Scott Johnston yn egluro hanes a diwylliant yr Aborigine wrthan ni. Ond mae'n debyg mai'r ymweliad mwya trawiadol a gawson ni oedd honno ag Amgueddfa Ymgyrch Gallipoli, y bu gan filwyr Awstralia ran mor allweddol ynddo yn ystod y Rhyfel Byd Cynta.

Yn erbyn Canada ddaru ni chwara gynta, yn y Telstra Dome ym Melbourne. Roedd y rhan fwya o'r gwaith paratoi yn Canberra'n canolbwyntio ar yr hyn roedd y tîm hyfforddi yn eu hystyried fel gwendidau yn ein chwara ni. Y rhai pwysica oedd ein patryma ni fel tîm yn y chwara yn dilyn llinell a sgrym. Hefyd y ffordd roeddan ni'n trin ardal y dacl, yn arbennig faint o ddynion y bydden ni'n eu neilltuo iddi ar adegau penodol.

Roedd Steve wedi dod â hyfforddwr o Seland Newydd, Mike Cron, aton ni ers ychydig cyn Cwpan y Byd. Ar hyd y blynyddoedd mi ddaru hyfforddwyr y blaenwyr neud tipyn o waith dadansoddi gofynion a phosibiliadau'r llinell. Mike oedd y cynta ro'n i wedi dod ar ei draws oedd wedi gneud gwaith tebyg gyda'r sgrym. Roedd o'n gyn-aelod o undeb y rheng flaen ei hun ac yn credu, fel y bydda fo'n arfer dweud wrth Steve Hansen, ei bod hi'n bosib i hyfforddwr ddysgu am 95% o'r hyn sy'n bwysig mewn sgrym ond mai dim ond rhywun sydd wedi chwara yno ei hunan fydda'n gallu ychwanegu'r 5% arall. Prif neges Mike oedd dangos sut i gael yr onglau mwya effeithiol ar gyrff y blaenwyr wrth iddyn nhw fynd i mewn i sgrym. Mi fydda fo'n pwysleisio hefyd, er enghraifft, pa mor bwysig oedd hi bod y pac yn symud o safle A, cyn ymrwymo i safle B mor gyflym â phosib ym merw'r sgrym. Ddyla'r rheng flaen fyth fynd i lawr ar eu penna eu hunain heb fod gweddill y pac ynghlwm wrthyn nhw ac yn y safle gwthio cryfa posib cyn ymglymu â'r wyth arall. Doedd Mike ddim yn hoff o ddefnyddio peiriant sgrymio wrth ymarfer gan ei fod, yn ei farn o, yn ffordd rhy statig o ddysgu sgiliau sgrymio, a gormod o wahaniaeth rhyngddo a'r math o sefyllfaoedd fydda'n codi wrth sgrymio mewn gêm go iawn. Gwell oedd ganddo hyfforddi sgilia sgrymio wrth rannu'r pac a gweithio yn erbyn ei gilydd fel rheng flaen, pump blaen, neu weithia bedwar yn sgrymio yn erbyn pedwar, a'r pwyslais ar roi pwysa ar y prop pen tyn, conglfaen y sgrym, er mwyn gweld ble roedd ei wendida fo.

Roedd y gêm ei hun yn erbyn Canada'n weddol hawdd, a ninna'n sgorio pum cais wrth i ni ennill 41–10, gyda Iestyn Harris yn cicio pum trosiad a dwy gôl gosb. Yr uchafbwynt i mi oedd cael cyfle cynnar i lorio'r prop Rod Snow â thacl reit nerthol – roedd o'n chwara i Ddreigiau Gwent, ac i Gasnewydd cyn hynny. Yn y gwaith paratoi cyn y gêm, mi fydda Clive Griffiths, ein hyfforddwr amddiffyn ni, yn cynnig ymarfer taclo ychwanegol i'r rhai fydda'n dymuno hynny. Gan mai dyna oedd un o'n hoff agwedda i ar y gêm, ddaru mi dreulio tipyn o amser yn gwneud hynny ac mi dalodd ar ei ganfed pan ddaru mi hitio Rod Snow. Mi gefis i gyfle i amseru'r dacl i'r blewyn wrth iddo drio rhedeg trwydda i, a heb ddymuno ymddangos yn greulon, mi ddaru 'i weld o'n gwingo ar y llawr wrth 'y nhraed i roi tipyn o hwb i mi ar gyfer gweddill y gêm. Mi gefis i 'yn eilyddio ar gyfer yr ugain munud ola ond ro'n i wedi cael gwbod gan Steve cyn y gêm mai ei fwriad fydda rhoi cyfle i Huw Bennett gael blas arni'n gynnar yn y gystadleuaeth.

Nôl â ni o Melbourne i Canberra i baratoi ar gyfer y gêm nesa yn erbyn Tonga. Yn ystod ein cyfnoda o segurdod yng Ngwesty'r Vale, roedd Steve Hansen wedi cael arbenigwyr ar gyfrifiaduron aton ni er mwyn i ni gael dod yn gyfarwydd â'u defnyddio nhw. Y cam nesa wedyn oedd ein cael ni i ddefnyddio cyfrifiaduron côl (*lap tops*) i ddadansoddi gwahanol agwedda ar ein chwara. Yn Canberra roedd un cyfrifiadur côl ar gyfer dau chwaraewr ac roedd disgwyl i ni astudio gwahanol agweddau ar ein chwara diweddar ni fel unigolion wrth baratoi ar gyfer y gêmau. Roedd modd i mi ddefnyddio'r cyfrifiadur côl i graffu ar unrhyw agwedd ar 'yn chwara i mewn unrhyw gêm ddiweddar. Ro'n i'n gallu gweld, er enghraifft, a o'n i'n sefyll yn y lle iawn wrth ddod i sgarmes ar ôl llinell mewn man arbennig ar y cae, a o'n i'n hitio sgarmes ar yr ongl iawn yn dilyn cic i ailddechra'r chwarae, neu a o'n i wedi cau'r bwlch yn ddigon sydyn wrth amddiffyn yn y chwara rhydd.

Roedd y tîm hyfforddi'n disgwyl i bob aelod o'r garfan neud ei waith cartref ar y cyfrifiadur. Wedyn, mi fydda Steve Hansen yn dadansoddi'r deunydd a gâi gan bob unigolyn yn ei dro gan ei feirniadu, ei ganmol neu ei holi, yn ôl y gofyn. Bydda aelodau o'r garfan oedd ddim yn chwara yn erbyn Canada, dyweder, wedi bod yn gwylio Tonga'n chwara. Eu tasg nhw fydda dadansoddi gwahanol agwedda ar eu gêm er mwyn cyflwyno adroddiad i weddill y garfan, gan ddefnyddio darnau o ffilm a chyngor gan y tîm hyfforddi. Mi fydda hynny'n gwneud i'r hogia, a ddewiswyd i chwara yn erbyn Tonga fod gymaint â hynny'n fwy parod ar eu cyfer nhw.

Ro'n i'n siomedig braidd na chefis i 'y newis i chwara yn erbyn Tonga. Er yr holl baratoi, tueddu i chwara i'w cryfderau nhw ddaru ni wneud. O ganlyniad roedd hi'n gêm lawn tensiwn a ninna'n falch o'i hennill hi 27–20 yn y diwedd. Yn achos rhai o'r hogia, roedd y tensiwn hwnnw i'w weld yn y gêm nesa yn erbyn yr Eidal hefyd, falle achos eu bod nhw'n rhan o'r tîm gafodd ei drechu ganddyn nhw, am y tro cynta erioed, ym Mhencampwriaeth y Chwe Gwlad ddeunaw mis ynghynt. Roedd ychydig bach o ddrwgdeimlad rhwng hogia Cymru a'r Eidalwyr ers y gêm honno. Wrth gwrs, mi gawson nhw fodd i fyw wrth ein curo ni, ond nid â'r llawenydd arferol ddaru nhw ddathlu hynny, ond gyda rhyw ddirmyg sarhaus a chlochdar, naeth adael blas cas ar ei ôl ymhlith tîm Cymru ar y pryd.

Do'n i ddim yn chwara yn y gêm honno felly do'dd y baich hwnnw ddim arna i'n bersonol. Eto, yn y gêm yn Awstralia, mi gafodd yr Eidal dipyn mwy o feddiant na ni a bu'n rhaid i ni wneud ddwywaith cymaint o daclo â nhw cyn ennill 27–15. Roeddan ni drwodd i rownd yr wyth olaf, ac roedd y rhyddhad yn amlwg drwy'r garfan. Roedd yr holl waith roeddan ni wedi'i wneud ar ffitrwydd, nerth a phŵer wedi talu ffordd a falle wedi synnu rhai o'r beirniaid oedd o'r farn nad oedd dim gobaith gynnon ni fynd drwodd. Ond roedd 'na un gêm arall i'w chwara o hyd yn y rownd agoriadol, yn erbyn y Crysau Duon. Roedd rhai o'r farn nad oeddan ni wedi gwneud digon yn y tair gêm gynta i osgoi cael 'yn chwalu gan Seland Newydd, ond roeddan ni'n gwbod yn wahanol.

Erbyn hyn, roedd ysbryd ardderchog yn y garfan a'r hyder yn fwy nag a fuodd ers sawl blwyddyn. Un o'r dulliau roedd y tîm hyfforddi yn ei ddefnyddio i godi'r hyder oedd cael enwogion o fyd chwaraeon i gyflwyno ein crysa i ni cyn pob gêm a'n hannog ni i roi ein gorau yn yr ornest oedd i ddod. Ddaru Scott Johnson gael Mal Meninga ac Andrew Johns, sêr byd-enwog Rygbi'r Gynghrair, a Glen McGrath, y cricedwr adnabyddus, i wneud hynny yn ystod Cwpan y Byd. Roedd yr arfer wedi dechra yng Nghymru, o dan Graham Henry, gyda chyn-chwaraewyr fel Gerald Davies a Ray Gravelle yn tynnu ar eu profiada nhw i'n hysbrydoli ni.

Weithia, fel cyn y gêm yn erbyn Lloegr yn rownd yr wyth olaf yn Awstralia, mi fydda rhywun nad oedd gynno fo unrhyw gysylltiad â'r byd chwaraeon yn dod i ddweud gair wrthan ni. Bryd hynny, daeth un o uwch-swyddogion y fyddin aton ni a darllen anerchiad a roddwyd i filwyr gan un o'u swyddogion adeg y Rhyfel Byd Cynta. Neges yr anerchiad oedd y dylai pob milwr ymladd tan yr eitha ac os gwelai'r swyddog hwnnw unrhyw un ohonyn nhw'n trio dianc, mi fydda fo yn ei saethu fo ei hunan. Mi ddaru'r neges arbennig honno gael tipyn o ddylanwad arnon ni'r chwaraewyr cyn wynebu Lloegr. A dweud y gwir, pan fydda cyn-chwaraewyr enwog yn dod i gael gair gyda ni, doedd dim angen iddyn nhw ddweud llawer. Roeddan ni'n gwbod bod eu record nhw ar y maes chwara'n siarad drostyn nhw. Doedd cael rhywun o'r tu allan i'r byd chwaraeon ddim yn gweithio bob amser. Un o'r cyflwyniada mwya siomedig gawson ni oedd pan ddaeth Rhodri Morgan, Prif Weinidog y Cynulliad aton ni i roi ein crysa i ni. Mi ddaru o gynnig ambell gyngor wrth neud, fel dweud wrth Gareth Thomas, *"Don't get isolated!"*

Y neges a gawson ni gan Steve Hansen cyn y gêm yn erbyn Seland Newydd oedd, *"We're through, but we must get through this game with our heads held high. Go out there and play rugby, but within reason. Don't do anything stupid!"* Roedd deg newid i'r tîm ddaru chwara yn erbyn yr Eidal, a Shane Williams yn ddigon iach o'r diwedd. Ers cyrraedd Canberra roedd o wedi bod yn reit sâl efo rhyw firws ac wedi treulio'r rhan fwya o'i amser yn ei stafell. Ond ar gyfer y gêm hon roedd o ar dân ac o'r foment ddaru o godi'r bêl o fôn sgarmes yn ei 22ain ei hunain yn y chwara rhydd a dawnsio i fyny'r cae, roedd y patrwm wedi'i osod ar gyfer gweddill y gêm. Y nod oedd trio cadw meddiant, trafod y bêl, a chreu, a dyna ddigwyddodd, gyda'r tîm i gyd yn codi eu gêm. Er syndod i bawb roeddan ni ar y blaen, a dim ond ugain munud i fynd ond mi redon ni allan o stêm erbyn y chwiban olaf a cholli 37–53.

Y cwestiwn ar wefusa pawb oedd a allen ni roi perfformiad tebyg ddwywaith yn olynol a bod yn fygythiad i obeithion Lloegr. Yn sicr roeddan ni'n fwy hyderus bellach ac yn mynd i mewn i'r gêm honno â'r bwriad o redeg atyn nhw fel y gnaethon ni yn erbyn y Crysau Duon. Wrth gwrs, ddaru ni dreulio tipyn o amser yn dadansoddi patryma eu chwara nhw, ond y nod sylfaenol i ni oedd cadw gafael ar y bêl yn hytrach na'i chicio hi. Yn eironig, dim ond pan ddaru nhw droi at gicio effeithiol yr eilydd, Mike Catt, y llwyddodd Lloegr i'n trechu ni, a'r sgôr terfynol yn 17–28. Cyn hynny roeddan ni unwaith eto wedi chwara rygbi cyffrous ac wedi sgorio tri chais i un gan Loegr ac mi ddylian ni fod wedi cael mwy. Ond roedd yr amddiffyn yn wych hefyd a ninna am yr eildro yn y gystadleuaeth yn llwyddo i wneud dros 170 tacl mewn gêm. Er hynny, yn y diwedd, roedd grym y Saeson yn drech na ni, gan ein gorfodi ni i ildio nifer o giciau cosb y llwyddodd Johnny Wilkinson eu trosi mewn modd mor glinigol.

Roeddan ni'n teimlo'n reit ddigalon fod y gêm honno wedi dianc o'n gafael ni ac roedd hi'n amlwg hefyd fod Steve yn siomedig. Ond o leia roeddan ni o'r diwedd wedi cael chwara'r math o rygbi roeddan ni wedi bod yn anelu ato o'r cychwyn o dan Steve a'r tîm hyfforddi. Roedd y byd bellach wedi dechrau cymryd sylw. Roedd hi'n amlwg oddi wrth y nifer fawr o gefnogwyr o Gymru ddaru ni ddod ar eu traws allan yno eu bod nhw wedi cael eu plesio'n arw. Mi fydda i'n meddwl yn aml fod yn well ganddyn nhw ein gweld ni'n colli wrth chwara'r math o rygbi ddaru ni ei ddangos yn erbyn y Crysau Duon a Lloegr nag ennill drwy chwara'n wael ac yn ddi-glem. Fydda i byth yn darllen adroddiada papur newydd, yn enwedig am gêmau ddaru mi chwara ynddyn nhw. Ond roedd hi'n amlwg, wedi siarad â gohebwyr rygbi'r cyfrynga, wrth iddyn nhw wneud cyfweliada gyda ni, fod y wasg yn ddieithriad yn llawn canmoliaeth am y ffordd gyffrous ddaru ni chwara yng Nghwpan y Byd.

Y bore wedi gêm Lloegr cynhaliwyd y Llys Cangarŵ hwyliog arferol, digwyddiad sy'n gyffredin i ddiwedd bron pob taith, pan fydd chwaraewyr yn gorfod cyflawni pob math o gosbau hurt am 'droseddau' roeddan nhw wedi eu cyflawni yn ystod y daith. Y fi oedd y Barnwr a ddaru mi neud yn siŵr fod pob chwaraewr yn euog o rywbeth. Eto, roeddan nhw wedi bod yn llawer mwy caredig wrtha i gan iddyn nhw 'yn ethol i, ar gyfer un o'r wythnosau yn ystod y daith, yn 'ddyn yr wythnos', a enillodd i mi un o grysau Mal Meninga yn wobr. Ond yr hyn ddaru roi'r pleser mwya i mi oedd cael 'yn ethol yn 'Chwaraewr Carfan Cymru, Cwpan y Byd' gan y tîm hyfforddi. Ro'n i'n gwbod 'mod i'n bersonol wedi cael pedair gêm go lew allan yn Awstralia, ond roedd cael clod felly gan Steve

Hansen a'i griw yn goron i mi ar daith bleserus tu hwnt, yr un ddaru mi fwynhau ora o'r holl deithia rygbi y buas i arnyn nhw.

Y Gamp Lawn

Watch your thoughts; they become words.
Watch your words; they become actions.
Watch your actions; they become habits.
Watch your habits; they become character.
Watch your character; it becomes your destiny.

Frank Outlaw

Ddaru mi edrych ar weddill Cwpan y Byd o'r soffa yn y Tymbl a hefyd yn y garafán ym Mhorth Einon. Roedd gweld Lloegr yn ennill y ffeinal yn annisgwyl braidd ond y sioc fwya i mi oedd bod Awstralia wedi curo Seland Newydd yn y rownd gyn-derfynol. Ro'n i'n edrych ymlaen at gael seibiant bach a dychwelyd i chwara i Lanelli ddiwedd Tachwedd. Ro'n i'n teimlo'r un awch at ailafael ynddi bryd hynny, heb unrhyw arwydd eto 'mod i wedi mynd yn rhy hen.

Mi naethon ni'n arbennig o dda yng ngêmau rhagbrofol Cwpan Heineken, gan orffen ar frig ein hadran. Mi gawson ni ddwy fuddugoliaeth dda yn erbyn Northampton, a minna'n cael pleser arbennig o gael 'yn enwi yn chwaraewr gorau'r gêm yn Franklin Gardens mewn buddugoliaeth wych i ni, 18–9. Roedd hynny'n eitha hwb i mi o gofio mai bachwr Northampton oedd Steve Thompson, bachwr Pencampwyr y Byd yn Awstralia rai misoedd ynghynt. Gyda chymorth John Davies a Iestyn Thomas, fe lwyddon ni i roi eu pac nhw ar y droed ôl, a'u gorfodi i godi yn y sgrym, trwy roi tipyn o bwysa ar Thompson. Ond wrth gwrs yr hyn sy'n gwneud i bobl gofio'n arbennig am y gêm arbennig honno yw'r cais bendigedig a sgoriodd Barry Davies o'i hanner ei hunan.

Siom anferth serch hynny oedd colli 10–27 yn y rownd nesaf yn erbyn Biarritz o flaen deuddeg mil o gefnogwyr brwd ar y Strade. Mi gawson ni'n chwalu gan well tîm o lawer ar y diwrnod. Yr hyn oedd yn gwneud y siom gymaint yn fwy oedd bod cnewyllyn reit dda ohonon ni'r chwaraewyr yn sylweddoli mai dyna oedd ein cyfle ola i wneud rhywbeth ohoni yng Nghwpan Heineken. Er hynny roedd rhyw gysur i'w gael o ennill y Gynghrair Geltaidd y tymor hwnnw er bod llawer o chwaraewyr y garfan genedlaethol heb chwara i'r Sgarlets am rai misoedd ar ddechra'r tymor.

Roedd disgwyl petha mawr oddi wrth Gymru ym Mhencampwriaeth y Chwe Gwlad yn 2004, ond tymor siomedig gawson ni, gan orffen yn bedwerydd, wedi i ni golli yn erbyn Lloegr, Iwerddon a Ffrainc, a churo'r Alban a'r Eidal. Ddaru mi ddim chwara yn erbyn yr Alban oherwydd niwed i 'nghefn wrth ymarfer. Mi fu'n rhaid i mi dynnu allan o'r gêm yn erbyn Ffrainc hefyd oherwydd peth mor ddiniwed â thonsilitis, ond mi ro'n i'n sâl go iawn. Roedd gêm ola'r tymor hwnnw, yn erbyn yr Eidal, yn bwysig dros ben gan mai honno hefyd oedd gêm ola Steve Hansen fel hyfforddwr Cymru. Ddaru ni ddisgleirio gan sgorio chwe chais i ennill 44–10. I ni'r chwaraewyr roedd hi'n arbennig o bwysig ein bod ni'n ffarwelio ag o mewn ffordd bositif, gofiadwy. Ond yr hyn oedd yn drawiadol oedd bod y dorf yn Stadiwm y Mileniwm y diwrnod hwnnw fel petai'n cydnabod ymdrechion Steve yn ystod ei gyfnod wrth y llyw, er mai siomedig at ei gilydd oedd canlyniadau'r tîm cenedlaethol o dan ei ofal. Roedd y cefnogwyr fel petaen nhw'n sylweddoli ei fod o wedi agor cyfnod newydd cynhyrfus ac roedd eu cymeradwyaeth, wrth ffarwelio ag o, yn arwydd o'u diolch iddo. Tydy Steve ddim yn ddyn sy'n dangos emosiwn ond y diwrnod hwnnw, wrth iddo gamu ar y maes i ffarwelio â'r dorf, mi naeth o gyfadda iddo golli deigryn neu ddau.

Does dim amheuaeth mai y fo yw'r hyfforddwr gorau i mi chwara o dano erioed. Mae eraill, fel Gareth Thomas, Gethin Jenkins a

Colin Charvis wedi cyfadda mai iddo fo roedd y diolch am achub eu gyrfa rygbi nhw ar y lefel ucha. Yn sicr ddaru o gyrradd Caerdydd ar yr adeg iawn o ran 'y ngyrfa i, a minna bellach wedi aeddfedu fel chwaraewr ac fel person, ac mi ddaru ni'n dau daro deuddeg efo'n gilydd yn syth. Roedd o'n ddyn 'syniada newydd' ac am i'r chwaraewyr gael meddylia agored i drio petha newydd er mwyn gweld a fydden nhw'n gweithio. Ro'n i'n un oedd yn gwerthfawrogi hynny ac yn barod i roi cynnig arnyn nhw. Er enghraifft, er i'w system newydd o daflu i'r llinell gymryd oesoedd i gael ei dderbyn gynnon ni'r blaenwyr, mi dalodd yn y diwedd. Ond roedd o'n barod i dderbyn weithia nad oedd rhai o'i syniadau'n mynd i weithio. Er enghraifft roedd o am gyflwyno system i'r llinell lle bydda tri blaenwr gyda'i gilydd yn gyfrifol am godi'r neidiwr. Ddaru ni roi cynnig arni ond weithiodd hi ddim. Eto, byddai Steve bob amser yn ein gwerthfawrogi petaen ni'n barod i drio, ac os na fydden ni'n cytuno ag o, mi fydda fo'n barod i wrando ar ein rhesyma ni dros beidio.

Mewn rhai ffyrdd, mi rydan ni'n debyg i'n gilydd. Yn sicr mae gan y ddau ohonon ni'r un hiwmor sych ac mi gawson ni dipyn o hwyl yn tynnu ar 'yn gilydd. Roedd o bob amser yn edrych arna i fel cenedlaetholwr tanbaid ac yn hoff o bryfocio rhai fel Garan Evans a minna, ac ynta wedi darllen am ymgyrch Meibion Glyndŵr, ein bod ni'n dau yn siŵr o fod wrthi'n cynllwynio i losgi tai haf i lawr yn y gorllewin! Fel *cottage burners* y bydda fo'n cyfeirio aton ni'n aml! Cyn iddo fo adael Cymru, ddaru o ysgrifennu llythyr ata i'n diolch am 'y nghyfraniad i a 'nghymorth i yn ystod ei gyfnod gyda'r garfan. Ddaru o ychwanegu y dylwn i feddwl am fynd yn hyfforddwr wedi i mi roi'r gora i chwara, gan ei fod o'n meddwl y byddwn i'n gwneud un da. Ro'n i'n gwerthfawrogi'r geiria hynny yn fawr iawn ac roedd yn hwb pwysig i mi, a minna eisoes wedi meddwl mynd i'r maes hyfforddi.

Y mis Mai hwnnw penodwyd Mike Ruddock i olynu Steve Hansen fel hyfforddwr Cenedlaethol Cymru, a minna, fel bron pawb arall, yn disgwyl mai Gareth Jenkins fyddai'n cael y swydd.

Eto, ar y dechra, do'n i ddim yn sylweddoli pa mor annheg roedd Gareth wedi cael ei drin. Wrth gwrs ro'n i'n siomedig drosto, a minna wedi elwa, ers blynyddoedd ar y Strade, o ddonia a phrofiad Gareth fel hyfforddwr. Yn sicr doedd y newydd mai Mike Ruddock fydda wrth y llyw bellach ddim yn 'y nghyffroi i ryw lawer. Eto ro'n i'n gwbod 'mod i wedi newid tipyn ers y tro dwetha iddo fod yn hyfforddwr arna i. Ro'n i'n barod i dderbyn ei fod ynta hefyd wedi newid.

Mi aeth rhai misoedd heibio cyn i mi allu ymuno â charfan Cymru. Yn fuan wedi i dymor 2004–5 ddod i ben, ro'n i'n ymarfer yn y Strade drwy gamu i fyny ac i lawr ar fainc gan ddal dau ddymbel yn y ddwy law. Ond ddaru mi ffeindio nad oedd gen i fawr ddim nerth yn fy llaw dde i afael yn y dymbel a'i bod hi'n agor o hyd. Dyma fynd am brofion i weld beth oedd yn bod a ffindio bod un o'r disgiau yn 'y ngwddw i wedi llithro o'i le. Y farn feddygol oedd y bydda'n rhaid i mi orffwys yn llwyr am dri mis. Yn ystod y cyfnod hwnnw, ro'n i'n dal i gadw'n ffit drwy rwyfo, nofio a reidio beic, ond do'n i ddim yn cael gneud dim ymarferion o'r sgwydda i fyny.

Aeth Mike Ruddock â'r tîm cenedlaethol ar daith i'r Ariannin a De'r Affrig yn ystod yr haf a chwara pedair gêm ym mis Tachwedd, gan guro Romania a Siapan a cholli o drwch blewyn yn erbyn De'r Affrig a Seland Newydd. Doedd gen i ddim cysylltiad swyddogol â'r garfan yr adeg honno, eto mi ro'n i wedi clywed sibrydion nad oedd y chwaraewyr yn hapus iawn o dan y drefn newydd. Ddaru mi ddod ar draws Mike Ruddock unwaith mewn gêm ieuenctid yn Nynfant. Ro'n i wedi dechra hyfforddi tîm ieuenctid Llanelli ac roedd o wedi dod yno i weld ei fab yn chwara i'r tîm lleol. Roedd o wrth gwrs yn gwbod am yr anaf ond ei gyfarchiad tafod yn y boch i mi, gan nad o'n i wedi gallu ymuno â charfan Cymru eto, oedd, *"What's the matter, don't you want to work with me any more?"*

Oherwydd bod Mike yn un fyddai'n arfer licio cadw at yr un garfan unwaith y bydda fo wedi'i dewis hi, ro'n i'n hanner disgwyl colli'n lle ar gyfer Pencampwriaeth y Chwe Gwlad yn 2005. Felly ro'n i'n falch iawn 'mod i wedi cael 'y nghynnwys. Y gêm gynta oedd honno yn erbyn Lloegr yn Stadiwm y Mileniwm, ar Chwefror 5ed. Doeddan ni heb guro Lloegr yng Nghaerdydd ers deuddeng mlynedd ac roedd yr awyrgylch yn drydanol drwy gydol y gêm. Mi fydd y diwrnod yn cael ei gofio wrth gwrs fel diwrnod Gavin Henson ac yntau nôl yn y tîm wedi dwy flynedd ac eisiau profi pwynt. Ddaru'r hogia chwara'n wych i guro'r Saeson o 11 i 9, mewn gêm llawn tensiwn. Ro'n i'n brwydro efo 'nhensiwn personol 'yn hun wrth i mi eistedd ar y fainc drwy gydol y gêm. Ro'n i'n ysu am gael mynd ar y cae ond, er i Mike Ruddock ddefnyddio pump eilydd, Ceri Sweeney a finne oedd yr unig ddau ddaru ddim codi oddi ar 'yn penola. Dyma ddechra meddwl tybed a o'n i'n mynd i orfod diodda, unwaith eto, y profiad hollol ddiflas o eistedd ar y fainc dro ar ôl tro o dan Mike Ruddock. Oherwydd dyna y bu'n rhaid i mi wneud am flynyddoedd yn Abertawe, a hefyd gyda Chymru. Yr adeg honno bu'n rhaid i Tina 'y nghynnal i drwy gyfnod digon anodd ac fel roedd y chwiban olaf yn nesáu yn erbyn Lloegr, ro'n i'n ofni y bydda hi, a hitha yn yr eisteddle, yn dechra meddwl bod y dyddia du ar fin dychwelyd. Ro'n i'n teimlo hefyd dros 'yn rhieni, oedd yno'n gwylio'r gêm.

Er 'mod i'n falch iawn o berfformiad yr hogia yn y fuddugoliaeth agoriadol honno, rhaid i mi gyfadda 'mod i fy hun yn teimlo'n reit fflat am nad o'n i wedi cael cyfrannu o gwbl. Mae'n siŵr fod hyn yn ymddangos yn hunanol, ond mi rydw i'n credu ei fod o'n deimlad digon naturiol, a bod rhywbeth o'i le ar berson os ydy o'n hapus i eistedd ar y fainc. Yn wir yn ystod y gêm yn erbyn yr Eidal, mi fuas i'n meddwl tipyn am 'y nyfodol o dan Mike Ruddock, a gofyn i mi fy hun tybed a ddylwn i feddwl am roi'r gora i chwara rygbi rhyngwladol os na fyddwn i'n cael mynd ar y cae yn Rhufain? A bod yn hollol onest, ro'n i'n reit siomedig nad o'n i wedi cael 'y newis ymhlith y pymtheg chwaraewr oedd i ddechra'r gêm ond ro'n i'n ddigon bodlon pe bydda cyfle i mi ddod oddi ar y fainc i wneud rhyw fath o gyfraniad yn erbyn yr Eidal, a dyna ddigwyddodd. Ymhen 66 munud, a Chymru'n chwara rygbi gwefreiddiol, mi gefis i ddod i'r maes yn lle Mefin, yn un o saith eilydd a ddefnyddiodd Mike y diwrnod hwnnw. Ddaru mi fwynhau bod yn rhan o berfformiad cyffrous a buddugoliaeth sgubol o 8–38, gyda'r blaenwyr yn sgorio pedwar o'r chwe chais.

Chwarter awr yn unig ddaru mi gael ar y cae ym Mharis yn erbyn Ffrainc, ond does dim dwywaith mai dyna'r cyfnod mwyaf gwefreiddiol i mi dreulio ar gae rygbi erioed. Roedd y ddau dîm wedi ennill eu dwy gêm gynta yn y bencampwriaeth, felly roedd disgwyl gêm galed. Mi ddechreuodd Ffrainc ar dân gan edrych fel petaen nhw'n mynd i'n chwalu ni'n llwyr, ond trwy waith amddiffyn cadarn a disgyblaeth (dim ond pum cic gosb ddaru ni ildio drwy'r gêm i gyd), mi roeddan ni'n dal ynddi ar yr hanner a Ffrainc ar y blaen o 15–6. Roedd yr awyrgylch yn eithaf tawel yn yr ystafell newid yn ystod yr egwyl, dim areithio tanbaid na bwriad i newid y tîm ar gyfer dechra'r ail hanner (ar wahân i'r ffaith fod Rhys Williams wedi gorfod cymryd lle Gareth Thomas, oedd wedi torri ei fawd mewn pum lle). Yna mi ddaru ni fynd nôl ar y cae gan godi'n gêm bron ar unwaith a tharo nôl yn wych gyda Martyn Williams yn dangos trwy esiampl, a sgorio dau gais. A ninna'n sgorio 18 pwynt yn yr ail hanner, i dri yn unig gan Ffrainc, ddaru ni guro 24–18. Ond roedd 'yn cefna ni yn erbyn y wal go iawn am y deng munud olaf.

Rydw i wedi darllen am chwaraewyr yn siarad am sut ro'n nhw'n teimlo yn ystod rhyw gyfnod arbennig mewn gêm, lle maen nhw wedi bod o dan bwysa aruthrol, ond eu bod nhw'n gweld pethau mor glir nes iddyn nhw feddwl bod pob dim fel petai'n digwydd mewn *slow motion*. Pan ddaru mi ddod ar y cae, ro'n i wedi bod yn asesu gwahanol agwedda ar y chwara, ac yn gwbod, heb feddwl, pa gyngor ro'n i am ei roi i Robert Sidoli, oedd yn arwain y pac, a thynnu sylw at y ffaith fod angen codi tempo'r chwara, a bod modd ennill y bêl o gefn y llinell. Yna roedd hi'n bwysig creu cyfle i gael hogia'r pac at ei gilydd er mwyn 'tanio'r injan' am un ymdrech ola.

Mi ges ergyd i 'mhen-glin y munud ddaru mi ddod ar y cae. Ond roedd y penderfyniad i gael ychydig o driniaeth iddi'n fuan wedyn yn gyfle gwych i hel yr hogia o 'nghwmpas i ar gyfer codi stêm am y tro diwetha. (Fel arfer mae trefnu bod esgid yn dod i ffwrdd yn ffordd reit dda o wneud hynny ond byddai'r tric bach hwnnw braidd yn rhy amlwg ar yr adeg arbennig honno ym Mharis.) Mi weithiodd y cyngor ynghylch cefn y llinell yn reit dda i ni yn ystod yr amser oedd ar ôl, ond yn y sgrym y bu'n rhaid i ni weithio galeta. Roedd John Yapp hefyd wedi dod ymlaen ychydig wedi i mi ddod ar y cae a, thua diwedd y gêm, roedd hi gymaint ag y medren ni'n dau ei wneud i rwystro pac Ffrainc rhag troi'r sgrym er mwyn gadael canol y cae'n agored iddyn nhw ymosod drwyddo. Er hynny ddaru ni ddal ein tir heb ildio dim, er i sawl sgrym fynd i lawr. Roedd llawer o'r tîm a'r cefnogwyr yn poeni y bydda'r dyfarnwr, Paul Honiss, yn rhoi cais cosb yn ein herbyn ni. Ond ro'n i'n eitha ffyddiog ei fod o'n gallu gweld nad oedd gan bac Ffrainc unrhyw fomentwm yn y sgrym. Hynny yw, doeddan nhw ddim yn gwneud i ni fynd tuag yn ôl o gwbl, felly doedd gynnon ni ddim rheswm dros fynd â'r sgrym i lawr. Roedd clywed y chwib ola yn andros o ryddhad a ninna'n sylweddoli ein bod, nid yn unig wedi cyflawni camp sylweddol, ond wedi gwneud hynny gyda thipyn o steil i'n chwara ni.

Roedd Paris yn fwrlwm o ddathlu Cymreig y noson honno ond nid i mi, yn anffodus. Mi roedd yr anaf a gefis i i 'nghoes yn reit boenus ymhen ychydig oria a chan ein bod ni'n chwara yn erbyn yr Alban ymhen pythefnos, ro'n i'n gwbod y bydda'n rhaid cymryd gofal ohoni os o'n i'n mynd i fod yn rhan o'r gêm honno. Fel sy'n digwydd bob amser yn syth ar ôl cael anaf, mae peidio â chymryd alcohol yn hollbwysig. Felly yn syth ar ôl y cinio swyddogol yn dilyn y gêm, nôl â fi i'n stafell yn y gwesty, pacio rhew am y ben-glin a'i chadw hi i fyny, yn uwch na'r gwastad. Yn hwyrach y noson honno, dyma ffonio'r dderbynfa ac archebu rhywbeth i'w fwyta ond yn anffodus roedd rhywbeth yn y bwyd o'dd ddim yn cytuno â fi ac mi fuas i'n taflu i fyny am yn hir. Er bod y fuddugoliaeth yn erbyn Ffrainc yn un o'r rhai mwya cofiadwy yn 'y ngyrfa i ac yn haeddu dathliad brwdfrydig, roedd yr *après match* yn gofiadwy am y rhesymau anghywir. Chefis ddim cyfle i ddathlu o gwbl er i mi gael gwahoddiad cynnes i neud hynny pan drawodd Stephen Jones a Dwayne Peel heibio i'n ystafell i – am dri o'r gloch y bore!

Roedd 'yn anaf i wedi gwella digon i ganiatáu i mi fod ar y fainc unwaith eto yn erbyn yr Alban ac roedd y tîm yn llawn hyder. Ar wahân i'r ffaith ein bod ni wedi ennill dair gwaith yn olynol, gan chwara gêm gyffrous agored, roedd tîm yr Alban yn mynd trwy gyfnod anodd. Mi ddaru ni gario mlaen lle roeddan ni wedi gorffen ym Mharis ac ar yr hanner roeddan ni 38–3 ar y blaen. Ddaru mi gael dod ar y cae ymhen tair munud o'r ail hanner, gan fod Mefin yn cario anaf i'w fawd. Erbyn hyn roedd Cymru wedi dechra ymlacio rhywfaint, er nad oedd hynny o fwriad. Daeth yr Alban yn ôl yn gryf gan sgorio tri chais a gwneud i ni amddiffyn yn reit gadarn yn ystod y chwarter olaf. Er hynny roedd y sgôr terfynol yn un roeddan ni'n reit falch ohono wedi gêm lawn cyffro, a'r bêl ar y maes am 43 munud i gyd, oedd yn record ar gyfer y Bencampwriaeth. Ond roedd gen i un gofid bach. Yn ystod y gêm, mi ddechreuis i deimlo poena yn fy ngwddw, sef problem fu'n gyfrifol am ddod â 'ngyrfa i ben yn y man.

Roedd 'na un gêm ar ôl cyn y gallen ni hawlio'r gamp lawn ac roedd disgwyliada Cymru gyfan yn uwch nag y buon nhw ers blynyddoedd lawer. Doeddan ni ddim wedi curo Iwerddon yng Nghaerdydd ers 1983 ac roedd gynnyn nhw gyfle o hyd i fod yn bencampwyr eu hunain pe bydden nhw'n ennill o dri phwynt ar ddeg neu fwy yn ein herbyn ni. Roedd y llwyfan wedi ei osod felly ar gyfer gornest danllyd. Roeddan ni, fel chwaraewyr, wedi trio cadw petha'n dawel yn y Vale yn ystod yr wythnos yn arwain at y gêm. Wrth gwrs, fedren ni ddim osgoi awydd angerddol y wasg a'r cyfrynga am newyddion a chyfweliada, ond at ei gilydd mi lwyddodd y chwaraewyr i gadw'n reit cŵl drwy'r cyfan. Ro'n i'n eitha siomedig, eto, nad o'n i wedi cael 'y newis i ddechra'r gêm a ddaru mi gyfadda wrth Scott Johnson 'mod i'n teimlo'n rhwystredig am y peth. Ei ateb o oedd, *"It's not just about you: it's about the team!"* ac roedd yn rhaid i mi gydnabod hynny.

Roedd hi'n anodd peidio â theimlo berw'r achlysur yn ystod y daith trwy strydoedd Caerdydd i'r Stadiwm ac ro'n i'n ysu am gael cyrradd y stafell newid. Ond ar y grisia, ar y ffordd yno, ddaru ni ddod wyneb yn wyneb â Grav dagreuol, a wasgodd y bywyd allan o bob un ohonon ni gyda'i goflaid! Roedd hynny'n ddigon i gynhyrfu pob chwaraewr. Eto doedd y cynnwrf hwnnw ddim yn amlwg yn y stafell newid. Mi fydda i fel arfer yn trio canolbwyntio'n dawel ar yr wyth deg munud fydd o'n blaena ni, heb deimlo'n nerfus o gwbl a heb orfod dilyn unrhyw batrwm arbennig nac arddel unrhyw ofergoel penodol. A doedd dim byd yn wahanol i mi am y gêm arbennig hon. Ond mae'n bosib nad o'n i mor ddigynnwrf â Robert Sidoli. Mae'n un o'r bobl mwya trefnus y gwn i amdanyn nhw o ran y ffordd y bydd o'n plygu pob dilledyn yn daclus yn ei fag, a chanddo le penodol ar gyfer pob eitem. Does dim byd yn gwneud iddo frysio. Roedd cael agwedd felly ar ddiwrnod mor gynhyrfus â hwn yn deimlad braf iawn mae'n siŵr gen i.

Er na chafwyd y rhyddid i ni chwara gyda cweit gymaint o steil ag y gnaethon ni yn erbyn yr Eidal a'r Alban, mi oedd ein perfformiad ni yn erbyn y Gwyddelod yn un graenus dros ben, yn enwedig o gofio'r holl bwysa oedd arnon ni i ennill. A dyna naethon ni, yn weddol gyfforddus, 32–20, gydag Iwerddon yn trio dal i fyny â ni ar hyd y ffordd. Unwaith eto, ro'n i'n ysu am gael mynd ar y cae, falle yn fwy yn y gêm hon nag mewn unrhyw gêm arall yn ystod y tymor. O'r diwedd, mi ddigwyddodd, ag wyth munud i fynd! Ro'n i'n arbennig o falch fod y teulu, yn enwedig Billy a Harry, wedi cael gweld hynny. Roedd hi'n deimlad arbennig o braf cael bod yn rhan o'r dathlu ar y diwedd, yn enwedig i'r rheini ohonon ni oedd wedi bod trwy gyfnoda digalon iawn gyda thîm Cymru dros y blynyddoedd. Roedd ennill y gamp lawn yn erbyn Iwerddon yn fwy melys byth o gofio i ni gael ein bŵian gan gefnogwyr Cymru rai blynyddoedd ynghynt ar ôl colli'n drwm yn Nulyn. Eto, er cystal y wefr oedd i'w theimlo'r eiliad y chwythodd y dyfarnwr ei chwib am y tro ola, i mi'n bersonol, doedd hi ddim cweit yn cystadlu â'r pleser a gefis i o'r fuddugoliaeth ym Mharis.

Aeth y dathliadau mlaen yn y Stadiwm am hydoedd. Mi gafodd teuluoedd y chwaraewyr wahoddiad i ymuno â nhw yn yr ystafelloedd newid, a chyfle i bawb gael tynnu llun gyda Chwpan Pencampwriaeth y Chwe Gwlad. Ro'n i'n teimlo'n arbennig o falch 'mod i wedi cael gwneud hynny gyda Billy a Harry gan adael rhywbeth o'r tymor i mi, a nhw gobeithio, allu ei drysori. Roedd hi'n amlwg, oddi wrth hwyliau'r dorf ar hyd strydoedd Caerdydd wrth i'r bws fynd â ni i'r cinio swyddogol yng Ngwesty'r Hilton, y bydda'r gorfoleddu'n parhau am ddyddia. Yn sicr roeddan nhw'n dal wrthi pan aeth rhai ohonon ni'r chwaraewyr am dro ar hyd strydoedd y brifddinas y bore wedyn. Pobl yn ein stopio ni i'n llongyfarch ni bob cam, ac felly y buodd hi lle bynnag roedd rhywun yn mynd yng Nghymru yn ystod yr wythnosa wedyn.

Yn ogystal â'r ffaith ein bod ni wedi ennill y Gamp Lawn, yr hyn oedd yn rhoi pleser arbennig oedd y ffordd ddaru ni wneud hynny. Roedd gan bob un chwaraewr yr hyder i chwara'r bêl o unrhyw le ar y cae. Yr un oedd y darlun oedd gynnon ni i gyd o ran sut roeddan ni am chwara'r gêm ac roeddan ni i gyd yn barod i gymryd cyfrifoldeb am unrhyw benderfyniad y bydden ni'n ei wneud. Ar ben hynny roedd yr hyfforddiant sgilia a gawson ni gan Scott Johnson, yn enwedig o ran trafod y bêl a dewis onglau rhedeg pwrpasol, wedi talu ar ei ganfed. Roedd hi'n bleser cael bod yn rhan ohono.

Yn anffodus, doedd gan y Sgarlets ddim llawer i'w ddathlu'r tymor hwnnw. Perfformiadau digon siomedig a gafwyd yng Nghwpan Heineken, a ninna heb fynd ymhellach na'r rowndia rhagbrofol. Yn yr un modd ddaru ni orffen yn bumed yn y Gynghrair Geltaidd a gweld y Gweilch yn cipio'r bencampwriaeth honno. Tua diwedd y tymor, mi ddigwyddodd rhywbeth ddaru roi hwb bach i mi, ond pharodd o ddim yn hir. Gofynnwyd i mi gymryd prawf ffitrwydd ar gyfer taith y Llewod i Seland Newydd yr haf hwnnw ond, wrth gwrs, chefis i ddim 'y newis wedi'r cyfan.

Ond roedd 'na achlysur arall ddaru wneud tymor 2004–05 yn sbesial iawn i mi. Mi fu Clwb Rygbi Sgarlets Llanelli yn ddigon caredig i'w neilltuo hi'n flwyddyn dysteb i mi, a minna wedi bod efo'r clwb ers deng mlynedd. Ar ben hynny, ddaru'r Clwb glustnodi un o'r gêmau ar y Strade, yn erbyn Caerwrangon ym mis Awst 2005, yn gêm dysteb i mi. Roedd hyn yn golygu rhoi'r holl adnodda yno ar 'y nghyfer i ar y diwrnod, gan gynnwys y derbyniadau wrth y gât. Mi fyddai rhai'n dadla nad oes lle bellach i flwyddyn dysteb mewn oes pan fo chwaraewyr rygbi'n cael eu talu'n dda. Falle fod 'na rywfaint o sail i hynny. Eto mae cael eich talu a chael eich gwerthfawrogi'n ddau beth gwahanol ac mae tysteb yn gyfle falle i glwb a chefnogwyr ddangos bod cyfraniad chwaraewr arbennig, a'i ymlyniad o wrth y clwb hwnnw, wedi cael ei werthfawrogi. Mae'n rhaid i mi gyfadda nad o'n i yn gyfforddus i gychwyn â'r syniad o fynd o gwmpas a gofyn i bobl 'y nghefnogi i, ond mi fu'r gwerthfawrogiad ddaru mi ei brofi yn ystod y flwyddyn honno'n sgubol, ac mi gefais inna gyfle i ddiolch i lawer o hen ffrindiau am eu cefnogaeth dros y blynyddoedd.

Y peth cynta oedd yn rhaid ei wneud oedd trefnu Pwyllgor Tysteb: roedd y cyfan yn nwylo diogel Rupert Moon. Roedd Rupert eisoes wedi cael blwyddyn dysteb, ac oherwydd hynny roedd o'n medru 'yn rhoi i ar ben ffordd o ran y math o weithgareddau y dylid eu trefnu. Cadeirydd y Pwyllgor Tysteb oedd cyn-Uwch Siryf Gorllewin Morgannwg, John Maclean, a fu'n cadw trefn ar y cyfarfodydd ac yn gyfrifol am agor y rhan fwya o'r nosweithiau drwy groesawu pawb, ac mi gytunodd Huw Evans, Cadeirydd Clwb Rygbi Llanelli, fod yn Noddwr.

Gan fod y gogledd wedi chwara rhan mor amlwg yn 'y mywyd a 'ngyrfa i, roedd yn rhaid cael Ysgrifennydd i'r gweithgareddau yn y fanno, a ddaru 'Nhad gymryd y swydd ddiddiolch honno, a'i gwneud hi'n ardderchog. Y rhai a wnaeth y gwaith hwnnw yn y de, a'i neud o'n wych, oedd Tony Jones, David Inkin, Bowen Stephens, David Thomas, a Dawn Jenkins, gyda chymorth gwerthfawr oddi wrth y teulu cyfan, yn enwedig ei gŵr, Kevin. Yn anffodus fe fu farw Bowen yn ystod y flwyddyn, ac mi roedd hi'n golled i bawb o fewn y clwb, yn enwedig y chwaraewyr, gan ei fod o'n dipyn o gymeriad ac yn gwneud gymaint i helpu erill heb feddwl ddwywaith. Wrth gwrs y person pwysicaf un ar bwyllgor unrhyw flwyddyn dysteb, falle, yw'r Trysorydd, ac yn fy achos i ro'n i'n ffodus i gael gwasanaeth Colin Stroud, a fydda hefyd yn edrych ar ôl materion ariannol Clwb Rygbi Llanelli.

Mi gynhaliwyd sawl cinio tysteb ar hyd a lled y wlad, gyda nifer o sêr y byd rygbi yn wŷr gwadd, pobl fel Clive Rowlands, Derek Quinnell, Ray Gravell, ac erill hefyd, megis Alun Wyn Bevan ac Ifan 'JCB', heb sôn am y Barnwr Mike Farmer, a wnaeth arddangos doniau areithio 'rygbi' gwych yn y cinio cynta a gynhaliwyd yn neuadd y Tymbl.

Yn ystod y flwyddyn, roedd y gefnogaeth mewn amrywiaeth o achlysuron ledled Cymru yn ffantastig. Roedd gofyn trefnu llawer o'r digwyddiada hyn o gwmpas gofynion chwara rygbi wrth gwrs. Er hynny, un peth, yn ffodus o anffodus, oedd yn gymorth y flwyddyn honno oedd 'mod i wedi methu nifer o gêmau oherwydd anafiada, a hynny am gyfnod reit hir, gan ei gwneud hi'n bosibl i mi gymryd rhan amlycach yn y dysteb. Mi gefis 'yn synnu gan yr amrywiaeth o weithgareddau gafodd eu trefnu, o arddwest yn nhŷ John Maclean, i ddiwrnoda golff a gêm griced, o noson gawl a chân i sioe ffasiwn, gafodd ei threfnu yn benna gan Tina, lle bu chwaraewyr y Sgarlets, gan 'y nghynnwys i, yn gwneud 'Monty Llawn'! Llwyddodd Salesi Finau i gael chwaraewyr Tonga, hyd yn oed, i ddod at ei gilydd o wahanol glybiau yng Nghymru i ganu i ni. Yn wir, mi gawson ni adloniant penigamp yn y gwahanol leoliadau, yn amrywio o Meinir Gwilym, Jac y Do, plant ysgol gynradd Llan-non, Côr Meibion Caernarfon i'r canwr sioeau, Peter Carrie a roddodd berfformiad i'w gofio yng ngwesty Parc Strade. Bron cystal oedd perfformiad Wil Parry Williams fel arwerthwr brwd, mewn ocsiwn hynod ddoniol a di-drefn, yng ngwesty Carreg Brân, Llanfairpwll.

Y lleoliad mwya annisgwyl mewn perthynas â thysteb yn enw Robin McBryde oedd Tŷ'r Arglwyddi, Llundain. Y rheswm dros y dewis oedd bod David Thomas wedi trefnu i Rupert gael noson gofiadwy iawn yno yn ystod ei flwyddyn dysteb o ac mae'n rhaid i mi gyfadda 'mod i wedi mwynhau fy noson i yn fawr. Yr Arglwydd

Rowlands oedd yn llywio'r gweithgareddau ac un cyfraniad y bydda i'n ei gofio am amser maith oedd yr araith wych a gawson ni gan ddyn o'r enw Mel Thomas, cyn-athro o Birmingham. Yn wir, roedd o mor dda, mi gafodd wahoddiad i ddod i'r cinio ola i gloi'r dysteb, a gynhaliwyd yn y Gelli Aur. Yn yr un modd, mi gafodd y Parch. Roger Huws, a luniodd weddi arbennig i mi wrth gyflwyno gras bwyd yn y cinio yn Nhŷ'r Arglwyddi, wahoddiad i'r Gelli Aur hefyd.

Yn yr achlysuron yma, fe fydda pawb yn gwneud eu gora glas i sicrhau bod y dysteb yn llwyddiant ac mi roeddan nhw hefyd, gobeithio, yn cael amser wrth eu bodda wrth wneud hynny. Mi rydw i'n ddiolchgar dros ben iddyn nhw i gyd am wneud y flwyddyn honno yn un mor gofiadwy a phleserus.

Gwyll a Gwawr

Be more concerned with your character than your reputation,
because your character is what you are, while your reputation is
merely what others think you are.

John Wooden

Yn syth wedi gêm Ffrainc yn 2005 mi gefis i drafferth, fel y
dywedis i'n gynharach, ag anaf i 'mhen-glin. Ond y noson
honno hefyd, mi deimlis i effaith anaf fydda maes o law yn llawer
mwy difrifol. Mi ddechreuis i deimlo poena, oedd yr un fath â'r
ddannodd, o 'ngwegil i lawr ar hyd 'y mraich i. Do'n i ddim yn
gallu eistedd yn gyfforddus o gwbl ac o ganlyniad mi fyddwn i'n
effro y rhan fwya o'r nos. Gan fod 'na obaith reit dda erbyn hynny
fod gweddill y tymor rhyngwladol yn mynd i fod yn arbennig, mi
benderfynis i y byddwn i'n trio byw gyda'r boen a pheidio sôn wrth
neb o'r tîm meddygol 'mod i'n dioddef tan i'r anaf ddechra amharu
ar safon 'yn chwara i. Yn ystod y cyfnod ro'n i ar y cae yn erbyn yr
Alban, mi es i mewn i un sgrym ar ongl braidd yn drwsgwl ac ro'n
i'n gwbod bod rhywbeth o'i le ar 'y ngwddw i. Ddaru mi ddweud
wrth y ffisiotherapyddion fod top 'yn ysgwydd i a 'ngwddw i'n stiff
ond dyna'r unig driniaeth gefis i ar y pryd. Bellach ro'n i'n ei chael
hi'n anodd cael 'y mraich i weithio'n iawn y peth cynta yn y bore
ac yn cael trafferth i'w chodi hi. Ond do'n ni ddim, erbyn diwedd
Pencampwriaeth y Chwe Gwlad, yn cynnal sesiynau ymarfer ffyrnig
iawn, felly dim ond yn y gêmau rhyngwladol eu hunain roedd 'y

ngwddw i o dan straen go iawn ac mi lwyddis i fyw gyda'r boen bryd hynny.

Ddaru mi ymarfer gyda'r Sgarlets, wedi i'r tymor rhyngwladol orffen, ar gyfer gêm yn y Gynghrair Geltaidd yn erbyn Glasgow. Yn ystod y sesiwn honno, ddaru mi fethu ambell dacl wrth i mi geisio osgoi ergyd i 'ngwddw. Erbyn hyn ro'n i'n sylweddoli bod rhywbeth mawr yn bod ac mi ofynnais i mi fy hun beth ar ddaear o'n i'n 'neud? Yn y gêm ei hun ddaru mi ddod i'r cae am chwarter awr, digon o amser i mi sylweddoli bod rhaid i mi fynd yn ôl i weld John Martin, y llawfeddyg nerfol yn Ysbyty Treforys a fu'n gyfrifol am roi llawdriniaeth i mi cynt ac a ddaeth yn gyfaill da. Wedi cynnal y profion angenrheidiol, mi gefis lawdriniaeth ddechra Mehefin ac ro'n i'n ysu am gael y pigiad bach yna fydda'n mynd â fi i drwmgwsg, gan 'mod i erbyn hynny mewn cymaint o boen. Roedd o mor ddrwg fel mai dim ond rhyw awr neu ddwy o gwsg bob nos ro'n i wedi llwyddo i'w gael, a hynny yn y gadair, ers diwedd Pencampwriaeth y Chwe Gwlad.

Pan agorodd John gefn y gwddw roedd o'n disgwyl gweld bod disg wedi symud rhywfaint o'i le priodol ac mai mater syml fydda hi o'i gnocio fo o 'na a rhoi darn o asgwrn arall yn ei le. Yn lle hynny, gwelodd fod un disg wedi disgyn oddi yno'n llwyr ac yn pwyso ar y nerf, felly llwyddodd i'w dynnu oddi yno heb unrhyw broblem – bellach mae mewn potel ar y silff ben tân! Ddaru o ddweud wrtha i ei fod o'n synnu 'mod i wedi cadw i fynd mor hir o styried pa mor boenus oedd y fath anaf. Mi gefis y llawdriniaeth ar ddydd Iau ac, ar y dydd Sadwrn, daeth John i fy nôl i o'r ysbyty i'w gartra er mwyn i mi gael gweld y Llewod yn chwara yn y Prawf Cynta yn erbyn y Crysau Duon – taith y gallwn yn hawdd fod wedi bod yn rhan ohoni falle oni bai am yr anaf.

Pan ofynnis i i John beth oedd y rhagolygon o ran 'y ngyrfa i fel chwaraewr, ddaru o ddweud wrtha i fod y cyfan yn dibynnu ar sut ro'n i'n teimlo. Doedd hi ddim yn debygol, medda fo, y baswn i'n cael problema pellach gyda'r gwddw taswn i'n mynd yn ôl i chwara ond y baswn i yn debygol o gael trafferthion yn nes ymlaen wedi i mi orffen chwara. Ond doedd dim posib bod yn hollol siŵr. Ddaru mi drafod y dilema oedd yn fy wynebu i gyda Tina ac er 'mod i'n gwbod y bydda hi'n hapus i dderbyn pa benderfyniad bynnag y baswn i'n ei neud, ro'n i'n sylweddoli bod y risg yn rhy fawr. Felly, yn y cinio tysteb a gynhaliwyd ar 'yn rhan i yng ngerddi John ac Ann Maclean yng Ngelli Aur, ger Llandeilo, ar Awst 26ain, mi ddaru mi gyhoeddi 'mod i wedi rhoi'r gorau i chwara rygbi.

Ro'n i'n ymwybodol y baswn i'n colli chwara yn fawr iawn ac y baswn i'n hiraethu am gwmnïaeth yr hogia a'r patrwm bywyd ro'n i wedi dod i arfar ag o ar hyd y blynyddoedd. Do'n i ddim chwaith yn edrych ymlaen at dorri cysylltiad â'r Strade, wedi i mi dreulio deng mlynedd hapus iawn yno. Ond er bod gen i flwyddyn ar ôl ar 'y nghytundeb gyda'r Sgarlets a 'mod i'n gwbod, a minna ond yn 35 mlwydd oed, y baswn i'n medru dal i gystadlu'n deg ar y lefel ucha, ro'n i wedi penderfynu mai rhoi'r gorau i chwara oedd y penderfyniad call. Wedi'r cyfan ro'n i wedi cael rhediad ardderchog; wedi chwara 250 o gema dros y Sgarlets, wedi sgorio 18 cais, wedi cynrychioli Cymru mewn 37 o gema yn erbyn 14 o wledydd gwahanol, yn ogystal â chynrychioli'r Llewod 4 gwaith – gyrfa ro'n i'n hapus iawn â hi. Roedd tipyn o ymateb i'r cyhoeddiad 'mod i'n ymddeol o chwara, yn y wasg ac yn y llythyra a'r cardia a gefis i gan ffrindia personol a chyfeillion yn y byd rygbi. Ddaru mi erioed feddwl y basa'r cyhoeddiad yn creu cymaint o ffys ond roedd hi'n braf iawn derbyn sylwadau mor garedig.

Doedd gen i fawr o syniad beth ro'n i am ei wneud fel bywoliaeth, a minna bellach wedi peidio â bod yn chwaraewr proffesiynol. Gan fod gen i flwyddyn ar ôl ar 'y nghytundeb gyda'r Sgarlets, mae'n bosib y baswn i wedi gallu trio cael 'y nigolledu'n ariannol, gan 'mod i wedi gorfod rhoi'r gorau iddi oherwydd anaf. Y drefn, mae'n debyg, fyddai hawlio yn erbyn yr yswiriant roedd y Sgarlets yn ei dalu ar 'yn rhan i ond mae'n debyg y basa hynny wedi golygu brwydr braidd yn gymhleth, ac fel rydw i wedi sôn o'r blaen, does gen i ddim llawer o fynadd efo brwydrau o'r fath. Roeddwn i'n sicr o un peth: do'n i ddim isio mynd nôl i ddringo polion yn y gwynt a'r glaw gyda'r Bwrdd Trydan. Ro'dd hynny'n waith oedd yn gweddu'n well i hogia ifanc ac roedd y diwydiant trydan wedi newid llawer ers i mi adael.

Yn ystod y blynyddoedd wedi i mi adael, ro'n i wedi cwblhau cwrs hyfforddi Lefel 3 Undeb Rygbi Cymru ac wedi hyfforddi tîm Dan 18 y Sgarlets ers dwy flynedd, a hynny'n reit lwyddiannus, gan i ni ennill Tlws Dan 18 yr Undeb wrth guro tîm y Gweilch yn y rownd derfynol yn Stadiwm y Mileniwm. Yn ogystal, ro'n i wedi bod yn gwneud rhyw ychydig o hyfforddi yng Nghlwb y Tymbl wrth i mi wella ar ôl y llawdriniaeth. O'n i'n gwbod be faswn i'n licio neud, sef hyfforddi pobl ifanc, a hynny am ddau reswm. Yn gynta, ro'n i'n awyddus i roi yn ôl iddyn nhw rywfaint o'r wybodaeth a gefis i'n hogyn ifanc, gwbodaeth a fu mor allweddol ac yn werthfawr dros ben o ran 'y mharatoi i ar gyfer gyrfa ar y lefel ucha. Tri pherson oedd yn bennaf gyfrifol am yr hyfforddiant sylfaenol hollbwysig hwnnw, sef Meic Griffith, Elvie Parry a Denley Isaac. Yn ail, mae pobl ifanc yn gallu derbyn hyfforddiant a chyngor yn llawer mwy sydyn a pharod na chwaraewyr sy wedi bod yn dilyn ffyrdd penodol o neud hyn a'r llall ers blynyddoedd.

O'n i wedi cynnal trafodaethau gyda'r Undeb ynghylch 'y nyfodol i a chlywed yr adeg honno fod 'na swydd hyfforddwr sgiliau blaenwyr ar fin cael ei hysbysebu gan Academi Undeb Rygbi Cymru. Hwn oedd y corff gafodd ei sefydlu i hybu'r gêm ymhlith chwaraewyr ifanc addawol y pedwar tîm rhanbarthol, rhai oedd yn rhannu eu hamser rhwng cael hyfforddiant rygbi arbenigol a dilyn cwrs addysg uwch, neu ddilyn prentisiaeth mewn ambell achos. Roedd y swydd dan sylw, yn ogystal â swydd hyfforddwr cicio newydd, yn mynd i fod yn ychwanegol i'r tair swydd hyfforddi sgiliau oedd yn bod eisoes. Ro'dd hi'n swnio fel yr union fath o swydd y baswn i'n licio ei chael, felly dyma gynnig amdani. Mi glywis i fod cyn-fachwr rhyngwladol a chyn-brop rhyngwladol hefyd wedi rhoi cais i mewn, felly pan gefis i wahoddiad i gyfweliad gerbron swyddogion yr Undeb, o'n i'n gwbod y bydda'r gystadleuaeth yn un gref iawn. Ddaru mi roi cyflwyniad Power Point ar sut o'n i'n credu y gallwn i fod o gymorth i flaenwyr yr Academi, gan dynnu'n drwm ar 'y mhrofiad i gyda chwaraewyr ifanc y Sgarlets. Mae'n rhaid 'mod i wedi plesio, achos mi gynigiwyd y swydd i mi, a minna wrth 'y modd. Ar yr un pryd penodwyd Neil Jenkins i'r Academi fel hyfforddwr sgiliau cicio.

Yn fuan wedi dechrau yn fy swydd newydd, mi awgrymodd Alan Phillips, Rheolwr tîm Cymru, y basa'n syniad da pe bawn i'n cael ymuno â charfan a thîm hyfforddi'r Crysau Duon yn ystod eu taith i Brydain y mis Tachwedd hwnnw, fel y gallwn dynnu ar eu doniau hyfforddi arbennig nhw. Graham Henry oedd y prif hyfforddwr, gyda Steve Hansen a Mike Cronn yn ei gynorthwyo. Felly, ddaru mi gwrdd â Steve a Mike mewn gwesty yng Nghaerdydd pan oeddan nhw'n chwarae yn erbyn Cymru yn ystod y daith honno a thrafod gyda nhw yr hyn y baswn i'n licio ei wneud. Cyn pen dim, ro'n i ar awyren i Ddulyn er mwyn ymuno â nhw yn ystod eu cyfnod paratoi ar gyfer y gêm yn erbyn Iwerddon, ac ymlaen oddi yno ar gyfer y gwaith ymarfer cyn gêm Lloegr. Ddaru mi ddim dod ar draws Graham Henry rhyw lawer, ac roedd o fel pe bai e'n dal i gadw'r un pellter rhyngthon ni ag oedd yn bodoli rhyngtho fo a llawer o chwaraewyr Cymru pan oedd o'n hyfforddwr y tîm cenedlaethol. Roedd Steve a Mike, serch hynny'n groesawgar iawn ac yn barod i helpu mewn unrhyw ffordd.

Mi fyddwn i'n treulio 'yn amsar gan mwya ar yr ystlys yn edrych ar y blaenwyr yn ymarfer, yn trafod gyda'u hyfforddwyr nhw a hefyd yn eistedd i mewn gyda'r tîm hyfforddi ar ambell sesiwn drafod. Yn ddiddorol iawn, un o'r cyfarfodydd cynta ddaru mi fynd iddo oedd yr un i drafod perfformiad chwaraewyr unigol y Crysau Duon yn y gêm roeddan nhw newydd ei chwara yn erbyn Cymru. Eto, roedd tîm y Crysau Duon ar y daith honno'n gymaint o feistri ar egwyddorion sylfaenol y gêm fel eu bod nhw'n gallu treulio tipyn o amser yn rhoi sylw i'r hyn y bydda llawer yn eu hystyried yn fanion. Ond y manion hyn sydd yn gallu diffinio'r gwahaniaeth rhwng tîm reit dda a thîm da iawn. Er enghraifft, y peth mwya diddorol o ran gwaith y blaenwyr oedd y ffordd roedd Mike Cronn yn mynd ati i ddatgymalu elfennau'r sgrym. Fel y soniais yn barod, mae hyfforddwyr wedi bod yn gwneud hyn gyda'r llinell ers oesoedd ond Mike oedd y cynta i mi weld yn rhoi cymaint o sylw i hanfodion gwaith sgrymio, wrth iddo gynorthwyo tîm Cymru yng Nghwpan y Byd. Mi gefis i weld rhagor o'i ddoniau ar waith yn ystod y daith honno i Brydain.

Enghraifft o'r sylw mae hyfforddwr fel Mike yn ei roi i fanylder yw'r ffaith iddo dreulio cyfnod, rai blynyddoedd yn ôl, yn astudio reslwyr Sumo wrth eu gwaith. Mi sylwodd fod pob reslwr, cyn iddo daflu ei hunan at ei wrthwynebydd yn y cylch, fel petai'n creu llwyfan sicr iddo fo'i hunan trwy grebachu bysedd ei draed, un ar y tro, fel bo gynnyn nhw afael gadarn ar y llawr oddi tanyn nhw. Yna mi fydda'i fodia yn saethu ymlaen pan ddeuai'r amser i hyrddio tuag at y reslwr arall.

Roedd Mike wedi cyflwyno patrwm tebyg i aelodau pac y Crysau Duon wrth iddyn nhw hyrddio i mewn i'r sgrym, yn un uned gyda'i gilydd. Ond roedd ganddo hefyd syniadau pendant am agweddau mwy traddodiadol o'r chwara yn y sgrym ac mi gefis i fynd efo fo i un o'r clybiau iau yn ardal Dulyn i'w weld o'n rhoi ei ddulliau hyfforddi ar waith. Enghraifft arall o sut y byddai'r hyfforddwyr yn rhoi sylw i bethau bach oedd y ffordd oeddan nhw'n mynnu bod y chwaraewyr, wrth ymarfer pasio, yn clapio eu dwylo ynghyd a'u pwyntio i'r cyfeiriad roedd y bêl fod i fynd, wrth i'r bêl adael eu dwylo. Roedd hyn yn eu barn nhw yn ffordd sicr o wella cywirdeb y pasio.

Yr hyn ddaru 'y nharo i fwya oedd y pwysigrwydd roeddan nhw'n ei roi i seicoleg wrth ymdrin â'r chwaraewyr, yn enwedig y chwaraewyr ifanc ar y daith. Roedd ganddyn nhw seicolegydd yn rhan o'r tîm hyfforddi ac un o'i ddyletswyddau fo oedd cyfarfod y chwaraewyr newydd ar daith yn unigol, trafod gyda nhw'r hyn yn eu barn nhw oedd yn wendidau yn eu gêm, a cheisio sefydlu ffyrdd o'u cynorthwyo. Ein tuedd ni ym Mhrydain yw meddwl bod rhyw nam meddyliol ar y sawl sy'n mynd i weld seicolegydd. I'r Crysau Duon, mae cael cymorth seicolegydd yn rhan o broses adeiladol i wella camp chwaraewr.

Yr hyn oedd o ddiddordeb arbennig i mi oedd y math o gyngor oedd yn cael ei roi gan y seicolegydd. Er enghraifft, petai yna fachwr ifanc da yn yr Academi yn mynd ar chwâl yn llwyr wrth daflu i mewn o dan bwysa, pa fath o gyngor ddylwn i ei roi iddo fo? Yn yr un modd, o'n i'n gwbod bod Neil Jenkins yr un mor awyddus i dynnu ar brofiad seicolegydd y Crysau Duon er mwyn cynghori unrhyw giciwr ifanc fyddai'n teimlo o dan bwysa. Doedd profiadau Neil a finnau, fel chwaraewyr, ddim yn ddigon, achos doedd ein ffyrdd personol ni o ddelio â'r broblem ddim yn mynd i weithio i bawb. Ond roedd seicolegydd y Crysau Duon, mewn cydweithrediad â'r hyfforddwyr perthnasol, yn mynd yn ddyfnach i'r mater ac yn dod i nabod pob unigolyn. Yn y pen draw, roedd gwybodaeth am chwaraewyr yn cael ei rhannu rhwng yr hyfforddwyr i gyd. A ninna wedi cael cyfle i weld y seicolegydd wrth ei waith, mi gawson ni ein cyfeirio at ambell lyfr y dylen ni falle ei ddarllen, oedd yn fuddiol dros ben. Bellach mae rhai o hogia'r Academi yn mynd i weld seicolegydd er mwyn ceisio dod yn well chwaraewyr ond does dim digon o sylw eto yn cael ei roi gynnon ni yng Nghymru i'r agwedd arbennig hon.

Ar lawer ystyr, doedd dim gwahaniaeth rhwng carfan Seland Newydd a charfan Cymru, yn enwedig o dan Steve Hansen. Roeddan nhw'n cael eu hannog i barchu'r rhestr o werthoedd oeddan nhw'n amlwg wedi cytuno arnyn nhw fel carfan, er enghraifft roedd yn rhaid i'r chwaraewyr adael yr ystafell newid yn dwt ar eu hola bob amser. Yn yr un modd doedd neb yn cael mynd at y wasg na'r cyfryngau heb fendith swyddogol y tîm rheoli – roedd yn rhaid cadw popeth y tu mewn i bencadlys y tîm.

O ran yr ochr dactegol, er mwyn paratoi ar gyfer y gêm nesa, mi fydden nhw'n dilyn yr un patrwm â Chymru yng Nghwpan y Byd, sef rhoi cyfrifoldeb i chwaraewyr yn y gwahanol safleoedd i ddadansoddi chwara'r gwrthwynebwyr fyddai yn y safleoedd arbennig hynny yn y gêm nesa, a chyflwyno sylwadau i weddill y garfan. Roedd 'na un tebygrwydd mawr arall rhyngon ni fel gwledydd. Roedd maeddu'r Saeson yn hollbwysig! Mi ddaru'r Crysau Duon, yn dilyn eu buddugoliaeth yn erbyn yr Iwerddon ar y daith, gael gorchymyn i aros yn y gwesty y nos Sadwrn honno, yn hytrach na dathlu yn Nulyn, gan fod gêm fawr yn erbyn Lloegr y Sadwrn canlynol. Felly ddaru'r chwaraewyr, a rhai ffrindia ac aeloda o'r teuluoedd, ddod at ei gilydd mewn un ystafell fawr, a chymdeithasu'n braf, gan ganu ambell gân i gyfeiliant rhyw bedwar neu bump gitâr.

Ond doedd ffordd y garfan o ymlacio ddim mor heddychlon bob tro. Ryw unwaith yr wythnos, am awr, mi fydda Clwb Cwffio'r chwaraewyr, oedd yn gwbl wirfoddol, yn cyfarfod ac am saith o'r gloch ar y bore Mercher ddaru mi gael gwahoddiad i ymuno â nhw. Yno roedd y chwaraewyr yn ymrannu'n barau, y naill yn gwisgo menig a'r llall yn gwisgo padiau ar ei ddwy law. Tasg y dyn menig oedd clatsio dwylo'r llall mor aml ac mor galed â phosib am ryw hyd, ac yna mi fydden nhw'n newid drosodd. Pwrpas y gweithgaredd yma oedd cael gwared ar unrhyw deimlada ymosodol, sy'n cronni yn y rhan fwya ohonon ni ar adegau, a rhoi hwb seicolegol i rai mae'n siŵr. Iawn, os oedd rhywun yn ei wneud yn rheolaidd, ond i newydd-ddyfodiad fel y fi roedd o'n dipyn o sgytwad. A phan ddweda i mai Jerry Collins oedd 'y mhartnar i, mi fedrwch ddychmygu, mae'n siŵr, faint o sgytwad gefis i.

Ar ôl dychwelyd i Gymru ddaru mi gyflwyno adroddiad i'r hyfforddwyr eraill a'r tîm rheoli, yn manylu ar y profiadau gefis i gyda'r Crysau Duon. Un o'r petha ddaru mi nodi, wrth basio fel petai, oedd ei bod hi'n arferiad gan aelodau o'u tîm hyfforddi nhw, pan fyddai gan un ohonyn nhw gŵyn, ddod at ei gilydd i drafod. Bydda pob un yno yn cael dweud ei ddweud a bydda'r cyfarfod yn para nes y byddai'r broblem wedi ei datrys. Ddaru mi ddigwydd crybwyll bod y Crysau Duon yn disgrifio'r broses honno fel "mynd mewn i'r *red zone*". Do'n i ddim wedi meddwl ar y pryd y bydda'r ymadrodd hwnnw, yn dilyn ymddiswyddiad Mike Ruddock ymhen ychydig fisoedd, yn dod yn un o'r ymadroddion a glywyd amla yn ystod yr anghydfod a ddaeth yn ei sgil. Mi ddechreuodd y wasg gyfeirio at daith David Pickering a Steve Lewis o gwmpas clybiau rygbi'r wlad, er mwyn egluro safbwynt yr Undeb ar fater ymddiswyddiad Mike Ruddock, fel 'The Red Zone Road Show'. A hyn i gyd oherwydd i mi ddigwydd cyfeirio at yr ymadrodd yn f'adroddiad i ar y cyfnod ddaru mi dreulio gyda'r Crysau Duon!

Ddaru mi elwa tipyn o'r cyfnod dreulis i gyda thîm Seland Newydd ac ro'n i'n edrych ymlaen yn fawr at roi syniada newydd ar waith. Mae tua 80 o chwaraewyr yn yr Academi, wedi eu rhannu rhwng y pedwar tîm rhanbarthol. 'Y ngwaith i yw ymweld â rhai o'r blaenwyr ym mhob rhanbarth yn ystod yr wythnos er mwyn rhoi hyfforddiant pwrpasol iddyn nhw. Ar un o'r diwrnoda yma, mi fydda i'n gwneud gwaith swyddfa neu yn dysgu sgiliau gweinyddol perthnasol fy hunan, er enghraifft, sut i ddefnyddio technegau cyfrifiadurol wrth hyfforddi. O ran y dyfodol, mae Gareth Jenkins o'r farn fod gormod o chwaraewyr yn yr Academi ar hyn o bryd ac nad ydan nhw chwaith yn cael eu hymestyn yn ddigonol o fewn y gyfundrefn chwara mae'r rhan fwya ohonyn nhw'n rhan ohoni, er enghraifft, Uwch Adran yr Undeb. Mae o, trwy gydweithio gyda rheolwr pob academi rhanbarthol, yn gobeithio teilwra'r hyfforddi i ateb gofynion y tîm cenedlaethol yn y pen draw. Yn ogystal mi fasa fo'n licio gweld y system yn darparu hyfforddiant arbennig ar gyfer rhyw bump neu chwech o chwaraewyr disglair ym mhob rhanbarth. Mae o yn sicr am weld mwy o gydweithio gyda'r rhanbarthau er mwyn sicrhau system hyfforddi fwy effeithiol.

Ro'n i'n arbennig o falch dros Gareth pan gafodd ei benodi'n hyfforddwr y tîm cenedlaethol, yn enwedig gan iddo gael ei drin mor wael pan benodwyd Mike Ruddock i'r swydd yn 2004. Rwy wedi bod yn ddigon ffodus i gael cydweithio gyda Gareth ar sawl lefel yn ystod 'y ngyrfa a'i gael yn hyfforddwr positif iawn, sy'n gwbod beth sydd ei angen ar yr adeg iawn. Mae o'n gwbod i'r dim sut i drin chwaraewyr, pa bryd i fod yn drwm arnyn nhw a pha bryd i adel iddyn nhw gael hwyl ac ymlacio. O ganlyniad mi fuo fo'n uchel ei barch erioed gan hogia Llanelli, Cymru a'r Llewod.

Er hynny, roedd hi'n dipyn o sioc i mi pan gyhoeddwyd bod

Mike Ruddock wedi ymddiswyddo ym mis Chwefror 2006, yng nghanol Pencampwriaeth y Chwe Gwlad. Cyn dechra'r tymor rhyngwladol hwnnw, roedd Mike wedi 'ngwadd i un o sesiynau ymarfer y tîm cenedlaethol er mwyn gofalu am y blaenwyr. Roedd hyn yn rhan o'i fwriad i dynnu hyfforddwyr sgiliau'r Academi i mewn i baratoadau'r garfan genedlaethol. Yn ôl yr adborth gefis i o'r sesiwn honno, roedd hogia'r pac wedi mwynhau'r sesiwn yn fawr ac yn teimlo eu bod nhw wedi cael tipyn o fudd ohoni. Roedd hyn yn braf iawn i'w glywed yn enwedig gan 'mod i braidd yn betrus cyn dechrau arni, a minnau wedi chwara ochr yn ochr â nhw'r tymor cynt. Ro'n i'n arbennig o falch o gael y cyfle a ddaru mi fwynhau'r profiad yn fawr iawn.

Ychydig ddyddia wedi i Mike Ruddock ymddiswyddo, ddaru mi dderbyn galwad ffôn gan Alan Phillips yn gofyn i mi a faswn i'n barod i helpu Scott Johnson i hyfforddi'r tîm cenedlaethol ar gyfer y tair gêm ryngwladol oedd yn weddill y tymor hwnnw. Ddaru mi ddim petruso o gwbl a derbynis i'r cynnig ar ei ben. Mi gefis i gyfarfod gyda Scott Johnson a chlywed y basa fo'n licio i fi baratoi'r blaenwyr ar gyfer y tair gêm, yn benna o ran y llinell a'r sgrym, ac i eistedd i mewn ar drafodaethau cyffredinol yr hyfforddwyr. Yn sicr roedd y chwaraewyr o dan dipyn o bwysa pan ddaru mi afael ynddi. Roeddan nhw'n teimlo mai y nhw oedd yn cael eu beio gan y wasg am yr hyn ddaru arwain at ymddiswyddiad Mike a bod hynny hefyd wedi troi'r cefnogwyr yn eu herbyn nhw. Pan ddaru mi orfod rhoi'r gora i chwara ddechrau'r tymor hwnnw, mi gefis lythyr personol caredig iawn oddi wrth Mike yn diolch yn fawr i mi am 'y nghyfraniad i'r garfan genedlaethol yn ystod ei gyfnod o wrth y llyw ac yn dymuno'n dda i mi ar gyfer y dyfodol.

O ran ein chwara ni ar y cae, ro'n i'n hapus â pherfformiad y blaenwyr. Yn erbyn yr Iwerddon ro'n i'n teimlo ein bod ni wedi bod ychydig yn anlwcus. Yn y lle cynta, roedd colli Stephen Jones yn gynnar yn y gêm yn ergyd ddifrifol. Ac fe gafodd rhai o'n tactegau eu chwalu'n llwyr gan ddiffyg cydymdeimlad y dyfarnwr. Er enghraifft, ein bwriad ni oedd dal y bêl i mewn yn y sgrym yn hirach nag arfer fel y bydda pac Iwerddon yn blino mwy a mwy wrth i'r gêm fynd yn ei blaen, ac ildio ambell gic gosb yn y broses. Ond chawson ni ddim gneud hynny ganddo.

Ddaru ni ennill digon o feddiant i guro'r Eidal, ond mi gawson nhw ormod o ryddid i roi eu stamp ar y gêm. Yn yr un modd, ddaru ni gystadlu'n deg yn erbyn Ffrainc ac roeddan ni'n anlwcus i golli iddyn nhw. Tymor siomedig felly wedi gorfoledd y tymor cynt. Ond, wrth gwrs, ro'dd gwledydd eraill y Bencampwriaeth i gyd wedi bod yn dadansoddi'n chwara ni yn 2005 ac wedi dyfeisio cynlluniau i ddrysu'n patrwm ni. Yn yr un modd, doeddan ni ddim wedi bod yn ddigon craff i addasu a diwygio'r patrwm hwnnw i ateb unrhyw dacteg fyddai gan y gwrthwynebwyr i'w gynnig i'r gwrthwyneb. Er enghraifft, y duedd i'r timoedd eraill yn 2005 oedd canolbwyntio ar ffurfio llinell amddiffyn yn ein herbyn ni yn y chwara rhydd. Ond erbyn pencampwriaeth 2006, roeddan nhw'n sylwi mai ychydig o flaenwyr oedd gynnon ni fel arfer yn mynd i mewn i'r sgarmesi. Felly mi fydda'r gwrthwynebwyr bryd hynny'n gyrru mwy o ddynion mewn iddyn nhw gan lwyddo i arafu'r bêl a'n rhwystro ni rhag ei symud hi'n sydyn ac yn effeithiol i gyfeiriad arall, fel ddaru ni lwyddo i wneud y tymor cynt. Newid mawr arall y bu'n rhaid i ni ddygymod ag o wrth gwrs oedd bod nifer o'r tîm enillodd y Gamp Lawn wedi eu brifo ac wedi methu chwara yn ystod Pencampwriaeth 2006.

Roedd hi'n bleser cydweithio gyda Scott Johnson, a chyn hynny bod yn chwaraewr yn derbyn hyfforddiant gynno fo. Mi fydda fo'n feistr ar ddatblygu sgilia ar gyfer y cefnwyr ac ar gyflwyno nifer ohonyn nhw i'r blaenwyr. Roedd o'n licio meddwl un cam ymlaen i'r gwrthwynebwyr, waeth pa symudiad fydda o dan sylw. Mi fydda fo'n rhesymu ar hyd y llinellau, 'Os nawn ni hyn mae eu hamddiffyn nhw yn siŵr o drio gneud hynna, felly fe awn ni mlaen i neud hyn.' Fel Steve Hansen, roedd o'n hoff iawn o gynnal trafodaeth. Trafod materion teuluol gyda'r hogia os mai dyna oeddan nhw isio. Ond trafod syniada yn benna fydda fo, yn enwedig rhai oedd yn estyn y ffordd arferol o feddwl am y gêm. Rwy'n ei gofio fo'n treulio amser yn trafod manteision ac anfanteision cael y mewnwr, yn hytrach na'r bachwr, i daflu'r bêl i'r llinell. Daeth dim o'r syniad ond mi ddaru ni fwynhau'r ddadl. Roedd ei hiwmor iach a'i bersonoliaeth radlon yn ei gneud hi'n hawdd siarad ag o. Eto roedd o'n cymryd ei waith yn hollol o ddifri ac yn un o'r hyfforddwyr mwya trylwyr i mi weithio gyda nhw. Petawn i'n gorfod ei feirniadu am unrhyw beth o gwbl, ei chwaeth mewn crysa-T fydda hynny!

Doedd hi ddim yn syndod fod Scott wedi dewis peidio â derbyn y gwahoddiad i barhau yn swydd yr hyfforddwr cenedlaethol. Er hynny roedd hi'n chwith iawn ganddo adael Cymru ac roedd y cyfarfod ola rhyngtho fo a charfan Cymru yn un emosiynol iawn yn achos nifer o'r chwaraewyr, gan gynnwys Dwayne Peel. Roedd Scott wedi meithrin eu datblygiad nhw trwy gyfnod rhagbrofol a'u gweld nhw'n datblygu'n chwaraewyr rhyngwladol aeddfed a thalentog. Roedden nhw'n ddiolchgar iawn iddo ac fel Scott ei hun, wedi mwynhau'r profiad yn fawr. Cyn madael, fe ddwedodd y basa fo'n licio dod yn ôl i Gymru i hyfforddi wedi i'w gytundeb gydag Undeb Rygbi Awstralia ddod i ben. Falle fod y ffaith ei fod o wedi dewis peidio â gwerthu ei dŷ ym Mhorthcawl yn brawf o hynny. Rwy'n dal mewn cysylltiad ag o, ac roedd yn braf ei weld nôl yng Nghymru ym mis Tachwedd gyda thîm Awstralia.

Ar ddiwedd Pencampwriaeth y chwe Gwlad yn 2006, do'n i ddim yn gwbod yn hollol ble ro'n i'n sefyll o ran 'y nyfodol i gyda charfan Cymru. Ro'n i'n teimlo bod y blaenwyr wedi perfformio'n foddhaol yn y Bencampwriaeth honno ac roedd yr ystadega, a ddangosai'r ganran o'r bêl a enillwyd ganddyn nhw, yn profi hynny. Ro'n i'n gobeithio'n fawr y basa 'na gyfle i mi barhau â'r gwaith hwnnw, a chadw cysylltiad â'r garfan, yn enwedig o ran y llinella, oherwydd mae cymaint o'r gwaith hwnnw'n newid o hyd o ran ei natur, o flwyddyn i flwyddyn, tra bo'r gwaith sgrymio yn aros fwy neu lai'r un fath. Ac mi ddaeth y cyfle hwnnw pan ddaeth Gareth Jenkins i lawr i'r Strade ryw ddiwrnod dechra Mai, pan o'n i'n hyfforddi yno, a gofyn i mi fynd, fis yn ddiweddarach ar daith Cymru i'r Ariannin, i fod yn gyfrifol am hyfforddi'r blaenwyr fel o'r blaen.

Doedd dim isio gofyn ddwywaith, am ddau reswm. Yn y lle cynta, fel y dywedis i, ro'n i'n awyddus iawn i barhau â'r gwaith ro'n i wedi bod yn ei neud gyda'r garfan genedlaethol rai misoedd ynghynt, ac yn ail, do'n i erioed wedi bod yn yr Ariannin, ac yn edrych ymlaen yn fawr at ymweld â'r Wladfa, lle'r oedd un o'r ddwy gêm brawf i gael ei chwara, ym Mhorth Madryn.

Mi gawson ni dderbyniad anhygoel gan ddisgynyddion yr ymfudwyr Cymraeg gwreiddiol o'r foment ddaru ni lanio yn Nhrelew. Daeth dros 200 o bobl i'r maes awyr, lawer ohonyn nhw'n gwisgo crys coch Cymru ac yn chwifio'r ddraig goch. Ddaru pawb yn y garfan gael eu synnu gan y fath groeso annisgwyl. Cyn symud mlaen i Borth Madryn ar y dydd Iau ar gyfer y prawf cynta yno ar y Sul, mi roeddan ni'n aros am ychydig o ddyddia yn Nhrelew. Yno, roedd 'na noson arbennig o ddathlu wedi ei threfnu ar ein cyfer ni, a phwyslais ar dri pheth: dawnsio, canu a gwledda. Yn gyntaf, ddaru nhw gau un o brif strydoedd y dre er mwyn i ni gael gwneud ychydig o ddawnsio gwerin yno. Yna symud i Neuadd y Dre, i ddechrau bwyta – roedd deg ar hugain o ŵyn wedi eu rhostio ar ein cyfer ni. Mi gafodd y Cymry Cymraeg yn ein plith ni ein rhoi i eistedd gyda phobl Gymraeg eu hiaith. Yn ddiddorol iawn, mi ges i a Rowland Phillips ein rhoi gyda hen wraig oedd yn Gymraes loyw, a'i mab oedd yn ddi-Gymraeg, a'i hŵyr a'i hwyres, oedd, yn wahanol i'w tad, yn siarad Cymraeg. Roedd yn enghraifft o'r adfywiad iaith sydd i'w weld yno ymhlith rhai o'r to iau o dras Cymraeg. Doedd dim posib cynnal cyfarfod o'r fath heb rywfaint o ganu, wrth gwrs, ac mi gafodd taflenni eu dosbarthu i bawb gael ei morio hi i hen ffefrynnau fel 'Calon Lân'. Roedd hi'n noson fythgofiadwy, a'r rhan fwya o'r garfan wedi'u synnu a'u swyno gan y ffaith fod y bywyd Cymraeg mor fyw mewn gwlad mor bell.

Tra oeddan ni yn aros yn Nhrelew, mi gefis i gyfle i wneud tipyn o hyfforddi gyda Chlwb Rygbi'r Ddraig Goch, y Gaiman. Roedd eu cae nhw, fel roedd y cyfleusterau chwara yn gyffredinol yn y mannau y buon ni'n ymweld â nhw, ar dir llwm iawn, a phrofiad rhyfedd oedd esbonio tactegau trwy dynnu llunia efo brigyn yn y llwch ar wyneb y cae! Ro'n i'n rhoi 'y nghyfarwyddiadau i'r chwaraewyr yn y Gymraeg ac mi roedd un o'r hogia yn eu plith yn cyfieithu i Sbaeneg, er bod un neu ddau ohonyn nhw'n deall y Gymraeg yn ogystal. Roedd Mike Phillips a Nicky Robinson hefyd wedi derbyn gwahoddiad gan y Cymry yno i wneud rhywfaint o hyfforddi, tra oedd Rowland, Shane Williams a Nathan Brew, y Cymry Cymraeg erill yn y garfan, wedi derbyn gwahoddiad i ymweld ag ysgol, capel, a mynwent oedd yn bwysig i'r bywyd Cymraeg yno.

Yn ystod y cyfnod ro'n i'n chwara i Borthaethwy, mi ddaru hogyn o'r Wladfa o'r enw Waldo Williams chwara i ni mewn cystadleuaeth saith-bob-ochr yn Harlech. Ond yn anffodus, ddaru Waldo ddim aros ar y cae yn hir y prynhawn hwnnw oherwydd i mi ei fwrw'n anwybodol wrth i ni'n dau geisio taclo'r un chwaraewr. Y tro diwetha i mi ei weld roedd yn cael ei gario oddi ar y cae. Pan o'n i yn y Gaiman, dyma fi'n holi am Waldo ac yn wir roedd pawb yn ei nabod o, ac ynta hefyd wedi bod yn chwara i Glwb Rygbi'r Ddraig Goch yno. Y diwrnod wedyn, pwy gerddodd i mewn i'n gwesty ni yn Nhrelew, yn chwilio amdana i, ond Waldo! Roedd o'n medru siarad Cymraeg a braf iawn oedd cael cyfle i hel ychydig o atgofion gydag o ac ynta wedi maddau i mi erbyn hynny!

Pan gyrhaeddon ni Borth Madryn ymhen ychydig ddyddia, roeddan ni'n aros mewn gwesty ar lan y môr a chanddo olygfeydd anhygoel – roeddan ni hyd yn oed yn gallu gweld morfilod yn nofio yn y bae o'n blaena ni. Wrth gwrs mae'n lle ac iddo arwyddocâd arbennig yn hanes Patagonia gan mai dyma lle glaniodd y Mimosa, y llong a gariodd y fintai gynta o Gymru yn 1865. Mi fu rhai ohonon ni'n gweld y gofeb sy'n cofnodi'r digwyddiad; buon ni hefyd yn ymweld â'r ogofau ar y traeth oedd yn lloches i nifer o deithwyr y Mimosa yn ystod eu dyddiau cynta. Fuon ni ddim yn hir chwaith cyn dod o hyd i ddau le yn dwyn yr enwau Tŷ Te Caerdydd a Tŷ Te'r Ddraig Goch, a'u bara brith a'u pice ar y mân bendigedig!

Wrth gwrs, carfan ifanc a dibrofiad iawn oedd wedi teithio i'r Ariannin ond roedden nhw'n frwd dros ben ac y awyddus i neud eu marc. A dyna a naethon nhw yn y prawf cynta a gollwyd o drwch blewyn, 25–27. Ro'n i eisoes yn ymwybodol iawn o gryfderau'r Ariannin, yn enwedig y pac. Roeddan nhw, er enghraifft, yn hoff o yrru ymlaen o hyd o'r chwara gosod, gan ffurfio sawl sgarmes a sgrym drosodd a throsodd er mwyn blino'r gwrthwynebwyr trwy eu cael nhw i fynd i lawr yn gyson. Ond ddaru ni geisio atal symudiadau o'r fath trwy gael ein blaenwyr ni i beidio ag ymglymu â blaenwyr yr Ariannin yn y sgarmesi, gan eu rhwystro rhag cael unrhyw fomentwm yn y chwara rhydd. O ran y llinellau, ro'dd gynnon ni bedwar cynllun: dau yn canolbwyntio ar eu hatal nhw rhag gyrru mlaen, a dau arall lle bydda'n neidwyr ni'n cystadlu am y bêl. Canlyniad hynny oedd y bu'n rhaid i'r Ariannin chwara llawer mwy o'u gêm ymhellach oddi wrth y llinell nag y basan nhw wedi dymuno gneud.

Mi weithiodd y tactega hyn yn wych ac mae'n rhaid canmol ymdrech ac ymroddiad hogia Cymru, yn enwedig y blaenwyr, gyda thri ohonyn nhw'n ennill eu cap cynta... Roedd 'na wendidau yn y chwara ar brydia, megis tuedd i fethu gorffen symudiadau'n fwy clinigol. Llwyddwyd i gael naw toriad glân, sy'n ffigwr uchel iawn, trwy amddiffyn y tîm cartre, â dim sgôr yn dod ohonyn nhw. Ond roeddan ni wedi gorfod brwydro yn erbyn tair anfantais fawr. Yn y lle cynta, bu'n rhaid chwara am gyfnod heb Gavin Thomas ac Alix Popham, y ddau wedi cael eu gyrru i'r gell gosb, ar yr un adeg am gyfnod. Roedd hynny'n groes aruthrol i dîm ifanc orfod ei chario, yn enwedig yn erbyn tîm fel yr Ariannin a hwytha'n chwara ar eu tomen eu hunain. Yn ail, ro'n i'n anhapus iawn â'r dyfarnwr Alain Rolland o'r Iwerddon. Does dim dwywaith ei fod o wedi caniatáu cais i'r Ariannin nad oedd yn gais dilys. Roedd o hefyd yn llac iawn wrth ddehongli'r rheol ynglŷn â chamsefyll, ac roedd ganddo agwedd sarhaus wrth drin chwaraewyr. Yn drydydd, roedd y cae yn fach – yn fyr ac yn gul dros ben, oedd yn siwtio'r Ariannin i'r dim.

Felly ddaru ni fynd i mewn i'r ail brawf yn Buenos Aires gan wybod y gallan ni, ac y dylan ni, fod wedi ennill y prawf cynta. Ond roedd yr ymdrech fawr gynta honno wedi tynnu tipyn allan o'r hogia ac mi benderfynodd y tîm hyfforddi gynnal tri diwrnod o ymarfer yn unig cyn y gêm ar y Sadwrn canlynol. Mi roedd 'na dipyn o ddadansoddi ar sut roeddan ni'n mynd i drio newid ein gêm ni er gwell yn yr ail brawf – yn sicr ro'dd yn rhaid gweithio ar gael mwy o ddealltwriaeth rhwng y cefnwyr a'r blaenwyr.

Ond roedd yr ail brawf yn wahanol mewn sawl ffordd. Yn gynta, roedd y cae'n llawer mwy yn Buenos Aires gan greu awyrgylch oedd yn gweddu i gêm ryngwladol. Hefyd roedd yr Ariannin, ar ôl cael eu siomi gan eu perfformiad yn y prawf cynta, wedi codi eu gêm yn yr ail brawf ac wedi chwara'n llawer mwy corfforol. Roeddan nhw'n well tîm o lawer na ni ac yn haeddu eu buddugoliaeth o 45 i 27. Ro'n i'n weddol hapus â pherfformiad y blaenwyr. Ddaru ni ennill 25 o'r 30 llinell ar ein pêl ni ac roedd ein sgrymio ni'n well o lawer, yn enwedig y chwara wrth fôn y sgrym. Ro'n i'n gredwr cryf yn nulliau'r hyfforddwr Mike Cronn o Seland Newydd, ac wedi bod yn eu defnyddio'n gyson yn y sesiynau ymarfer. Roedd nifer o'n chwaraewyr ni wedi dysgu tipyn erbyn diwedd y gêm honno ac yn gwbod bod 'na lawer eto i'w ddysgu.

Eto, roedd hi'n braf iawn i mi fel hyfforddwr, gael gweld cymaint oedd chwaraewyr ifanc fel Ian Evans ac Alun Wyn Jones wedi ei ddysgu a chymaint roedden nhw wedi datblygu mewn cyfnod mor fyr. Chwaraeodd Alun Wyn Jones yn y rheng ôl, safle dieithr iawn iddo cyn y daith honno. Roedd y profiad o hyfforddi'r garfan yn un braf iawn. Roedd gen i berthynas ardderchog gyda'r hogia, er 'mod i wedi cyd-chwara gyda nifer o'r rhai hŷn o'u plith gwta bymtheg mis ynghynt. Ar ryw olwg roedd 'y nghysylltiad i fel chwaraewr ac yna fel hyfforddwr â'r hogia, yn gymorth i gadw rhywfaint o gysondeb gan fod yr hyfforddwyr eraill i gyd, ar wahân i Neil, yn newydd i'r garfan genedlaethol. Eto, fe gafwyd taith gofiadwy, gytûn, er i mi deimlo weithia, tua'i diwedd hi, 'mod i fel petawn wedi treulio pythefnos ar sioe deledu Jonathan oherwydd i mi fod gymaint yng nghwmni Rowland!

Mi gefis glywed, wedi dychwelyd o'r Ariannin, 'mod i i dderbyn anrhydedd annisgwyl iawn yn Eisteddfod Genedlaethol Abertawe a'r Cylch ym mis Awst, sef cael 'y nerbyn i'r Orsedd, yn Ofydd er

Anrhydedd. Mi gefis i'n synnu o glywed y newydd, achos do'n i erioed wedi dychmygu y baswn i'n deilwng o'r fath glod. I'r Cymro Cymraeg, mae'n debyg mai hon yw'r anrhydedd fwya y gall o ei derbyn y tu allan i'w briod faes, anrhydedd sydd yn gydnabyddiaeth cenedl. Mi roedd y diwrnod ei hun ar faes yr Eisteddfod yn un hwyliog braf a bythgofiadwy. Ro'n i braidd yn nerfus yn cerdded ar draws y maes tuag at y Pafiliwn lle ro'n i'n newid yng nghefn y llwyfan. Ond roedd Clive Rowlands a Ieuan Evans, yn eu gynau, yno i 'nghysuro i ac ro'n i'n ddiolchgar iawn iddyn nhw am hynny. Yn rhinwedd ei swydd Orseddol roedd Grav yno hefyd ac yn gymorth mawr i mi. Yn wir, mi gefis groeso mawr gan bawb. Ro'n i wedi bod yn poeni pa beth y dylwn i ei wisgo o dan wisg yr Orsedd. Er y bydda i'n treulio'r rhan fwya o'n wythnos waith mewn siorts, do'n i ddim rywsut yn meddwl y basa'r rheini'n briodol iawn ar y diwrnod hwnnw – nes i mi weld yr Archdderwydd, Selwyn Iolen, yn rhoi ei lifrai amdano dros ei siorts a'i grys-T!

Am fod y tywydd mor anwadal, bu'n rhaid symud y seremoni urddo o'r Maes i'r Babell Lên, ac am a wn i mi arweiniodd hynny at awyrgylch cartrefol braf heb gymaint o rwysg ag arfer falle. Roedd 'na un broblem oherwydd hynny, sef bod llawer mwy o bobl am fod yn bresennol nag oedd 'na o le ar eu cyfer nhw. Yn ffodus bu'n rhieni a Tina a'r hogia'n ddigon lwcus i gael lle i mewn a chael mwynhau'r gweithgareddau'n fawr iawn. Roeddan nhw i gyd o'r farn 'mod i'n edrych yn bles iawn yn 'y ngwisg werdd, a'n enw barddol, Robin o Fôn!

Yn dilyn y daith i'r Ariannin, ddaru Gareth Jenkins ofyn i'r staff hyfforddi oedd yn ei gynorthwyo fo a Nigel Davies allan yno, i barhau gyda'r gwaith yn ystod y cyfnod yn arwain at Gwpan y Byd, ac rwy'n edrych ymlaen yn fawr iawn. Does dim dwywaith fod Nigel Davies, Rowland Phillips, Neil Jenkins a finna'n gwneud tîm hyfforddi ifanc iawn a chymharol ddibrofiad. Ond mae 'na fanteision hefyd, er enghraifft, mae gan bawb yr un faint o barch at ei gilydd ac ry'n ni'n teimlo'n gyfforddus gyda'n gilydd, heb fod rhyw barchedig ofn gan neb tuag at unrhyw un arall. Ry'n ni i gyd hefyd yn ymwybodol iawn ein bod ni'n atebol i Gareth, waeth beth yw ein harbenigedd ni. Erbyn Cwpan y Byd y flwyddyn nesa bydd llawer o gwestiynau wedi cael eu codi a'u hateb. Bydd gofyn i'n cefnogwyr ni ddangos tipyn o amynedd dros yr 11 gêm fydd yn cael eu chwara yn y cyfamser, wrth i nifer o chwaraewyr ifanc gael cyfle i ddangos eu donia ac wrth i Gareth geisio rhoi ei stamp ynta ar y patrwm chwara.

Erbyn hyn mae 'nyletswyddau i wedi newid o'u cymharu â'r hyn oeddan nhw flwyddyn yn ôl, pan ddaru mi gael 'y mhenodi yn un o hyfforddwyr yr Academi. Bydd patrwm f'wythnos waith i, y tu allan i gyfnod y gêmau rhyngwladol, fel hyn. Mi fydda i'n treulio un diwrnod yr wythnos, y dydd Iau fel arfer, yn datblygu sgiliau blaenwyr ifanc yr Academi mewn cydweithrediad â'u hyfforddwr sgiliau nhw. Mi fydda i hefyd, bryd hynny, yn treulio amser penodol gydag unigolion o blith y blaenwyr sy'n cael anhawster â rhyw agwedd arbennig o'u chwara nhw. Ar nos Wener a dydd Sadwrn mi fydda i'n mynd i weld gêmau dau o'r Rhanbarthau, fel hyfforddwr pac tîm Cymru, er mwyn asesu chwara'r blaenwyr. Yna, ar y dydd Llun, mi fydda i a'r hyfforddwyr erill yn cyfarfod i ddadansoddi pob gêm ranbarthol a chwaraewyd dros y penwythnos. Ar ddydd Mawrth a dydd Mercher, mi fydda i'n mynd at y timau rhanbarthol yn eu tro i'w gwylio nhw'n ymarfer, ac yn cydweithio gyda hyfforddwyr y timau hynny. Yna ar y nos Fercher, mi fydda i'n treulio amser gyda hyfforddwr un o dimau ifanc y rhanbarthau, fydd fel arfer yn ymarfer ar y noson honno. Bydd dydd Gwener yn cael ei neilltuo'n ddiwrnod i mi ddatblygu sgiliau cyfrifiadurol o ran maes hyfforddi a thactegau ac yn gyfle i mi roi trefn ar unrhyw waith gweinyddol fydd angen ei wneud o ran yr wythnos ddilynol.

Bydd cyfarfod a thrafod gyda phob hyfforddwr blaenwyr y timau dan oedran rhanbarthol a'r hyfforddwyr sgiliau yn fanteisiol iawn. Y nod yw trio sicrhau, yn enwedig o ran agweddau ar y sgrym a'r llinell, fod gan y blaenwyr hynny'r un cefndir o ran hyfforddiant pan fyddan nhw'n symud i chwara i'r tîm cenedlaethol.

Falle fod y trefniadau hyn yn ymddangos fel petaen nhw wedi'u llywio er mwyn cymell y rhanbarthau i roi blaenoriaeth i ofynion tîm Cymru. Ond mae Gareth Jenkins o'r farn, a dw i'n cytuno ag o, fod angen mwy o gydweithio rhwng y rhanbarthau a'r hyfforddwyr cenedlaethol. Yn y gorffennol, mae 'na rywfaint o wrthdaro wedi bod rhwng gofynion y clybiau a'r gofynion cenedlaethol. Y gobaith yw y gallwn ni falle ddysgu oddi wrth wledydd fel Seland Newydd, lle mae anghenion y Crysau Duon yn cael blaenoriaeth fel arfer. Wedi dweud hynny, byddai gofyn cael rhai newidiada sylfaenol, fel chwara llai o gêmau rhanbarthol bob tymor, cyn y gellid gweld y drefn yn gwella'n sylweddol.

Mi rydw i felly'n cychwyn ar bennod newydd yn 'y ngyrfa i, gyrfa na faswn i'n newid dim arni, er gwaetha'r profiada chwerw ar y dechrau pan ddaru mi dreulio cymaint o amser yn eistedd ar fainc! Mewn ffordd eironig dw i'n meddwl i mi elwa yn y pen draw o gael y profiada hynny. Dw i bellach yn gwbod yn union sut mae chwaraewr ifanc yn teimlo pan fydd o mewn sefyllfa debyg. Dwn i ddim faint o gysur y galla i fod i rywun felly – dw i ddim yn credu y gallai unrhyw un fod wedi 'nghysuro i yn ystod y dyddiau du – ond o leia mi fedra i falle ei berswadio fo na ddyla fo feddwl fod pawb arall ar fai ond y fo!

Dw i wedi teimlo erioed i mi fod yn freintiedig iawn o fedru dilyn gyrfa sy wedi rhoi cymaint o foddhad i mi mewn maes sy'n rhoi pleser i gymaint o bobl. Mae wedi golygu aberth ar sawl cyfri, yn enwedig ar y dechra oherwydd 'mod i'n byw yng ngogledd Cymru. Pan fydda i weithia'n cael gwahoddiad i fynd i ryw ysgol neu glwb rygbi i gyflwyno gwobra i bobl ifanc, dw i'n medru tynnu ar 'y mhrofiad i er mwyn dangos gwerth aberthu a gwaith caled.

Ddaru mi orfod aberthu wrth dreulio cymaint o amser yn ymarfer ffitrwydd a chryfder ar 'y mhen fy hun a hefyd wrth symud oddi cartre i fyw mewn ardal hollol ddieithr pan o'n i'n hogyn ifanc. Erbyn heddiw, mae'n well gen i ddefnyddio'r gair 'dewis' yn lle 'aberthu', gan mai 'y newis i oedd cymryd y llwybr wnes i, a chefis i erioed 'y ngorfodi i wneud dim, ac mi dalodd ar ei ganfed i mi. Mi dalodd 'y nheulu bris hefyd mae'n debyg, oherwydd 'y 'newisiada i' – yn gynta fy rhieni, yn enwedig 'y Nhad wrth deithio miloedd o filltiroedd yn y dyddiau cynnar er mwyn 'yn hebrwng i nôl a mlaen yn ei gar i'r Wyddgrug a de Cymru ac yna rhuthro nôl i'w waith neu i gadw cyhoeddiad pregethu'r diwrnod wedyn. Ac yn fwy diweddar, Tina a'r plant wrth iddyn nhw orfod trefnu eu gwyliau, a'u bywydau, o gwmpas y rygbi.

Mi fyddwn i'n cynghori unrhyw hogyn ifanc, a chanddo dalent arbennig i chwara rygbi, i 'styried gwneud gyrfa yn y maes hwnnw ac i feithrin cymaint o sgiliau â phosib, waeth pa safle y byddai'n dymuno chwara ynddo. Os yw'n flaenwr, mae'n naturiol y bydda fo'n datblygu'r sgiliau sy'n hanfodol i'w safle arbennig o yn y pac, ond mae'n bwysig hefyd iddo ddysgu pasio'n dda, i'r ddau gyfeiriad, oherwydd mae 'na adegau yn mynd i godi pan fydd o, yn y chwara rhydd, yn mynd i gyrradd y bêl o flaen y mewnwr, ac y fo fydd yn gorfod ei phasio allan i barhau'r symudiad. Yn yr un modd mae'n bwysig i brop ymarfer taflu'r bêl i mewn i'r llinell oherwydd mae'n bosib y bydd adeg yn codi pan na fydd bachwr y tîm ar y cae, wedi i brop arall symud i safle'r bachwr, ac y bydd angen cael rhywun arall, felly, i daflu i mewn yn ei le.

Mi fedra i glywed rhai'n dweud nad oes angen llawer o waith ymarfer i daflu pêl i mewn i'r llinell. I'r gwrthwyneb yn llwyr! Yn y blynyddoedd diwetha, yn ogystal â thaflu i mewn yn gyson yn y sesiynau ymarfer gyda'r tîm, mi fyddwn i hefyd yn treulio ychydig o oriau bob wythnos yn ymarfer ar 'y mhen fy hun. Ers talwm, mi fyddwn i'n gwneud hyn trwy daflu pêl ar wahanol onglau yn erbyn polyn, drosodd a throsodd. Ond yn y cyfnod diweddar mae llawer mwy o sylw yn cael ei roi i'r arferiad o gadw'r corff yn sgwâr wrth daflu, a pheidio â chamu i mewn i dir y chwara. Mae gofyn datblygu'r cyhyrau perthnasol i sicrhau'r cydbwysedd iawn i'r corff. Felly, mi fyddwn i'n treulio tipyn o amser ar 'y mhenaglinia ar y llawr yn taflu peli mawr trwm am i fyny neu'n sefyll ar nifer o badie bach pwrpasol yn llawn aer er mwyn ymarfer sadio'r corf. Yn sicr mae llawer mwy o bwyslais bellach ar y *broses* o daflu i mewn yn hytrach nag ar y canlyniad.

Un cwestiwn fydda i'n ei gael yn aml gan rai sy'n dilyn y gêm yw pwy yw'r chwaraewyr gora ddaru mi chwara yn eu herbyn nhw. Wel, mae'n debyg mai'r unig rai dw i mewn sefyllfa i'w hasesu nhw'n iawn yw'r rhai sy'n perthyn i frawdoliaeth y rheng flaen.

Wrth gwrs, yn ystod 'y nghyfnod i yn y gêm mi welwyd llawer iawn o newidiada yn y ffordd mae rygbi'n cael ei chwara, yn enwedig ymhlith y blaenwyr. Yn amlwg, mae'r doniau a ddisgwylir gan wahanol aelodau'r pac wedi gorfod newid, yn aml i ateb y ffordd mae hyfforddwyr yn dymuno gweld eu timau'n chwara. O ran safle'r prop pen rhydd bu disgwyl i'r chwaraewyr hynny, ar hyd y blynyddoedd, ychwanegu rywfaint at y chwara rhydd yn ogystal â thynnu eu pwysa yn y chwara tyn. Roedd hyn yn bosibl, wrth gwrs, gan mai y nhw oedd yn penderfynu pa mor galed ro'n nhw am weithio yn y sgrym! Yma yng Nghymru mae yna sawl prop yn disgleirio yn y safle hwn heddiw, ac yn wir yn fy nyddia i fel chwaraewr rwy'n cofio Darren Morris yn gwneud argraff arbennig arna i o ran ei sgilia trafod a Martyn Madden, hefyd, gyda'i allu i dorri'r dacl. Rhai o'r goreuon am wneud hynny ar y llwyfan rhyngwladol, yn 'y mhrofiad i, oedd yr Albanwr, Tom Smith, Christian Califano o Ffrainc ac Ollie Le Roux, o Dde'r Affrig.

Prif ddyletswydd y prop pen tyn, wrth gwrs, yw sicrhau llwyfan cadarn yn y sgrym, yn enwedig pan fo'i dîm ei hun yn rhoi'r bêl i mewn. Daeth ei rôl yn bwysicach fyth wrth i'r rheol ddod i rym bod tîm yn colli'r hawl i roi'r bêl i mewn i'r sgrym am yr eildro wedi i'r sgrym olwyno mwy nag 180 gradd. Felly mi gaiff prop pen tyn bellach ei ddewis, yn bennaf, am ei allu i sicrhau bod ei dîm yn cadw meddiant wrth roi'r bêl i mewn. Anaml y bydd y prop John Hayes, o'r Iwerddon er enghraifft, yn amlwg yn y chwara rhydd ond mae o'n ennill ei le oherwydd ei allu i gloi'r sgrym yn gadarn.

Y meistri, yn 'y marn i, yw'r Ffrancwyr yn hynny o beth, lle na fydd byth, bron, wendid yn y sgrym oherwydd y dyfnder sydd i'w gael yno o bropiau pen tyn. Mae hyn yn amlwg ar y llwyfan rhyngwladol a hefyd yn y clybiau sydd yn cystadlu yng nghwpan Ewrop, lle mae yna lawer o'r Ariannin yn chwarae eu rygbi – rhai fel Omar Hassan. Ymhlith y goreuon a chwaraeais i yn eu herbyn oedd Pieter de Villiers o Ffrainc a Jason White o Loegr. Y gorau ar hyn o bryd, yn 'y marn i, yw Carl Hayman o Seland Newydd. Yma yng Nghymru doedd neb gwell na Dai Young am angori'r sgrym, hefyd John Davies i Lanelli, ond ar hyn o bryd, yn anffodus, dim ond rhyw ddau neu dri yn unig sydd â'r gallu i wneud hyn ar y lefel uchaf. Mae hyn yn destun pryder, yn arbennig pe bai un neu ddau o'r goreuon yn cael eu hanafu.

Mae sôn bellach am newid y rheolau o ran ymrwymo yn y sgrym fel y bydd y ddau bac yn dod benben â'i gilydd gyda llai o rym. Pe bai hynny'n digwydd tybed a fydd llai o bwyslais wedyn ar ddylanwad y prop mawr trwm, nad yw'n enwog am ei redeg, un fel Joel Veitayaki o Fiji, a mwy o werth i'r prop tal, fydd yn gaffaeliad yn y llinell, fel Carl Hayman, sy'n dalach na nifer fawr o chwaraewyr y rheng ôl. Mi gawn weld!

O ran safle'r bachwr mae'r math o ddoniau y disgwylir iddo eu dangos ar y cae yn aml yn dibynnu unwaith eto ar y cyfarwyddyd y bydd yn ei gael gan ei hyfforddwr. Roedd Garin Jenkins, er enghraifft, yn enwog am ei sgrymio cadarn a'i waith caled yn y chwara tyn, a'i hyfforddwyr ar draws y blynyddoedd yn dibynnu arno i wneud hynny'n raenus, yn ogystal â thaflu'r bêl i mewn i'r llinell yn gywir wrth gwrs! Roedd Keith Wood, ar y llaw arall, yn cael y rhyddid gan ei hyfforddwyr yntau i grwydro lle bynnag roedd o eisio ar hyd a lled y maes am fod ganddo'r cyflymdra a'r sgilia roedd eu hangen yn y chwara rhydd. Efallai iddo ddatblygu'r sgiliau hyn, o ganlyniad i'r profiadau a gafodd wrth chwara pêl-droed Gaelaidd yn ei gynefin yn yr Iwerddon. Mae ambell i Rif 2, fel John Smit, o Dde'r Affrig, yn rhagori yn y chwara tyn ac yn amlwg yn y chwara rhydd, fel yr oedd Trevor Leota, o Samoa a Frederico Mendez o'r Ariannin, er gwaetha'r ffaith eu bod nhw'n hogia reit fawr! Ond mae rhai bachwyr, sy ddim yn arbennig o fawr, yn gwneud eu marc mewn agweddau neilltuol ar y chwara agored, er enghraifft, Raphael Ibanez o Ffrainc, neu Keven Mealamu, o dîm y Crysau Duon, sy'n feistr ar gario'r bêl yn effeithiol ac ar glirio chwaraewyr o'r ryc. Yn sicr mae gofyn i fachwr yn y gêm fodern fedru dal ei dir yn y sgrym a chyfrannu yn y tir agored ac mi ddyla hynny fod yn wir am holl chwaraewyr y rheng flaen.

Mae cyfuniad o ddoniau'n hanfodol hefyd yn ail reng y gêm fodern. Yn hanesyddol bron mae gofyn cael un aelod ohoni sy'n gorfforol iawn ac yn medru sicrhau pêl yn nhu blaen y llinell. Yn hynny o beth, ymhlith y goreuon y buas i'n chwara yn eu herbyn nhw roedd y Ffrancwr, Fabien Pelous, Danny Grewcock, o Loegr, a Paul O'Connell, o'r Iwerddon. Wedyn, yn ogystal â'r cawr trwm, mae gofyn cael neidiwr athletaidd sy'n medru saethu i'r entrychion, fel arfer, tua chanol neu gefn y llinell. Dau sy'n feistri ar y gamp hon yw Victor Matfield, o Dde'r Affrig, a Scot Murray, o'r Alban, sydd wedi rheoli'r llinellau i'w gwledydd ers blynyddoedd.

Mae gofyn i bob aelod o'r rheng ôl y dyddiau hyn fod yn dal er mwyn medru ennill pêl yng nghefn y llinell. Ar ben hynny mae disgwyl i'r goreuon gael doniau ychwanegol. Er enghraifft, mae Richie McCaw a Simon Easterby yn rhagori ar ennill y bêl yn y dacl. Ar y llaw arall rhagoriaeth Anthony Foley, Lawrence Dallaglio a Scott Quinnell oedd eu cryfder wrth groesi'r llinell fantais (er bod ambell enghraifft brin o Scott yn cael ei godi yn y llinell!). Yn yr un modd mae George Smith o Awstralia, a Jerry Collins o Seland Newydd, yn feistri ar ennill tir drwy gario'r bêl. Yr hyn oedd yn gwneud Serge Betsen, o Ffrainc, yn flaenasgellwr mor arbennig oedd ei ddoniau dinistriol yn y dacl. Ond mae 'na eithriadau hefyd i'w cael yn y rheng ôl. Mae Phil Waugh o Awstralia a Neil Back, pan oedd o'n chwarae i Loegr, yn wych o ran eu gallu i gyrraedd y dacl yn sydyn a sicrhau meddiant, er go brin y bydda modd dibynnu ar ddau mor fyr i ennill y bêl yng nghefn y llinell.

Y dyddiau hyn, yn enwedig trwy gyfrwng system yr Academi, mae ein chwaraewyr gora ni yng Nghymru yn cael eu trwytho yn y tasgau sylfaenol y bydd hyfforddwyr yn disgwyl iddyn nhw eu cyflawni yn eu gwahanol safleoedd. Ond mae 'na berygl mawr bod gofynion y gêm fodern, wrth roi cymaint o bwyslais ar rym, nerth a ffitrwydd, ac nid ar y sgiliau elfennol, yn mynd i feithrin rhyw agwedd robotaidd yn y chwaraewyr hynny. Tydy agwedd felly ddim yn gadael iddyn nhw ddatblygu eu gallu i ymateb yn reddfol, mewn gêm, i'r hyn sydd yn digwydd ar y cae ac i wneud penderfyniad cyflym ar sail hynny. Y gallu hwnnw sydd yn draddodiadol wedi rhoi'r fflach yn ein chwara ni fel Cymry, ar hyd y blynyddoedd. Mae'n hollbwysig felly bod hogia ifanc yr Academi yn cael y cyfle i ddatblygu'r sgiliau sydd eu hangen arnyn nhw yn eu gwahanol safleoedd ac yn y chwara agored ond eu bod nhw hefyd yn cael eu hannog i ymateb yn reddfol fel unigolion i bob sefyllfa ar y cae, gan addasu'r hyn a ddysgwyd gynnyn nhw.

Rwy'n gobeithio y ca' i gyfle i bregethu'r neges honno am flynyddoedd lawer i ddod! Yn sicr rwy'n edrych ymlaen bellach at roi tipyn nôl i'r gêm fel hyfforddwr, yn gydnabyddiaeth o'r pleser, yr hwyl a'r fraint aruthrol a gefais i fel chwaraewr. A minnau, yn y bennod agoriadol, wedi cynnwys englyn a sgrifennodd Y Prifardd John Gwilym Jones i mi ar achlysur ennill gornest Y Cymro Cryfa falle ei bod hi'n briodol, ar gychwyn pennod arall yn 'y ngyrfa i, imi gloi gydag englyn arall o waith John, a gyflwynodd o i mi am sefydlu record newydd fel y Gogleddwr a enillodd mwyaf o gapiau erioed am chwara rygbi dros Gymru:

> Ar y maes gwêl sgarmeswr – o dderw,
>   A llaw ddur Gogleddwr
> Ym mlaen ein tîm, wele'n twr
> Yn gorwynt o wladgarwr.

Am restr gyflawn o lyfrau'r wasg,
mynnwch gopi o'n catalog – neu hwyliwch i
mewn i'n gwefan newydd:

www.ylolfa.com

TALYBONT CEREDIGION CYMRU SY24 5AP
ebost ylolfa@ylolfa.com
gwefan www.ylolfa.com
ffôn (01970) 832 304
ffacs 832 782